リーダーシップの心理学

効果的な仕事の遂行とは

白樫三四郎著

有斐閣選書

はしがき

リーダーシップのよしあしが、集団や組織の成功・失敗に大きな影響をもたらす。優れた素質をもった人をリーダーのポジションに据えれば万事うまくいくというものでもない。リーダーシップは実はかなり複雑な社会的影響過程なのである。教育、産業、行政、スポーツ、社会そのほか各種の集団で優れたリーダーシップが求められている。本書は社会心理学ないしグループ・ダイナミックス（集団力学）の立場から、リーダーシップ現象にアプローチしようとするものである。

第二次世界大戦を契機として、リーダーシップに関する科学的研究は長足の進歩を遂げた。そして一九五〇年代にはアメリカのミシガン大学、オハイオ州立大学などでリーダーシップ行動とその効果測定に関する研究が盛んに行なわれるようになった。わが国でも三隅二不二教授（当時、九州大学教育学部）によってリーダーシップPM理論（本書四九ページ以下参照）の研究が六〇年頃から始まった。

これとほぼ並行して、アメリカ、イリノイ大学のフィードラー教授はリーダーの個性と集団－課題状況の組み合わせに注目したモデルを構築しつつあった。筆者は学部・大学院を通して三隅教授の指導を受け、リーダーシップ研究に取り組んできた。しかし筆者の関心は三隅教授のPM理論的アプローチから、しだいにフィードラー理論（本書一一九ページ以下参照）へ移行していった。

一九六四年に発表されたフィードラーのモデルは実に衝撃的であった。それまでのリーダーシップ効果性理論が、ある種の理想的リーダーシップ・パターンを想定していたのに対し、彼は「効果的リーダーシップ・スタイルはリーダーないし集団がおかれている状況いかんによってシステマティックに変化する」という仮説を、膨大な実証データによって提示したのである。

本書は、フィードラー理論をひとつの手がかりとして関連する諸研究結果を広く探索し、効果的なリーダーシップを考察しようとしたものである。もとより完全な理論はない。フィードラー理論にも数多くの欠陥、欠点が含まれる。しかし筆者はリーダーシップ研究のひとつの過程として、フィードラー理論を取り上げてきた。書き足りないところ、あるいは思わぬ間違いがあるかもしれない。読者諸氏のご批判をいただきたいと思う。

本書の執筆に際して、九州大学時代の恩師、三隅二不二教授(現在、大阪大学人間科学部)の熱心なご指導に心から感謝する。さらに、同じく九州大学時代の恩師、牛島義友、関計夫、池田数好、成瀬悟策の諸先生に心からお礼申しあげる。

フィードラー教授(一九六九年にアメリカ、シアトルのワシントン大学に移られた)には書物や論文を通して長年にわたって研究上の刺激を与えていただいただけでなく、二度にわたる来日の折、あるいは一九七九年一月から八月まで彼の研究室に研究員として迎えられ、親しく指導を受けることができた。この機会に改めて感謝する。またカートライト博士(前ミシガン大学教授)には一九六九年九州大学でのゼミナールの際、フィードラー理論に関連した筆者の実験報告に対し実に適切なアドバイスをいただき、これが後の研究の大きなヒントとなった(本書一五九ページ参照)。

本書ができ上がるまでに多くの関係機関、先輩、友人のご援助を得た。まず一九六六年以来、筆者に研究と教育の恵まれた環境を与えてくださった西南学院大学に感謝する。同大学の姉妹校であるベイラー大学（アメリカ、テキサス州）への交換教授としての出張（一九七五〜七六年）およびカリフォルニア大学ロサンゼルス校（ＵＣＬＡ）ならびにワシントン大学（シアトル）への在外研究（一九七八〜七九年）の二度にわたるアメリカ滞在の機会を与えられ、研究上大きなプラスとなった。また最近、二度目の国内研究休暇（六カ月）を与えられ、この期間中に本書の大部分を執筆することができた。

本書の出版に当たっては、その機会を与えてくださった山田雄一教授（明治大学）に感謝申し上げる。また本書の企画から出版まで長い間ご協力いただいた、有斐閣編集部の伊藤真介氏に感謝する。筆者は本年三月、思い出深い西南学院大学を離れ、四月には新設の鳴門教育大学に移る予定である。これまで長い間、親しくしてくださった西南学院大学の先輩、同僚、友人、職員の方の方々に感謝し、新しい研究の場で新たな刺激が与えられるものと期待している。

最後に本書の完成を心から応援してくれた家族に感謝し、合わせて、一八七七（明治一〇）年ロンドン留学中わずか一八歳で病気のため客死し、いまは郊外のケンサル・グリーン墓地に眠る、大伯父、柏木門三の霊前にこの小著をささげる。

一九八五年一月一日

白樫三四郎

目次

序章　リーダーシップ・スタイルを診断する――1

第1章　リーダーシップとは何か――7

1　リーダーシップとは　7

2　どんな条件でリーダーシップは発生するか　14

パーソナリティ／「リーダーなし集団」におけるリーダーシップ特性／ポジションがリーダーをつくる／地位・勢力の差／集団の大きさの影響／危機とリーダーシップ／パーソナリティ要因と状況要因との交互作用

3　リーダーシップはどのように発達するか　28

幼児期とリーダーシップ／児童期とリーダーシップ／青年期とリーダーシップ

第2章　リーダーにはどんな能力・資質が要求されるか――31

1　リーダーに要求される能力・資質　31

2　知能・経験の生かし方　36

リーダーの知能と集団凝集性／多元的スクリーン・モデル／知能、経験、上司からのストレス、業績相互間の関係／知能・経験の活用の仕方と課題の性質／上司からのストレス測定法／知能、ストレスおよび学業成績

第3章　リーダーはいかに行動するか――49

1　P型かM型か　49
郵政研修所実験／産業現場における監督者のリーダーシップ効果性／産業組織における成員の満足度／成員の達成動機とリーダーシップ効果／コミュニケーション構造とリーダーシップ効果／リーダーシップP、M行動と集団－課題状況

2　配慮か構造づくりか　72
リーダーシップ行動の因子分析／配慮、構造づくりとリーダーシップ効果性／配慮、構造づくりと集団－課題状況

3　民主型か専制型か　86
民主型か専制型か／民主型、専制型と集団－課題状況／リーダー効果性の多元的連鎖モデル

4　システム1、2、3、4　104
システム1、2、3、4の測定／システム4の有効性の理由／時間の要因／組織開発とシステム4／葛藤解決とシステム4

第4章　リーダーは状況にどう適合するか——119

1　リーダーの個性と環境　119

非公式集団における研究／公式組織における研究／集団創造性に関する研究／集団‐課題状況の区分／リーダーシップ効果性の条件即応モデル／条件即応モデルの妥当性／LPCの意味／条件即応モデルに対する批判

2　リーダーの行動と仕事の内容　168

3　意思決定のあり方　179

第5章　リーダーシップ訓練——189

1　経験と訓練　189

経験／訓練

2　リーダー・マッチ——新しいリーダーシップ訓練　200

LPCと状況統制力の適合

3　リーダー・マッチの妥当性　208

第6章　職場の集団力学 213

1　対人場面の心理　213
個人空間の侵入／傍観者効果／社会的手抜き

2　コミュニケーション　223

3　集団的浅慮　227

参考文献

引用文献

人名索引

事項索引

序章

リーダーシップ・スタイルを診断する

あなたはあなた自身のリーダーシップ・スタイルについてどのくらい正確に知っているであろうか。まず最初に、次の指示を注意深く読んでいただきたい(1)[46]。

〔指　示〕　あなたはこれまでの人生でさまざまな人たちとさまざまな集団で働いたことがあるでしょう。たとえば仕事、社会的な集まり、任意参加のグループ、スポーツのティームなど――。その場合、非常に仕事を一緒にやりやすい人もいたでしょうし、逆に仕事を一緒にすることがとてもむずかしい人もいたでしょう。

これまで一緒に働いたことのあるすべての人々の中から、一緒に仕事をすることが最もむずかしかったと思う相手を一人だけ頭に思い浮かべてください。これはあなたが最も嫌いな人である必要はあ

だらしない	1	2	3	4	5	6	7	8	きれい好き
	非常に	かなり	やや	どちらかといえば	どちらかといえば	やや	かなり	非常に	

りません。一緒に仕事をすることが最もむずかしい相手という意味です。現在同じグループの人でもいいし、あるいはいまは別のグループの人でもかまいません。上司（あるいは指導者）でもいいし、同僚でも、部下でもかまいません。誰でもそういう人に思い当たるものです。

さて、そういう人が一人はっきりと頭に浮かんできたら、その人について、上の尺度（記入例）の最もピッタリとくるところに○印をつけてください。

上の尺度をみると、「きれい好き」「だらしない」という正反対のことばが両端に書かれており、その間に八つの回答欄が準備されています。もし、あなたがその人を「かなりきれい好き」と思えば7の上に○印を記入してください。また「どちらかといえばきれい好き」と考えるならば、5に○印を、また「非常にだらしない」と思えば1に○印を記入してください。

○印を記入する前に、両端のことばをよく読んでください。正答とか誤答とかはありません。時間制限はありませんが、あまり考えすぎるとなかなか答えにくいものです。最初の印象でつけるとうまくいきます。

では、あなたの仕事相手として最も苦手とする人について、次の図の各項目それぞれについて、八段階のうち、最もよくあてはまる欄に○印を記入してください（とばさないように。ここでは得点欄には

図序・1　LPC尺度

(Fiedler, F. E., Chemers, M. M. & Mahar, L., 1977〔46〕)

	非常に	かなり	やや	どちらかといえば	どちらかといえば	やや	かなり	非常に		得点
楽しい	8	7	6	5	4	3	2	1	楽しくない	――
友好的	8	7	6	5	4	3	2	1	非友好的	――
拒否的	1	2	3	4	5	6	7	8	受容的	――
緊張している	1	2	3	4	5	6	7	8	ゆとりがある	――
疎遠	1	2	3	4	5	6	7	8	親近	――
冷たい	1	2	3	4	5	6	7	8	暖かい	――
支持的	8	7	6	5	4	3	2	1	敵対的	――
退屈	1	2	3	4	5	6	7	8	面白い	――
口論好き	1	2	3	4	5	6	7	8	協調的	――
陰気	1	2	3	4	5	6	7	8	陽気	――
開放的	8	7	6	5	4	3	2	1	警戒的	――
陰口をきく	1	2	3	4	5	6	7	8	忠誠	――
信頼できない	1	2	3	4	5	6	7	8	信頼できる	――
思いやりがある	8	7	6	5	4	3	2	1	思いやりがない	――
卑劣(きたない)	1	2	3	4	5	6	7	8	立派(きれい)	――
愛想がよい	8	7	6	5	4	3	2	1	気むずかしい	――
誠実でない	1	2	3	4	5	6	7	8	誠実	――
親切	8	7	6	5	4	3	2	1	不親切	――
									合計	――

なにも記入しない)。○印をつけ終ったらもう一度、各項目に一つずつ○印がついているかどうか確認してください。

〔採　点〕　各項目であなたが○印をつけた欄の数字を右端の得点欄に記入して、18項目全体の合計を求め、この値を合計欄に記入してください(計算の間違いを避けるために、検算してください)。

(1)「指示」とＬＰＣの項目はフィードラーほか〔46〕の邦訳をもとに、筆者がわずかに加筆したものである。

以上の手続によって得られた数値があなたの「ＬＰＣ得点」である。ＬＰＣ得点とは最も苦手とする仕事仲間(Least Preferred Coworker)に対してあなたがもっている好意的印象の程度を示す数値である。筆者がこれまで得た日本人成人男子のＬＰＣの平均は六四・三七である(日本人成人女子のＬＰＣの平均はこれよりも若干高く、六六・一四程度であるが、こちらは標本数が足りないので、参考にとどめておくことにする)。

これよりも高い得点をとった人は高ＬＰＣ(関係動機型)で、低い得点をとった人は低ＬＰＣ(課題動機型)といわれる。ただし、平均値に近い値をとった人については、本書の第4章第1節(一一九ページ以下)で述べる、詳しい説明によってもう一度検討してほしい。

低ＬＰＣ(課題動機型)の人は、苦手とする仕事仲間を、たとえば拒否的、冷たい、陰気、……不親切だと、非常に厳しく評価する。仕事の面でいらいらさせられる人に対して、その人のよさを全く見ることができない。これに対し、高ＬＰＣ（関係動機型）の人は、仕事を一緒にするのは苦手であるが、そうだからといって、冷たい、敵対的、思いやりがない……というふうには思わない。「仕事を一緒にやることは希望しないが、全くネガティブな人とは思わない」というわけである。

このテストはアメリカの社会心理学者で、リーダーシップ研究の第一人者として知られるフィドラー教授（シアトルのワシントン大学心理学部教授、組織行動研究室長）によって創案されたものである。彼の理論によれば本書の第４章第１節（一一九ページ以下）で詳しく検討するように、ある状況では高ＬＰＣ（関係動機型）リーダーのほうが有効に機能し、また別の状況では低ＬＰＣ（課題動機型）のほうが有効である。

本書をひもとくに当たって、読者諸氏はまず自己のリーダーシップ・スタイルをはっきりと認識し、そこからリーダーシップ研究の第一歩を踏み出してほしい。

第1章

リーダーシップとは何か

1 リーダーシップとは

アメリカの初代大統領ジョージ・ワシントン（一七三二～九九）はアメリカの独立戦争を指導し、一七八三年には独立を成就させ、大統領に就任し、アメリカ合衆国建国の父として世界史にその名声を残した。またロシアの政治指導者レーニン（一八七〇～一九二四）は労働者、軍隊、民衆を指揮してロシア革命を成功させた。わが国でも戦国時代の武将、織田信長（一五三四～八二）は他の諸将を打ち破り、天下統一の歩を進めた。

これら各時代の指導者はいずれも卓越した能力、政治力により強力なリーダーシップを発揮して人人を指導し、新しい時代をつくった。それぞれの時代にその人がいなかったならばあるいは歴史の動きも異なったかもしれない。

歴史的人物のみならず、われわれは現代の政治においても、リーダーシップに深い関心をもたざるを得ない。たとえば元内閣総理大臣田中角栄（一九一八〜）はロッキード事件の被告でありながら、（自由民主党から離れて、無所属の衆議院議員であるにもかかわらず）自由民主党内最大派閥田中派を率いて、強力なリーダーシップを発揮し、政局に大きな影響を与え続けている。

さらに政治以外の、あらゆる集団においても、われわれはリーダーの働きをみることができる。松下幸之助（一八九四〜）は松下電器産業を興し、今日の同社の発展の基礎を築いた。新島襄（一八四三〜九〇）はキリスト教教育に率先し、多くの信者・学生を育てた。

このほか、企業における社長、部・課・係長、官庁における長官、局長、部・課・係長、大学における学長、学部長、小・中学校および高等学校における校長、プロ野球ティームにおける監督など、われわれは集団のリーダーシップと呼ばれる人々の働きを具体的にみることができる。これらはすべてリーダーシップということができるであろう。では、リーダーシップとは果たしていかなる現象であろうか。人によってリーダーシップに対して与える意味はいろいろ異なるであろう。まず手もとの辞書を引いてみよう。

リーダーシップ（leadership）とは

1　指導者（指揮者、先導者など）の地位（身分、任務）

2　指導者（指揮者）としての素質：指導力、統率力

3　指導（統率、指揮）〔すること〕
4　（ある集団の）指導者団、指揮者団、指導部（たとえば「ストライキを中止するという指導部の決定」というように）

（『小学館ランダムハウス英和大辞典』第二巻、一九七四）

これからリーダーシップとは広い意味で、集団または他者を指揮し、指導することにかかわることばであることがわかる。「リーダー」ということばが初めて英語の辞書にあらわれたのは思いのほか遅く一三世紀であり、「リーダーシップ」になると、さらに遅れて一九世紀前半になるという〔9〕。しかしリーダーシップに関する現象はすでにプラトン（紀元前四二七〜三四七）、シーザー（およそ紀元前一〇〇〜四四）、プルタルコス（およそ四六〜一二〇）らの古代ギリシア哲学者によって考察されており、ホメロス（およそ紀元前八〇〇〜七五〇）の『イリアース』にはすでにいくつかのタイプのリーダーを区別する記述がみられるという〔9〕。つまりリーダーシップ現象についての関心は、人類の文化の歴史の始まりとともにあるといえよう。

時代とともに数多くのリーダーシップ研究が報告されてきた。ストッディルが一九七四年に刊行したリーダーシップに関する著書〔156〕ではおよそ三千篇の研究が展望されているが、彼の死後その改訂を試みたバスは、そのわずか七年後に出版した新版〔9〕で、約五千篇の研究報告を扱わなければならなかった。それとともにリーダーシップの意味も多岐にわたり、今日ではその整理・分類が必要なほどである。ここではバス〔9〕、ギブ〔62〕、レーブン＝ルービン〔121〕などを手がかりとして、リーダーシップの概念を整理してみよう。

(1) **特定の職位を占めている個人の機能**　内閣総理大臣、衆議院議長、最高裁判所長官、会社の社長、部長、大学の学長、労働組合執行委員長などはいずれも公式組織におけるリーダーのポストを占めており、彼らはリーダーであり、彼らが果たす機能がリーダーシップである。また、ある未開社会の文化では現在の主長が死亡すると、その長子がそのポジションを継ぎ、リーダーシップを発揮する。

(2) **集団過程の焦点**　リーダーは集団の構造、集団の雰囲気、集団の目標、集団のイデオロギー、集団の諸活動などを決定する場合、集団の中核として機能する。これとの関係で集団成員がそのリーダーに対して愛着を感じ、同一視する傾向が見られる。

(3) **パーソナリティおよびその効果**　パーソナリティおよび性格の望ましい特性を最も多くもっている個人がリーダーである。他者に対して心理－社会的刺激を最も効果的に与えうる人物がリーダーである。公式組織のみならず非公式組織において、そのようなパーソナリティ特性をもった個人が他成員に社会的影響を与えることができる。

(4) **ソシオメトリーによる選択**　ソシオメトリーとは集団内の対人関係（親和・反発）の構造を測定・改善する技法として、モレノによって開発された〔160〕が、これを用いて小集団におけるリーダーシップ構造を明らかにすることができる。たとえば最もすぐれたアイディアに貢献する、討論をリードする、他者から好かれるなどの項目についての成員の回答を集計することにより、集団内のある個人の特定のリーダーシップ機能が測定できる。

(5) **他者を服従させる技術**　リーダーシップとは最小の摩擦で最大の協力を生み出し、最大の成果をあげるよう、人々を取り扱う技術である。またすこしことばを換えれば、リーダーシップとはある個人が望ましいと思う方向に他者が行動するよう彼らを導く技術である、ともいえる。

(6) **影響力の行使**　リーダーシップとは人々が望ましいと感じる、なんらかの目標に向けて彼らが協力するよう、影響を与える行動である。目標設定あるいは目標達成に向けて努力するよう、組織された集団の活動に影響を与える過程(ないし行動)ともいえる。あるいはより広い意味で、二人あるいはそれ以上の人々に対してなされる、ある特定の影響力の行使ともいえよう。

(7) **行為または行動**　リーダーシップ行動とは、その結果として、ある共通の方向へ他者が反応したり、行動したりするような、個人の行動である。より具体的にいえば、あるリーダーが彼(または彼女)の集団成員の仕事を指揮し、調整する過程において行なっている特定の行為である。

(8) **説得の一形態**　リーダーシップとは強制力を伴った直接・間接の恐怖によるのではなく、むしろ説得と教示により人々を管理することである。あるいはリーダーシップとは権威の行使よりもむしろ情緒的アピールを通して人々に影響を与え、効果をあげる能力であるともいえる。また、共通の目標を達成するため、人々を協力するよう説得する活動とも定義できよう。

(9) **勢力関係**　リーダーシップとはある特定の個人が自分の行動を規定する権限をもっているという成員の側の認知に基づいて成立する、ある特殊な勢力関係である。

(10) **目標達成の手段**　リーダーシップとはリーダー自身を含めて、さまざまな集団成員が最小限の時間と労力によって最大限の目標達成を実現するよう、ある状況をととのえる過程である。また、「集団をひとつにまとめ、目標の方向に人々を動機づける、ヒューマン・ファクター（人間的要因）」ともいえよう。

(11)　**相互作用の効果**　リーダーシップとは相互作用によって共通の問題を追求するよう人々のエネルギーをコントロールする過程である。また、そうしなければならないからではなく、そうしたいと他者が望むような対人的相互作用の結果、共通の目的に人々を向けるような過程である。

(12)　**分化した役割**　リーダーシップとは関係の枠組み内における、ある役割であり、リーダーと他の集団成員との双方の期待によって規定される。他の集団成員よりもリーダーがより明確に従うことが期待されるような行動パターンである。

(13)　**構造づくり**　リーダーシップとは相互の問題を解決するため、相互作用における構造（コミュニケーションの方法、問題解決の手段、結果の評価法など）を開始し、維持することである。

ここで列挙された諸概念はいずれもリーダーシップのそれぞれの相異なる側面に注目していることがわかる。したがって、ある程度の共通性・類似性を推測することもできよう。そこでリーダーシップにはおよそ次の要素が含まれると考えられる。

(A)　一人または少数の個人（リーダー）と集団（あるいは集団成員）との社会的影響関係である。前者が後者に対して与える影響が主として考察の対象になっている。

(B)　集団内における、あるポジションとかかわっている。公式リーダーの場合はもちろん、非公式リーダーの場合も、集団成員の側にそのポジション（あるいは構造上の地位）に関する認知が成立している。

(C) 集団の目標を達成する方向および集団成員を心理的・情緒的に安定させる方向で、集団をまとめる働きをしている。

(D) 説得、要請、指示、承認その他の具体的な役割行動を通して、リーダーと集団成員との相互作用過程の中で生じる。

白樫〔152〕はリーダーシップを「特定の個人（すなわちリーダー）と集団成員との影響過程にかかわり、しかも集団の目標達成、あるいはその効果、さらにはそれをもたらす権限・役割に関連する現象」と定義している。

図1・1　社会的影響の4つのパターン

（Cartwright, D., 1969〔19〕）

（社会的影響を与える）		（社会的影響を受ける）個人	集団
	個人	対人関係	リーダーシップ
	集団	同調	集団間関係

では、リーダーシップとその他の社会的影響過程とはどのような関係にあるのだろうか。カートライト〔19〕は図1・1を用いて次のように説明する。

まず、ある個人が他の個人に対して与える社会的影響過程が対人関係である。ここではもちろん一対一の対人関係を意味する。夫が妻に影響を与える過程、あるいは一組の恋人同士の影響過程などがこれである（第6章第1節二一三ページ以下参照）。

次に、ある個人が集団に与える社会的影響過程、これがリーダーシップである。現実の産業組織あるいは官庁組織において、一人の課長とその下にいる係長が一緒になって特定の係（全体）に影響を与えるという場合もあろう。しかしここでは最も単純なケースを主として考えていくことにする。

第三に、集団がある個人に与える社会的影響過程が同調である。たとえば、新たに非公式な友人グループへの参加が認められた新入者（ニューカマー）が服装、ことばづかいなどについて他の成員（多数）のまねをするようになるのはその一例である。この場合、ニューカマー（個人）は集団の社会的影響を受け入れ、集団の規範（または基準）に同調したわけである。

最後に、集団間関係であるが、たとえば企業組織の中で新製品の開発・売り出しについて、研究開発部と販売部がお互いに協力したり、葛藤したりする過程はその一例である。

これまでの説明で、リーダーシップとはいかなる現象であるかについて、およその理解をもたれたであろう。以下本書で検討する個別的な研究事例は、リーダーシップについて各研究者好みの定義を用いており、相互に必ずしも完全に一致しているわけではない。しかし、ここで述べた一般的共通項に照らして考察すれば、容易に理解できると思われる。

2　どんな条件でリーダーシップは発生するか

リーダーシップはそれを果たす人のパーソナリティによって規定されるのか、あるいはその人がおかれた状況・条件によって左右されるのか、という問題は、心理学における遺伝か環境かの論争に似て、かなり長い間論じられてきたテーマである〔121〕。

パーソナリティ

古代ギリシアの哲学者アリストテレス(紀元前三八四〜三二二)はある人間はその誕生の瞬間から指導することが運命づけられており、またある人間は服従することが運命づけられていると述べている(『政治学』)。確かに、旧約聖書時代のモーセ(前一四世紀頃)がいなければイスラエル人たちはエジプトを脱出することができなかったかもしれない。また、チャーチル(一八七四〜一九六五)がいなければイギリスは第二次世界大戦中、ヒトラー(一八八五〜一九四五)の攻撃の前に屈服していたかもしれない。

このような歴史上のすぐれた指導者の事例を分析して、リーダーシップの特質を明らかにしようとする試みがある。しかしそこから共通の結論を導き出すことはなかなか困難である。なぜなら、それぞれの時代背景、政治・社会状勢を一つの枠組みでとらえることがむずかしいためであろう。こういった方法は大人物論(The great man theory)と呼ばれるが、より一般的なリーダー特性に関する問題は、第2章第1節(三一ページ以下)で改めて考察する。

「リーダーなし集団」におけるリーダーシップ特性

第一次世界大戦中、ドイツ軍は将校選抜の方法として「リーダーなしの集団討議法」を開発した。これは何人かの人々からなる集団にあるテーマを与え、討論するよう求め、その過程において、一人一人の成員が他者の行動をどの程度指揮しようと試みたか、またその試みがどの程度成功したか(他者によって受けいれられたか)などを観察者が評定するという方法である。第二次世界大戦後、この方

表1・1　「リーダーなし集団討議」場面とのちの現実生活場面におけるリーダーシップ行動傾向の一致度

(Bass, B. M., 1960〔8〕)

研究者(発表年)	被験者	相関	現実生活場面におけるリーダーシップ行動評価の基準
アーバウス，マレー (1951)	管理研修受講者	.45 .47 .36	1年後の管理業務能力に関する監督者の評価
バス，コーツ (1952)	予備将校訓練団候補生	.51 .68	6ヵ月後の潜在的リーダーシップに関する監督者の評価
		.49	夏期キャンプの業績にもとづく潜在的リーダーシップに関する評価
		.37	潜在的リーダーシップに関する同僚の評価
		.32	将校としての構造づくりや相互作用の始動傾向に関する同僚の評価
		−.25	将校としての他者に対する配慮傾向に関する同僚の評価
バス，ホワイト (1951)	男子大学生社交グループの成員	.44	このグループ内での潜在的リーダーシップに関する同僚の評価
バスほか (1953)	女子大学生社交グループの成員	.39	このグループ内での潜在的リーダーシップに関する同僚の評価
		.36	1学期当りの，グループ外部でのリーダーシップ活動量
		.10	1学期当りの，グループ内部でのリーダーシップ活動量
カーターほか (1951)	海軍予備将校訓練団候補生	.46	夏期航海における業績に関する上司の評価
マンデル (1950)	連邦政府造船所市民サービス課第一線監督者	.36 .21	第一線監督者としての業績に関する上司の評価
		.36	市民サービス課管理者としての業績に関する上司の評価
ワースター，バス (1953)	女子大学生社交グループ仮入会者	.47	6ヵ月後の潜在的リーダーシップに関する同僚の評価

法は世界各国を通じて産業、官庁、大学など各種の組織で用いられるようになった。この方法がどの程度妥当なものであるかを知るために、「リーダーなし討議集団」におけるリーダーシップ行動傾向（観察者による評定）と、その後の現実生活場面におけるリーダーシップ行動傾向（上司あるいは同僚による評価）との一致度を調べてみることができる。表1・1に示されるとおり、両者の相関係数はマイナス・二五からプラス・六八で、その中央値はプラス・三八であった。つまりこの方法で、ある程度不変のリーダーシップ特性をキャッチすることもできるが、完全な予測とはほど遠い〔8〕といわざるを得ない。

アメリカの男子大学生五名からなる集団に毎週一度ずつ三五分間の集団討議を行なわせ、毎回集団編成に当たって成員を入れ換えた〔13〕。討議のテーマはいずれも人間関係に関連するトピックスで、大学生が比較的体験しやすい問題であった（テーマも毎回異なる）。各討論が終了した直後、各集団内において、リーダーシップ傾向に関する相互評定が求められた。延べ五回の評定の相関の平均はプラス・七五とかなり高く、このことは成員の組み合わせが変わっても、各個人にはかなり一貫したリーダーシップ傾向があるとの推定を許すものといえよう。また、三人集団における討論場面で、比較的よく話す人、あるいは示唆を与えたり、求めたり、意見・事実を求めたり、他者の意見を要約したり、統合したりするような行動が比較的多い人が、集団の代表者として選出される傾向があることも見いだされている〔84〕。

これまでは主として討議場面におけるリーダーシップ行動が取り扱われた研究についてみてきたが、

このほかにも推理、機械の組み立て、討論という三種類の課題場面を分析したものもある〔18〕。四人からなるリーダーなしの集団場面で、これら各種の問題解決を行ない、観察者の評定によって、最も高いリーダープシップをもつとされる人物が明らかになった。そのリーダーシップ行動と他の成員との行動を観察・比較してみると、リーダーは一般に行動の頻度が多く、状況の診断、他者に対する行為の方針の提示、行為を遂行するための情報の提供などが多い（三種類の課題を通して）ことがわかった。

これまでの説明で、成員の組み合わせや集団の課題の内容が変わっても、ある程度一貫してリーダーシップを継続して発揮する傾向のある人がおり、しかも集団場面でのその人々の行動にもある程度の共通性があるらしいことが推測できよう。企業や官庁における職員の採用、あるいは昇進のための選抜などにおいて、「リーダーなし討議集団技法」が広く用いられている理由もここにあると思われる。しかし、現実にはあるポジションがそこにいる人のリーダーシップを形づくるという可能性も十分考慮しなければならない。たとえば、企業組織において、抜てきされて常務の地位についた人が常務らしい行動・ふるまいをしだいに身につけてくるという事例をわれわれは見聞きするであろう。

ポジションがリーダーをつくる

アメリカ海軍の新兵を用いた研究で、最初下士官代行をランダムに割り当てると、その役割を与えられた新兵は同僚の兵の出欠をとるとか、彼らを食堂に引率するなどの仕事をこなす間に、「戦闘場面においても自分たちをリードしてほしい」と同僚から思われるようになることが見いだされている〔121〕。

野球のポジションがその後のマネージャーへの昇進と関係するという面白い結果も報告されてい

表1・2 アメリカ・プロ野球のマネージャーの現役時代のポジション

(Grusky, O., 1963〔64〕)

ポジション	全マネージャー (1921—41年) (1951—58年)	無作為標本 (1871—1958年)	
		マネージャー	選手
投手	6.5(%)	(2)	38.5(%)
捕手	26.2	(5)	11.3
一塁手	11.2	(1)	4.4
二塁手	10.3	(1)	8.2
三塁手	13.1	—	4.4
遊撃手	14.0	(1)	8.0
外野手	15.9	(1)	22.1
ピンチヒッター	—	—	2.9
非選手出身者	2.8	(2)	—
その他	—	—	0.2
合計	100.0	(13)	100.0
N＝	107	(13)	452

る〔64〕。アメリカのプロ野球のマネージャーが現役選手時代、それぞれどのポジションを守っていたかを集計し、それを選手の数のポジション別データと比較したものが、表1・2である。これをみると、捕手、三塁手、一塁手、遊撃手出身の選手にマネージャーが多く、逆に投手および外野手出身にそれが少ないことがわかる。これを、内野手（補手を含める）と外野手・投手ほかの二つのカテゴリーに分けると、その違いはもっとはっきりする（図1・2）。なぜこのような違いがみられるのであろうか。外野手は物理的にも、また他選手との相互作用においても、周辺的な位置を占めている。これに対し内野手はボールを投げたり、受けとったりする回数が外野手より多く、特に捕手（マネージャーになる確率が最も高い）の場合、明らかに相互作用の中心的位置を占めている。また投手は各試合においては中心的役割を演じるが、試

図1・2　アメリカ・プロ野球のマネージャーの現役時代のポジション
(Grusky, O., 1963〔64〕, Table 2 のデータをもとに筆者作図)

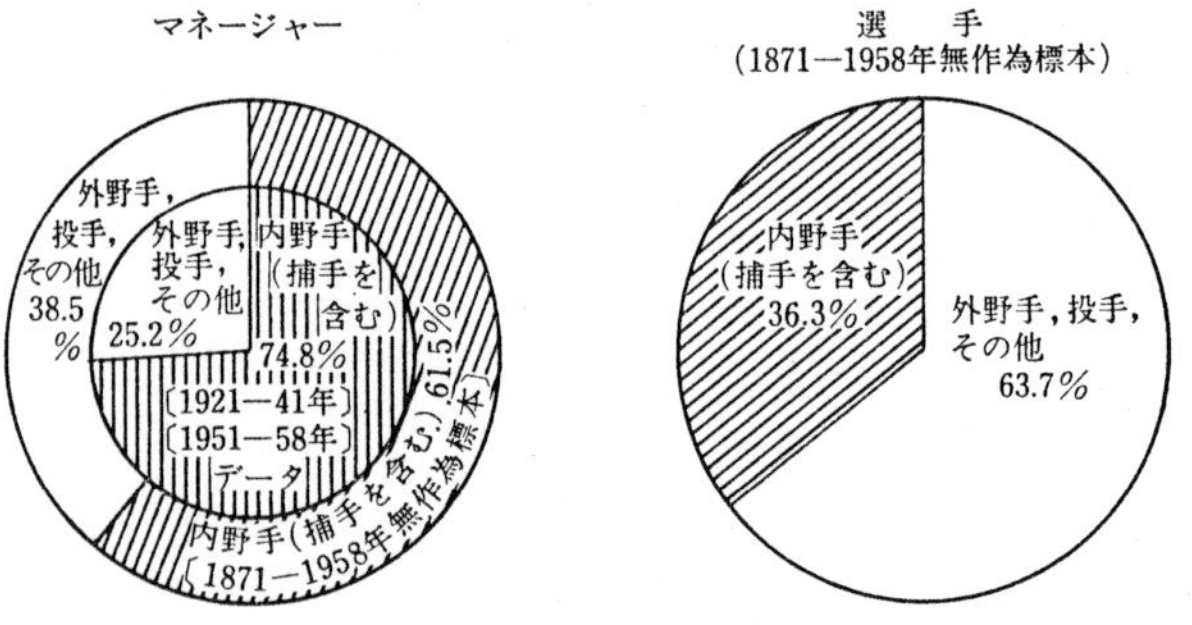

合ごとに（あるいは試合途中でも）交代させられることを思えば、投手出身でコーチになる人の割合が低いのもうなずけるであろう。このような野球のポジションに基づく役割行動の相違が長年にわたって蓄積され、それぞれの人の将来のマネージャーとして必要とされる集団運営あるいは部下育成の技能、態度の違いとしてあらわれてきたのではなかろうか。

わが国のプロ野球においても、読売ジャイアンツの川上哲治監督（一塁手出身）、西鉄ライオンズ、大洋ホエールズの三原脩監督（三塁手出身）、南海ホークスの野村克也監督（捕手出身）、西武ライオンズの広岡達朗監督（遊撃手出身）はいずれも内野手（捕手を含む）出身である。昭和五九年度シーズンから読売ジャイアンツを導いている王貞治監督もまた一塁手出身である。筆者は客観的統計資料をもたないのでアメリカのデータと比較することはできないが、わが国についてもある程度アメリカと類似した傾向が見られるのではなかろうか。

集団内におけるコミュニケーション構造とリーダーシップの発生についても、ある関係が存在する〔10〕。図1・3の各五名（各グ

図1・3　異なるコミュニケーション類型における認知されたリーダーの出現頻度

（Bavelas, A., 1950〔10〕）

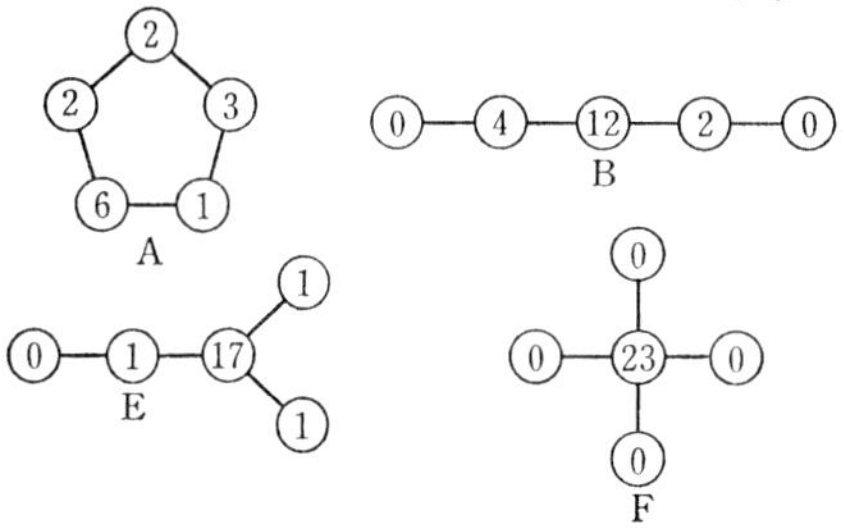

（注）図中の数値は，その位置にいる者をリーダーとして認知した集団成員の総数。

ラフの○印で示す）からなる集団で、相互に対話が許されるルート（各グラフの直線であらわす）のパターンの相違により、四つの条件が設定され、五名の成員一人一人に手渡された六枚のカードのうち、全員に共通している符号を発見するという課題が与えられた。被験者は許されたコミュニケーション・ルートを最大限に使って情報を交換し、問題を解決しようと試みた。一定時間の課題終了後、「誰がリーダーであったか」についての調査が行なわれた。図1・3に示されるとおり、各コミュニケーション構造で中心的位置を占める人がリーダーであったという傾向がきわめて明確に読みとれる。

これらの現場研究（野球コーチの事例）や実験室実験（コミュニケーション構造実験）から、集団内の特定のポジションがリーダーシップを育てる傾向があると考えられよう。

さきに、集団内でよく話す傾向のある個人がリーダーに選ばれやすいということを述べたが（一七ページ参照）、それまであまり話さない人をよく話すように人為的に導いてみると、果たしてその人は他者からリーダーとみなされるであろうか。アメリカ人男子大学生四名からなる集団に、人間関係の問題に関連する一〇分間の討論を引き続き三回行なわせ、第二回目のセッションにおいて実験手続を導入する〔11〕。す

図1・4　ターゲット・パーソン（TP）のソシオメトリー順位と発言時間の割合

（Bavelas, A., Hastorf, A. H., Gross, A. E. & Kite, W. R., 1965〔11〕, Table 1 から実験Ⅰの結果のみ抜粋して，筆者作図）

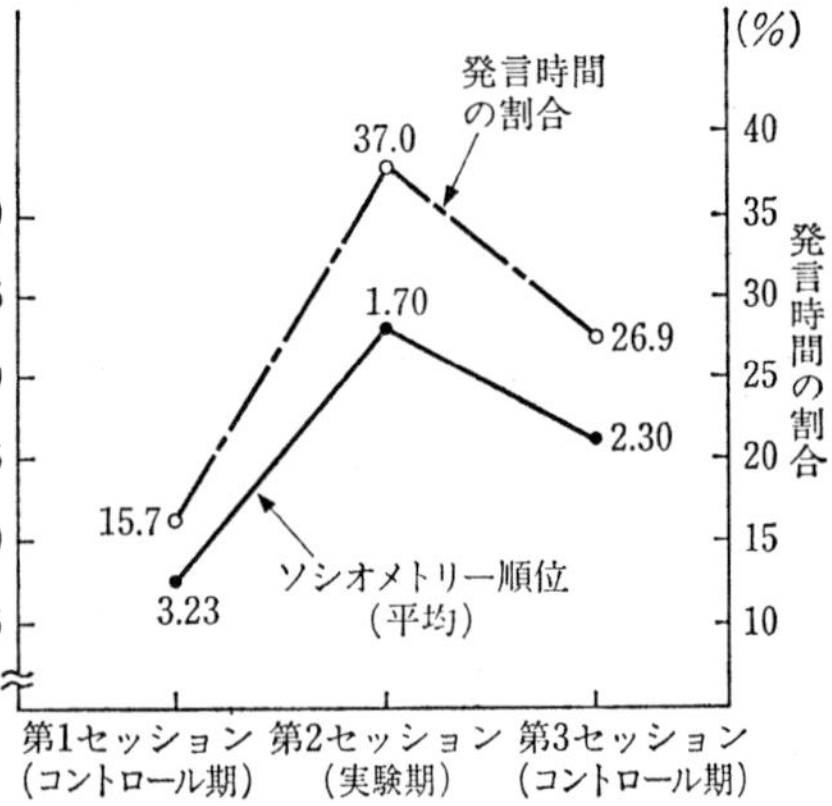

なわち、第一セッション終了後、四項目のソシオメトリー〔160〕の合計得点が各集団内の三番目ないし四番目の成員をターゲット・パーソン（TP）とし、第二セッション以後この人の発言があるときはいつもグリーン・ライト（課題解決に対して貢献・進歩していることを示す）を点灯し、他の成員の発言にはレッド・ライト（課題解決を抑制・妨害していることを示す）を点灯した（スイッチは実験者が操作）。図1・4に示されるとおり、それまで同僚成員からあまり高く評価されていなかったTPも実験者から発言のたびに支持・激励されると、それに力を得て発言時間も増し、このセッション終了直後の同僚からのリーダーシップ評価もかなり高まることがよくわかる。第三セッションでふつうの状態に戻すと、発言時間、ソシオメトリー評価もふたたび低下する。このことから、条件や状況の操作によってある程度リーダーシップをつくり出すことができると示唆される。

地位・勢力の差

すぐ前の項でランダムに下士官代行に指名された新兵がリーダーとしての役割を遂行する過程で、他者からしだいにリーダーとして認知されるようになるということを述べたが、なぜそのようなことが起こるのであろうか。それはリーダーシップ・ポジションにあること自体が、その人物に対してリーダーシップの役割をとるよう仕向けるからではなかろうか。また他者がそのように期待するからではなかろうか。

アメリカの病院に勤務する四二名のソーシァル・ワーカー、カウンセラー、精神病学者、心理学者などを六名ずつの集団に組み、仕事に関連する討議を四回（成員を交代して）行なわせた[76]。四二名の被験者はあらかじめ、本人の業績・行動をよく知っている二人の評定者によって各人の声望をもとに高い地位、低い地位の二つの群に分けられていた。集団討議におけるコミュニケーションの頻度を分析してみると、図1・5に示されるとおり、高い地位、低い地位両者とも、コミュニケーションの相手として低い地位よりも高い地位の人を選んでいることがわかる。

図1・5　地位の差と集団内におけるコミュニケーションの頻度との関係

（Hurwitz, J. I., Zander, A. & Hymovitch, B., 1960[76], Table 3 より「聞き手があまりコミュニケートしないとき」のデータをとりあげて，筆者作図）

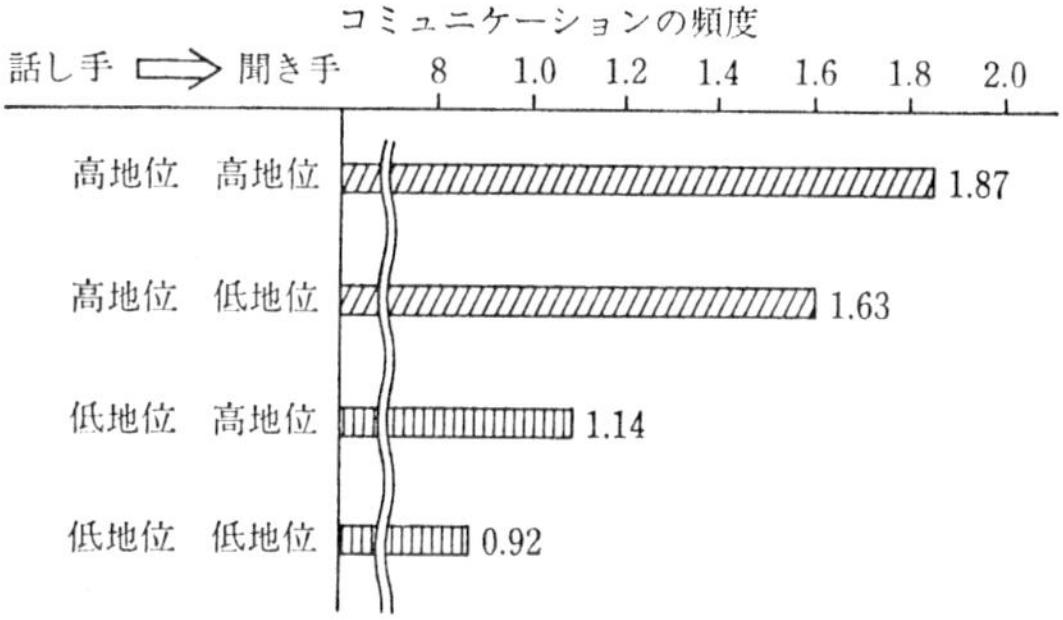

図1・6　イギリスの工場における作業集団の人数の分布
(Hyndyside, J. D., 1952 データ; Bass, B. M., 1960〔8〕, Fig. 5)

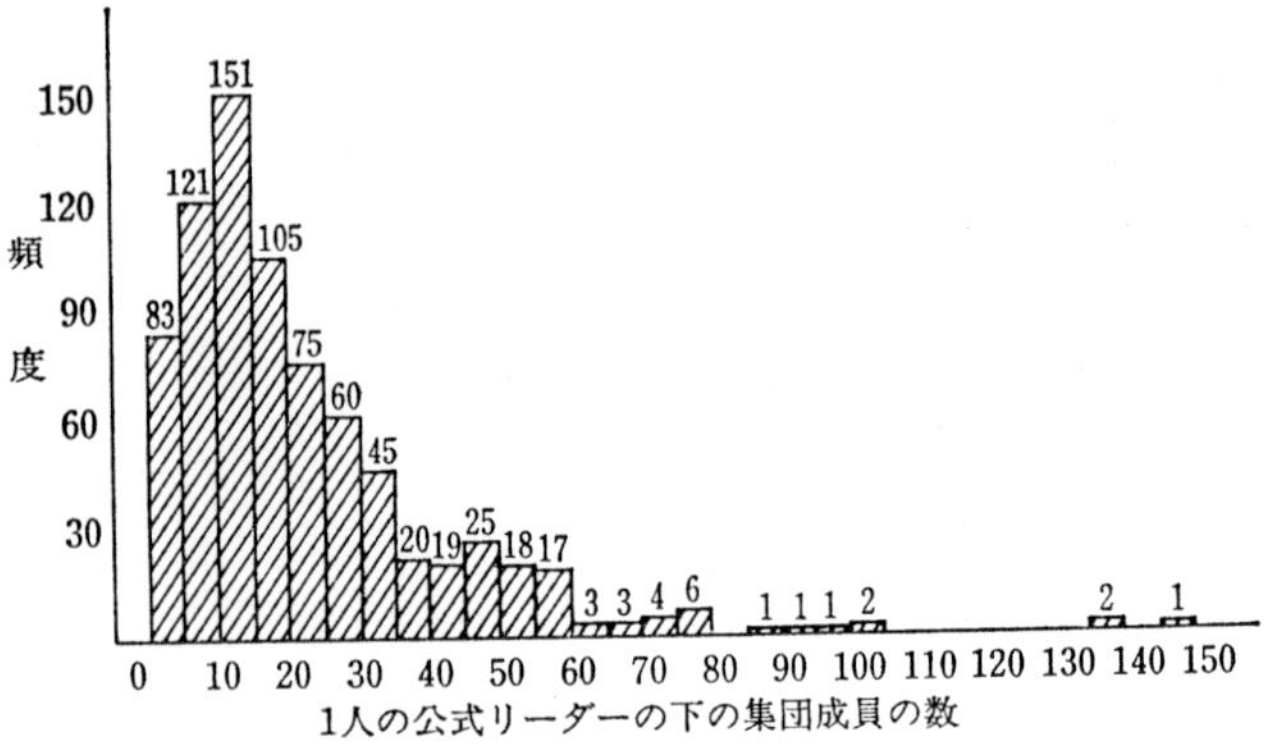

図1・7　「リーダーなし討議集団」における集団の大きさと成員1人1人のリーダーシップの評価との関係
(Bass, B. M. & Norton, F. T. M., 1951 データ;
Bass, B. M., 1960〔8〕, Fig. 7)

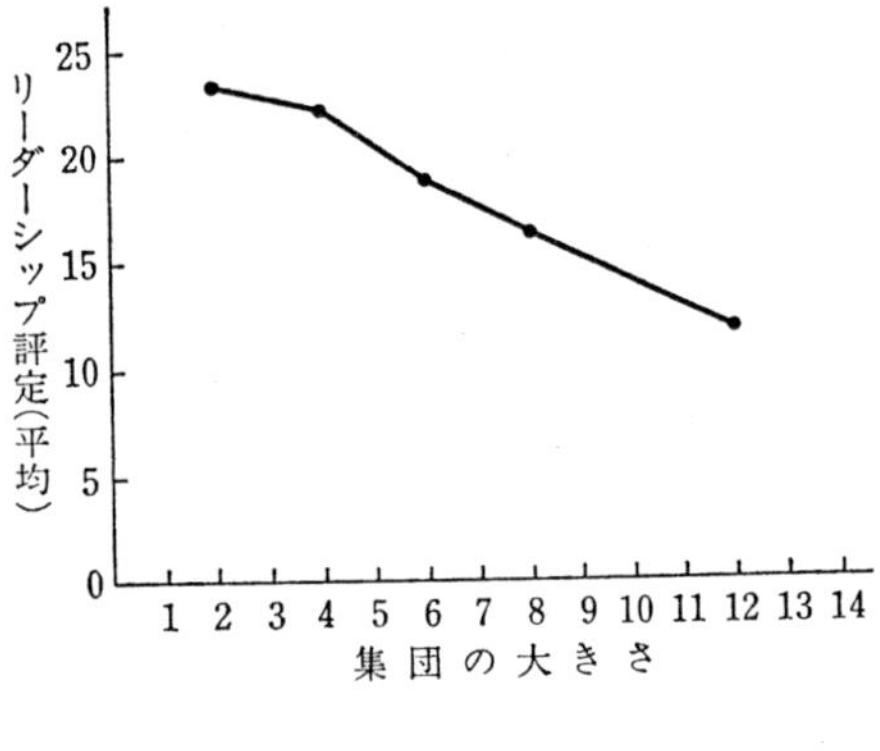

集団の大きさの影響

職場における一人の監督者の下の集団の大きさはきわめてまちまちである。イギリスの工場における作業集団についてみると、図1・6にみられるように、五名から一五〇名にまで及んでいる（一〇名ないし一五名が最も多く、中央値は一六・八名）。このような集団の大きさによって、そこに作用する（あるいは期待される）リーダーシップも異なってくる。「リーダーなし討議集団」（一五ページ参照）における観察者の評定結果によると（図1・7）、一般に集団の規模が大きくなるにつれ、集団の成員一人一人が果たすリーダーシップ行動は小さくなる傾向がある。つまり、集団が大きくなるにつれ、成員みずからがリーダーシップを発揮しようという意欲が減退するものと思われる。その代わりに、特定のリーダーに依存し、要請する行動傾向がふえるものと思われる〔121〕。

危機とリーダーシップ

「静かな海では誰でも水先案内になれる」ということわざがあるが、逆にいえば、荒れている海では強力なリーダーシップをもった船長が必要とされるということであろう。アメリカ合衆国第三二代大統領フランクリン・D・ルーズベルト（一八八二～一九四五）はアメリカ経済大恐慌に直面し、以前より強いリーダーシップをとるよう要請され、ニューディール政策を断行して危機を乗り切った。エジプト・アラブ共和国（アラブ連合）の前大統領ナセル（一九一八～一九七〇）は六日戦争（一九六七年六月）でイスラエルに敗れ、その直後大統領辞任を宣言したが、国の危機に直面したエジプトの民衆は圧倒的意志表示によって、ナセルのもとに結集することを誓い、ナセルは引き続き大統領の地位にと

図1・8　最も影響力のある成員が他成員に対して試みる影響力（平均影響比）と，それが他成員から受容された程度（平均受容率）
(Hamblin, R. L., 1958〔68〕, Fig. 1, 2)

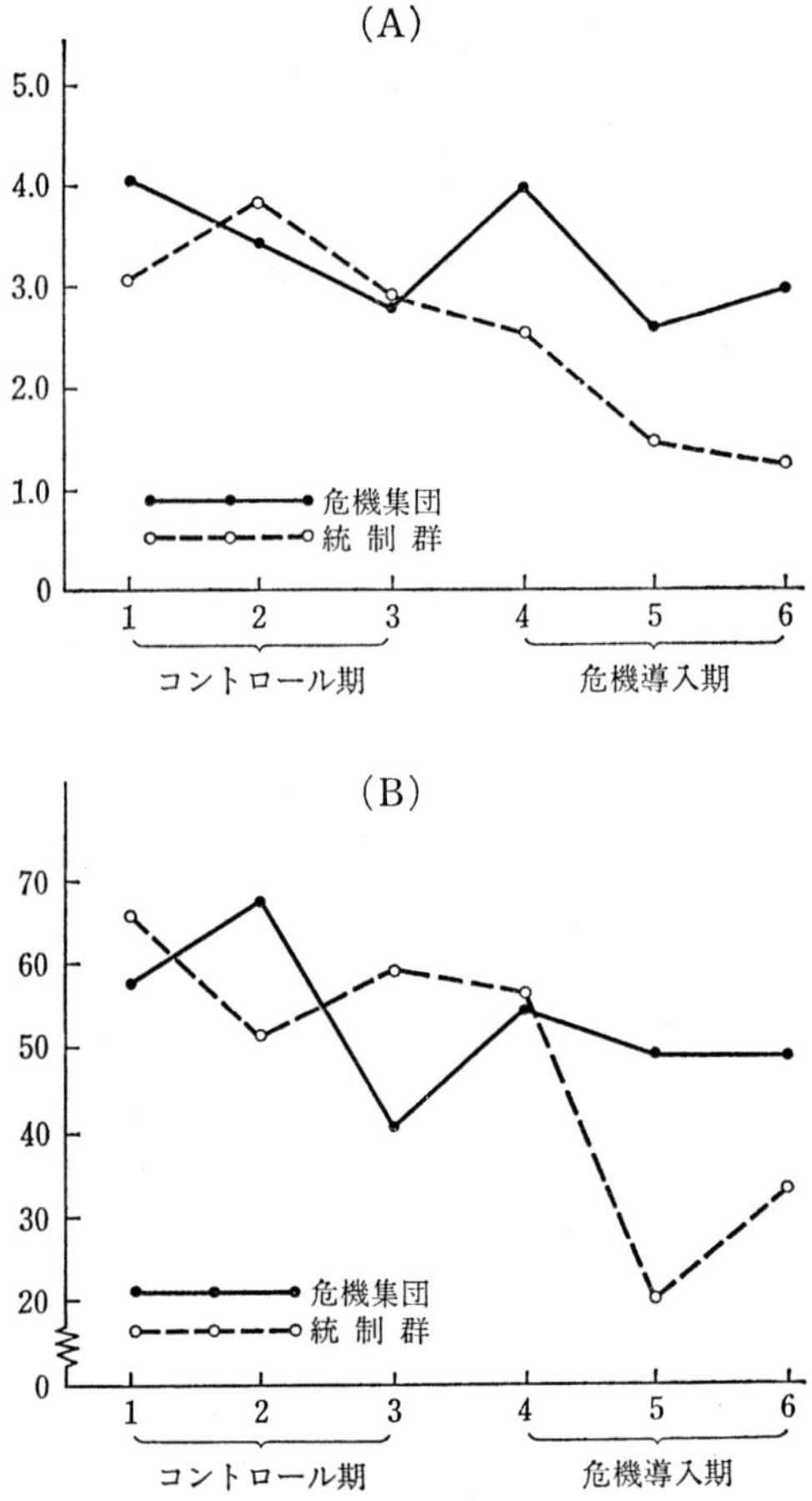

どまった。このように集団（あるいは集団成員）は危機に陥ると、強力なリーダーシップをリーダーに要請する傾向があると思われる。

三人のアメリカ人男子大学生からなる集団に円盤突きゲームを（仮想の）競争事態で行なわせ、実験群においては突如ルールの変更を予告なしで行なうことによって、集団に危機的状況をつくり出した〔68〕。そのため危機の導入以後、実験群の集団の得点は向上しなかった（コントロール群では得点は連続して向上した）。問題解決場面における各成員が、他者に対してどの程度影響力を発揮したか、また各成員の示唆がどの程度他者から受容されたかを観察者が測定した。図1・8に示されるとおり、コントロール集団に比べ、危機に直面した実験集団では、もともと影響力の強い個人がより一層強力なリーダーシップを発揮し、他の成員はその影響をより受け入れるようになってくる。また、コントロール集団では、実験の前半（コントロール期）、後半（危機導入期）とも、最も影響力のある個人は多くの場合同一人物であったが、危機に直面した実験集団では、前半と後半とで最も影響力のある個人はその七五％が別の人物であった。

パーソナリティ要因と状況要因との交互作用

リーダーシップの発生を規定する諸要因についていろいろ考察してきた。しかしこれらを総合的に考察すると、リーダーシップ分析においてはパーソナリティ要因と状況要因とを別々に取り扱うのではなく、両要因の組み合わせとして具体的なリーダーシップ行動が生まれ、その効果が生じるという、いわゆる両要因の交互作用を強調する立場に立つ必要があろう。たとえばもしドイツが第一次世界大戦直後の深刻な政治的・経済的問題に直面していなかったならば、ヒトラーのような独裁者が政権を取るには至らなかったであろう。

リーダーシップ研究におけるパーソナリティ要因と状況要因の交互作用の問題は、容易には解決しえない困難な研究テーマである。しかしこれが本書全体を通しての一貫したメイン・テーマであることに留意してほしい。

3　リーダーシップはどのように発達するか

幼児期とリーダーシップ

これまで考察してきたようなリーダーシップ現象は果たして何歳頃から発生するのであろうか。第1節（七ページ以下参照）で述べたリーダーシップの定義に従えば、リーダーシップ現象の前提として集団の存在が必要となる。しかしここではリーダーシップの基礎となるような（あるいはその後のリーダーシップ行動の発生につながるような）対人関係のパターンに注目してみよう。

生後四ヵ月半から六ヵ月半の乳児では、子どもを相互に接近させておいても個人的相互関係はみられず、孤立の状態にある。そのあと九ヵ月半から一〇ヵ月の乳児では、すぐ近くの子どもとの相互関係はあるが、支配－服従の関係は明確ではない。それ以後になると、特定の乳児は他の子どもたちから注意を集め、成員間の分化があらわれ始める〔114〕。また、他の子どもたちを自由遊び場面ではっきり指揮する行動は三歳頃からあらわれ始めるが、四歳六ヵ月の子どもでも、この種の行動はそれほど大きくはない。さらに、この年齢段階のリーダーシップ行動は知能とある程度の相関が認められる〔117〕。

児童期とリーダーシップ

集団内の人数が一〇名あるいはそれ以下であれば、小学校一、二年生においてある程度リーダーシップを発揮している特定の生徒を見ることができるが、学級全体に対するリーダーシップをはっきり観察できるのは小学校三、四年生あるいはそれ以降である。小学校五年生以降になると、かなりの人数を含んだ集団を組織的・統一的に指導できる者があらわれてくる〔111〕。

青年期とリーダーシップ

中学校や高等学校あるいは大学時代のリーダーシップ体験は、その人ののちの社会的活動に大きな影響を与える。アメリカのある高等学校の卒業生（四八五名）が、高校卒業四年ないし一三年後に大学・大学院あるいは社会でそれぞれどのような成功をおさめているかを分析した（Crowley, J. J., 1940〔152〕参照）。成功の基準としては、職業のレベル、財産・事業所の所有、昇進の可能性のある企業への就職、名誉あるポジションへの就任、同僚・部下からの尊敬、大学・大学院での成績などがとられた。

図1・9　社会的成功をおさめた人々の高等学校時代の経験（男子）
（Crowley, J. J., 1940〔152〕, のデータに基づき筆者作図）

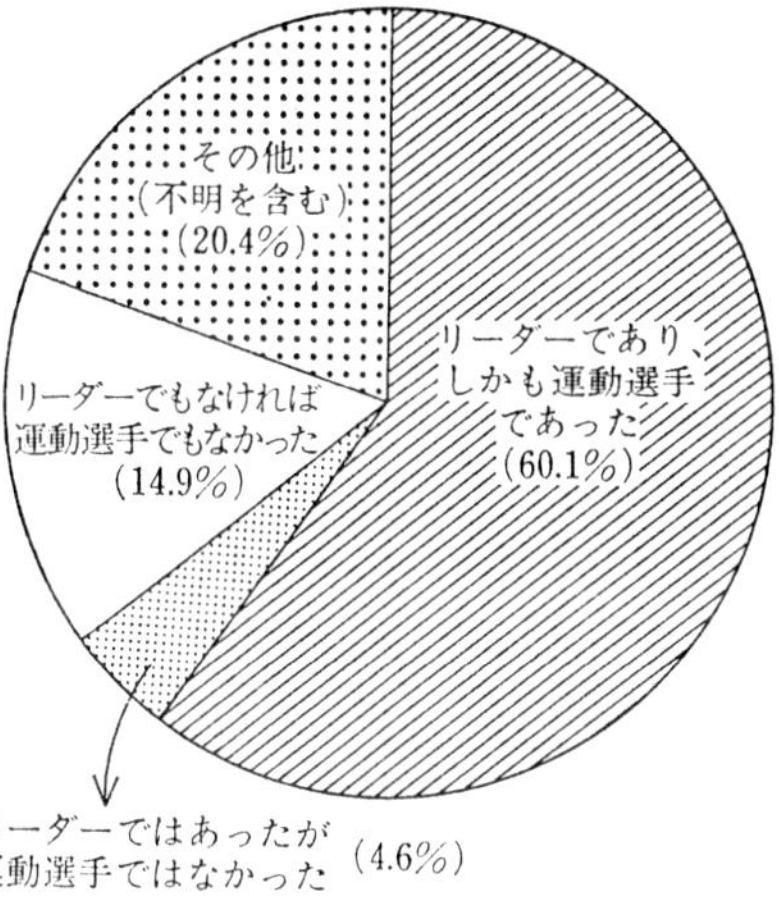

図1・9に見られるとおり、高等学校時代、課外活動クラブのリーダーであった個人、特に

バスケットボールやフットボールなどの運動選手であり、しかもそのティームのリーダーであった人はその後の人生において、いわゆる社会的成功をおさめる確率が高い。もともと積極的でリーダーシップを取る傾向の強い個人が学生時代にクラブ活動でリーダーシップをとり、卒業後彼らが社会で大いに活躍しているという側面もあろうが、やはり学生時代におけるリーダーとしての経験が、その後の社会生活に必要な対人関係の技能や態度を育成し、これがのちにプラスの効果としてあらわれてきた面を見落としてはならないと思う。

＊　この第3節の執筆に際しては、文献〔152〕を参照した。

第**2**章 リーダーにはどんな能力・資質が要求されるか

1　リーダーに要求される能力・資質

リーダーとフォロワー（追随者、リーダーでない成員）との間にはなにか違いがあるのだろうか。リーダーは身体的特徴、社会的背景、知能、能力、パーソナリティ、社会的特性などにおいてフォロワーとどのように異なるのであろうか。こういった問題に関してこれまで多くの研究が報告されてきた。ここではストッディル〔155〕、一九〇四～四七年の間に行なわれた一二四篇の研究結果を要約。第2章第1節では「Sの展望」と略称）とバス〔9〕、一九四八～七〇年の間に行なわれた一六三篇の研究結果を要約。ここでは「Bの展望」と略称）の二つの展望を参照しながら考察する。

まず全般的傾向を把握するため、二つの展望において見いだされた主要な項目について考えてみよ

図2・1　リーダーの特性に関する諸研究結果の要約
((A): Stogdill, R. M., 1948〔155〕, (B): Bass, B. M., 1981〔9〕)

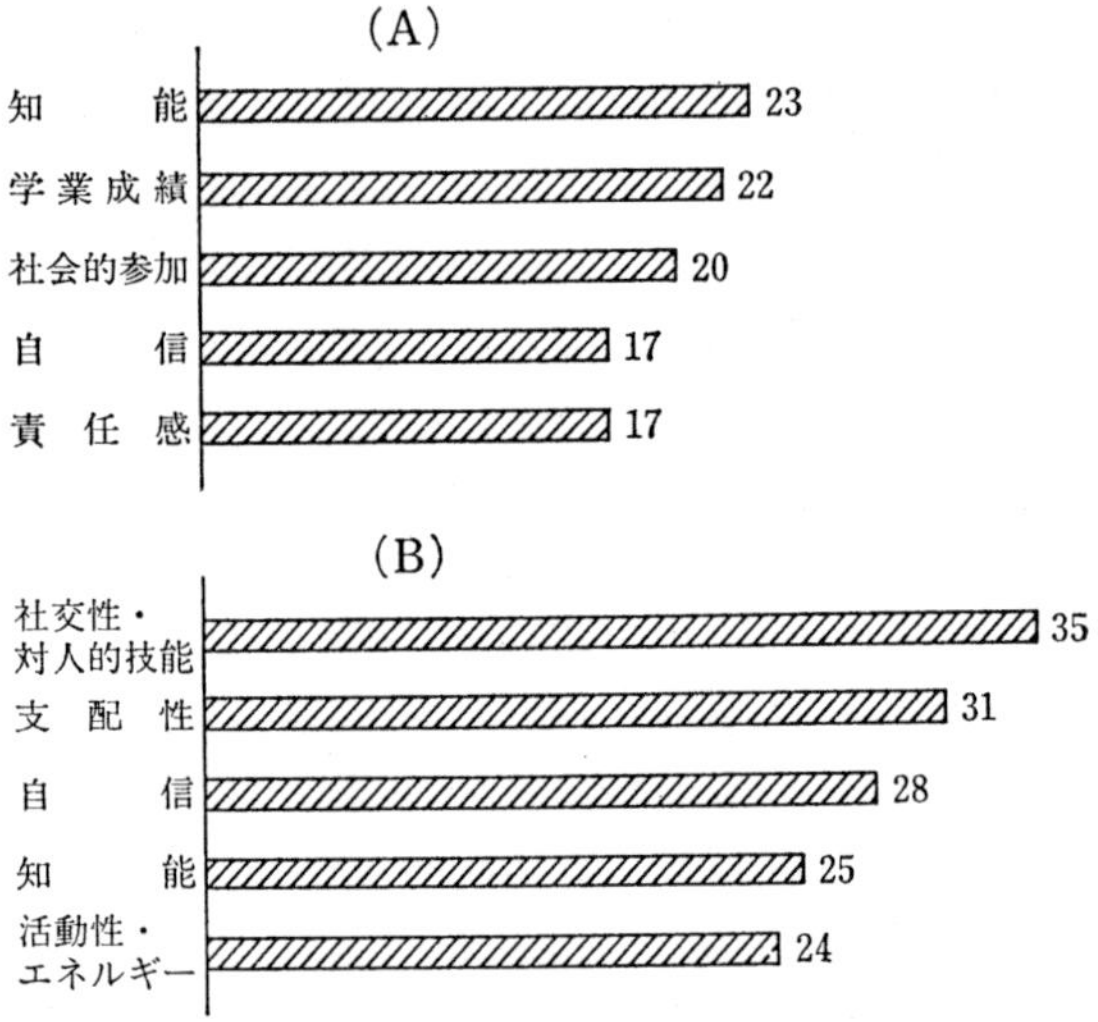

(注)　1)　(A)図中の数値は研究報告の数。マイナスの相関データを省き，プラスの相関のみについて，報告数の多いものから順に5項目だけを筆者がピック・アップ。
2)　(B)図中の数値は研究報告の数。原著には，プラスの相関データのみ記載されているので，多いものから順に5項目だけ筆者がピック・アップ。

う。図2・1に示されるとおり、知能、自信など若干の項目が共通にリーダーの特性として指摘されている。ここでもうすこし、詳細に各項目について検討してみよう。

(1) 知能　一般には知能がすぐれていることがリーダーの第一の必要条件であると信じられている。Sの展望によれば表2・1に見られるとおり、知能とリーダーシップとの相関はマイナス・一四からプラス・九〇の間に分布し、その平均はプラス・二八である。全体として知能とリーダーシップとの間にはやや弱いが、プラスの相関があると推定されよう。しかし、S、B二つの展望ではこの他に、①ときにリーダーとフォロワーとの間に知能の大きな差はない、②まれで

表2・1　リーダーシップと諸特性との相関のまとめ

(Stogdill, R. M., 1948 〔155〕, Table 1, 2)

研究者	知能	学業成績	年齢	身長	体重	社会的技術	社交性
アカーソン（少年）	0.18		−0.01				
（少女）	0.32		−0.11				
ベーリングラス（少年）	−0.139	0.05	0.27	0.17	0.25		
（少女）			−0.32	0.44	0.42		
ボニー						0.53	
ドレイク	0.47						0.52
エイクラー	0.0614	0.1155	0.2067			0.098[1)]	
フレミング	0.44						0.33
ガリソン（学校1）		0.30	−0.12	−0.02	−0.02		
（学校2）		0.36	−0.25	−0.13	−0.04		
グードイナフ	0.10		0.71	0.71	0.52		0.98
ハウエル	0.08	0.39					
レヴィ，E.	0.259	−0.274					
レヴィ，H.S.	0.255	−0.0005					
ニューステッター	0.17		0.45				
ナッティング	0.90	0.11	0.20				
パーテン	0.34		0.67	0.67			
パトリッジ	0.54		0.55	0.43	0.46		
レイノルズ	0.22	0.27					
セルドン	0.060	0.190		0.049	0.024		0.471
トライオン							0.44〜0.74[2)]
ウェッブ							0.39
ゼレニイ	0.44		0.487	0.346	0.204		

（注）1）社会的知能をあらわす。
2）友好性をあらわす。

はあるが、リーダーのほうが逆に知能が低いことがある、③知能が高・低の両極端にある個人はその中間にある人々よりも管理職ポジションにおいてよい成果をおさめにくい、などの研究結果があることが指摘されている。

このように知能とリーダーシップの相関の問題は、予想されるほど単純ではない。改めて次節（三六ページ以降）で新しい観点から考察することにしよう。

(2) 自信　S、B

二つの展望に共通して、リーダーシップと自信との間にプラスの相関があると報告する研究が多い。マイナスの相関はない。Sの展望では両者の相関はプラス・〇八からプラス・五八となっている。しかし自信とリーダーシップとの関係は、一方が原因で他方が結果とは断定しにくいのではなかろうか。確かに自信の強い者がリーダーシップをとる傾向は認められるが、同時に、リーダーのポジションにあってリーダーシップ行動を継続してとるうちに、その個人がしだいに自信を獲得するということも大いにありうると思われる（ポジションがリーダーをつくる事例については一八ページを参照）。

(3)　**支配性**　支配性とは他者をコントロールし、自己の意志に従わせようとするパーソナリティ傾向のことである。S、B二つの展望によると、一般にリーダーシップと支配性との間にはプラスの相関がある。ただし、ときにマイナスの相関も見られる。すなわち支配性の強い人はある場合リーダーシップを発揮するが、またときにむしろ他者から拒否されることがありうるといえる。

(4)　**社交性・対人的技能**　社交性（人との付き合いを好む、またはそれがうまい傾向）や対人的技能（他者との人間関係をスムースに運び、その状態を維持するための技術・方法）とリーダーシップとの間には一般にプラスの相関がある。社交性、友好性、対人関係技術などにおいてすぐれた個人は、リーダーシップを発揮しがちである。社交性・対人的技能とリーダーシップとの間に、マイナスの相関はこれまで見いだされていない。

(5)　**活動性・エネルギー**　これは特にBの展望で指摘されている項目で、リーダーはたくさんのエネルギー、スタミナを蓄え、高水準の身体的活動を保持する傾向があるといわれる。身体的障害あるいは健康上のハンディキャップがある場合でさえ、成功しているリーダーは高度のエネルギー放出を示す傾向がある。

(6) **社会的参加**　リーダーはフォロワーよりも多くの種類の集団活動に参加しているし、また参加の程度も深い（たとえば学校における課外活動など。二九ページ参照）。

表2・2　リーダーシップ諸特性の因子分析的諸研究（1945―70年）の結果

(Bass, B. M., 1981〔9〕, Table 5-2 の抜粋)

因子番号1)	因子名	頻度2)
1	社会的および対人的技能	16
2	課題的技能	18
3	管理的技能	12
4	リーダーシップ効果性・達成	15
5	知的技能	11
6	課題動機づけとその応用	17
7	業績水準の維持	5
8	集団課題の支持性	17
9	社会的近さ・友好性	18
10	集団凝集性の維持	9
11	協調性とティームワークの維持	7

（注）1) 因子番号は原著とは異なる。
2) 各因子を見いだした研究報告の数。

(7) **学業成績**　リーダーはフォロワーよりも一般に学業成績がよい、という一貫した結果が得られている（S、B両者の展望とも）。すなわち、集団によって高く価値づけられているラインに沿ってすぐれた成績をおさめるということが、リーダーシップの地位に貢献するのであろう。ただ表2・1の学業成績欄のデータからも示唆されるとおり、ときに両者の相関はマイナスになる場合もあり、全体としてそれほど高いわけではない。

(8) **責任感**　責任を遂行するうえでの信頼性、確実性、意識などの指標を含むすべての研究で、リーダーシップとの間にプラスの相関が見いだされている（S、B二つの展望を通して）。

この他にもリーダーシップと関連させて多くの特性が従来の諸研究で検討されている。また、これら諸特性を因子分析した諸研究結果も要約されている[9]。それをやや簡略化したものが表2・2である。この第1因子から第8因子までは主として集団課題の目標達成・遂行に関連したリーダーシップ特性であり、第9因子から第11因子までは集団の人間関係の維持・強化にかかわるリーダーシップ特性であるといえよう。ここでこのような二つの側面があらわれてきたことは、きわめて興味深い。第3章および第4章（四九ページ以下）における問題と深くかかわってくるといえよう。

いずれにしても、これら各特性とリーダーシップとの関係はあらかじめ予想されるほど単純ではなく、ある場合にはプラスの相関を示し、またあるときはマイナス（またはゼロ）の相関を示すということを銘記しておく必要があろう。

2　知能・経験の生かし方

われわれは前節（三二ページ）で、知能とリーダーシップとの相関関係が予想されるほど単純ではない、ということを指摘した。ここでは、個人の知能が組織の中でうまく生かされるか否かは組織における対人関係のあり方と深いかかわりがあるという、フィードラーの最近の一連のデータを手がかりに、この問題について考察する。

リーダーの知能と集団凝集性

すぐれた知能をもつリーダーのもとにいる集団がつねによい成果をおさめるとは限らない。なにかそこには、リーダーの高い知能の活用を妨げるような要因が作用しているのではなかろうか。また逆に、リーダーのすぐれた知能がそのままうまく生かされる状況もあるだろう。この両者の違いをもたらす要因は何であろうか。そのひとつとして「集団凝集性」をあげることができよう。つまり成員が集団に魅力を感じ、成員間に対人関係の緊張がない――このような場合、リーダーはすべての成員と効果的に意志疎通ができ、成員は喜んでリーダーの指示に従うであろう。そうなればリーダーは集団の対人関係維持に努力する必要がなく、むしろ課題解決に向けて自己の影響力を思いのまま発揮できるであろう。

図２・２　リーダーの知能，集団凝集性，集団の課題遂行諸要因間の関係
（Fiedler, F. E. & Meuwese, W. A. T., 1963〔49〕をもとに筆者作図）

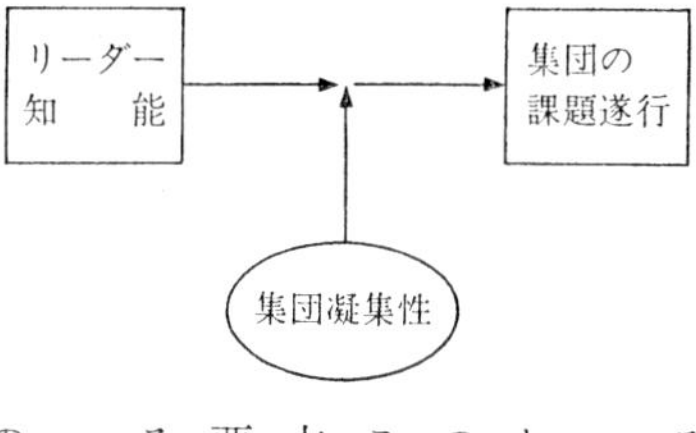

これに対し、成員間に反発があり、成員が集団に魅力を感じていなければ（つまり集団凝集性が低い場合には）、特に有能なリーダーは集団維持のために努力しようとして、課題解決にそのエネルギーを十分に向けることができないであろう。このことから、リーダーの知能・課題遂行能力と集団の課題達成度との相関関係は、集団凝集性の高・低という仲介要因（モダレーター）によって左右されるであろうという仮説が成立する〔49〕（図２・２）。

結果は表２・３に示されるとおり、集団凝集性が高い場合、リーダーの知能（能力）と集団効果性との相関はプラス（中央値はプラス・六二）で

表2・3　リーダーの能力と集団効果性との相関

(Fiedler, F. E. & Meuwese, W. A. T., 1963〔49〕, Table 5 に筆者が若干加筆)

研　究	リーダーの能力得点	集団効果性の基準	集団凝集性の基準	相関係数（*Rho*）凝集性の高い集団	N	凝集性の低い集団	N
陸軍戦車部隊	陸軍一般類別検査	模擬戦闘場面における集団の行動	ソシオメトリー	.26	8	−.21	8
陸軍戦車部隊	熟達度の評定	同　上	同　上	.94**	8	−.21	8
B-29 爆撃機部隊	基礎学校における評点	レーダーによる爆撃得点	リーダーおよび同僚に対する好意度	.67	6	−.40	4
高射砲部隊	陸軍一般類別検査	上司による評定	リーダーの陸軍一般適応性検査得点	.84*	6	.23	9
高射砲部隊	陸軍一般類別検査	上司による評定	成員の陸軍一般適応性検査得点	.57	8	−.05	8
オランダ人学生の集団創造性	類推検査	創造性の評定（実験者による）	ひどい批判者の有無	.54*	14	.24	17

（注）　*　$p<.05$,　**　$p<.01$

かなり高いのに対し、集団凝集性が低い場合、両者の相関はゼロに近いか（マイナス・〇五〜プラス・二四）またはマイナス（マイナス・二一〜マイナス・四〇）となる。つまり、仮説は支持されたといえよう。しかもこの研究では（アメリカの）軍隊と（オランダ人大学生の）実験集団という、きわめて条件の異なる場面を通して共通した結果が得られた、という点でもおもしろい。

多元的スクリーン・モデル

図2・3　リーダー知能の効果に関する多元的スクリーン・モデル
（Fiedler, F. E. & Leister, A. F., 1977〔47〕, Fig. 1 を筆者が若干修正）

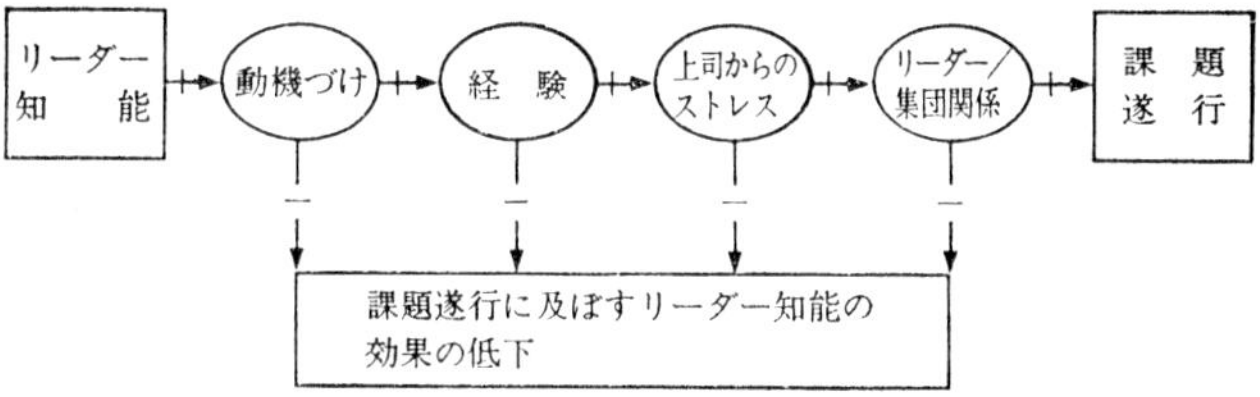

この研究のあと、さらに新しい理論モデル〔47〕（図2・3）が提唱された。すなわち前のモデル（図2・2）では、仲介要因は集団凝集性ただひとつであったが、こんどはさらに複雑になって、動機づけ、経験、上役からのストレス、リーダー／集団関係、の四つの仲介要因を取り扱おうとする。リーダーの知能が本当に生かされるためには、①リーダー自身仕事に対して高い動機づけをもち、②さらに仕事に関する豊富な経験をもち、③リーダーは上司からのストレスを感じておらず、④しかもリーダーと部下集団の対人関係がよい、という四つの条件すべてが満たされる必要があるのではないかと仮定するわけである。図2・3に即していえば、リーダーの知能という光が集団（あるいはリーダー自身）の課題遂行というところまで届くためには、動機づけ、経験、上司からのストレス（のないこと）、リーダー／集団関係、という四つのスクリーンをすべて無事通過しなければならない。もしこのうち一つでも、そのスクリーンを通過できないと、リーダーの知能という光は下方に屈折して、その効果はあらわれなくなってしまう。これが「多元的スクリーン・モデル」である。

アメリカの一五八名の陸軍歩兵分隊リーダーを対象とした調査の結果を見てみよう。表2・4に見られるとおり、確かにリーダーの知能が課題遂行に

表2・4 リーダー知能とリーダー課題遂行との多元的スクリーン・モデルの妥当性検証データ
(Fiedler, F. E. & Leister, A. F., 1977〔47〕, Table 6 から抜粋のうえ，筆者が表記法を若干訂正)

上司からのストレス	動機づけ	経験	知能と課題遂行との相関	N
低	高	長	.62***	18
低	高	短	.59**	13
低	低	長	.10	7
低	低	短	.12	27
高	高	長	.05	19
高	高	短	−.15	15
高	低	長	−.19	16
高	低	短	.17	15

(注) 表中の数値は知能と課題遂行との相関係数。** $p<.05$, *** $p<.01$

効果的に生かされるためには、上司からのストレスがなく、かつリーダー自身の仕事に対する動機づけが高い、という条件が満たされる必要がある。この多元的スクリーン・モデルと前述の図2・2のモデルとの関係を簡単に述べておこう。

先のモデルにおける集団凝集性は、このモデルではリーダー／集団関係に置き換えることができよう。つまり、先のモデルはこの多元的スクリーン・モデルの一部であったと考えられよう。しかしこのモデルでは仲介要因の数が多いため、モデルの妥当性を直接的に検証しようとすると、被験者を16条件に分割しなければならなくなる。そうなると一つの条件に該当する被験者の数がきわめて小さくなり、相関係数の信頼度が低下してしまう。そこで、表2・4に示す程度でデータ分析を止めざるを得ない。したがって、このデータは厳密には多元的スクリーン・モデルの妥当性の部分的検証ということになる。

また、図2・2のモデル(したがって表2・3のデータ)では従属変数は集団の課題遂行・業績であったが、この多元的スクリーン・モデル（図2・3および表2・4のデータ）では従属変数はリーダー自身の課題遂行・業績であることに注意しておく必要がある。

知能、経験、上司からのストレス、業績相互間の関係

知能と業績の関係についてのその他の標本の分析から、さらに新しい事実が明らかになってきた〔50〕。すなわち、図2・4に示すように、リーダーの知能と業績との相関はリーダーが上司から感じるストレスの大小によって左右され、またリーダーの経験（年数）と業績との相関も上司からのストレスによって影響を受けるという傾向である。表2・5のデータに基づいて検討しよう。

図2・4　知能，経験，上司からのストレス，課題遂行諸要因間の関係のモデル

(Fiedler, F. E., Potter, E. H., III., Zais, M. & Knowlton, W. A., Jr., 1979〔50〕の記述により筆者作図)

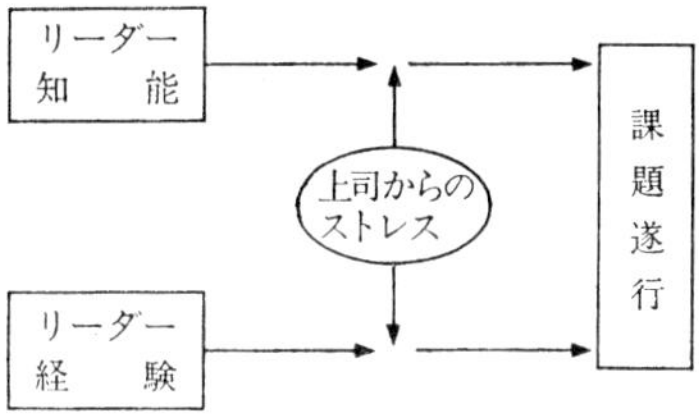

上司からのストレスが弱い場合、知能と業績との相関はプラスでかなり高い。すなわち知能の高い者は業績が高く、知能の低い者は業績が低い。また、経験と業績との相関はマイナス（経験の短い者は業績がよく、経験の長い者は業績がわるい）か、あるいはほとんど相関がない（経験の長・短と業績とは関係しない）。

しかし上司からのストレスが強い場合、知能と業績との相関はマイナス（知能の低い者は業績が高く、知能の高い者は業績が低い）か、または相関はほとんどない。また、経験と業績との相関は一般にプラスとなる（経験年数の長い者ほど業績がよい）。

なぜこのようなことが起こるのであろうか。たとえばいまここ

**表2・5　上司からのストレス強・弱両条件下における
リーダーの知能・経験と業績との相関**
(Fiedler, F. E., Potter, E. H., III., Zais, M. & Knowlton, W. A., Jr., 1979〔50〕, Table 3)

標本	上司からのストレス弱		上司からのストレス強	
	知能と業績との相関	経験と業績との相関	知能と業績との相関	経験と業績との相関
分隊リーダー[1]	.51**	.09	−.01	.40**
沿岸警備隊				
全スタッフ	.16	.03	−.27	.44***
スタッフ[2]	.73***	−.07	−.43*	.44*
政策助言の仕事の多い者	.27	.05	−.46**	.41*
先任下士官[3]	.71***	.00	.06	.51
中隊司令官	.56	−.86**	.01	−.05
大隊参謀将校	.17	−.13	−.56	.42

（注）* $p<.10$, ** $p<.05$, *** $p<.01$
1) ストレスが平均より1標準偏差以上離れている者のみ。
2) 沿岸警備隊勤続10年未満の者のみ。
3) 上役からのストレスのみならず，部下に対してもストレスを感じている者。ここで業績とは上司である中隊司令官の業績をさす。

にきわめて優秀な能力をもった、若い第一線監督者が配置されてきたとしよう。彼は意欲に燃えて新しいことをいろいろやってみたいと思うであろう。しかるに彼の上司である係長がたいへん厳しい上司で、つねに部下である、この若い第一線監督者にストレスを加えるとしよう。このような状況下で優秀な（しかし経験の足りない）若い第一線監督者は、上司である係長との対応にエネルギーを割き、本来の仕事の面に彼の能力を生かすことができなくなってしまう。もし彼がそれほど優秀な頭脳の持ち主でないとすれば、このような場合、上司とのストレスをたとえ感じても、それに対応することもせず、むしろほどほどの業績をあげるのではなかろうか。しかしこのように上司との間に強いストレスがあるとき、もしその下にいる第一線監督者がベテランであれば、（知能の高低にかかわらず）

対処のしかたを心得ていて、よい成果をあげることができるのではなかろうか。

また、上司との間にほとんどストレスを感じないような状況があると想定しよう。このようなとき、優秀な第一線監督者は自己の能力を十分発揮して、大いに業績をあげることができよう。このようなとき、ベテランであるか否かはあまり関係がない。

表2・5の先任下士官のデータにちょっと注意しておこう。この表の他の場合はすべて、被験者（調査対象者）の知能と彼ら自身の業績との相関を問題にしているのであるが、先任下士官の場合だけは、先任下士官の知能と上司である中隊司令官の業績との相関を取り扱っているのである。つまり、上司が部下である先任下士官にあまり強くストレスをかけると、せっかく優秀な部下がいたとしても、その部下の能力が生かされず、それが上司自身の業績の低下にまでつながるというわけである。もしこのことが多くの組織で確かめられるとすれば、たいへん重要なことである。部下の業績にとどまらず、上司の業績にまで跳ね返るからである。

ここでのデータはすべてアメリカの軍隊あるいはそれに類似した組織から取られたものであるが、この結果は企業、官庁その他組織一般における人間行動の研究にたいへん貴重な示唆を与えてくれる。

知能・経験の活用の仕方と課題の性質

さて、これまで述べてきたことはどの程度一般性をもつものであろうか。仕事の内容や課題の性質によって変わってくるのではなかろうか。たとえば、仕事が非常に標準化され、規格化されている状況とそうでないとき（課題の構造化の要因の作用）、あるいは課題遂行に知的努力が非常に要請される状

図2・5　知能，経験，課題の性質，上司からのストレス，課題遂行諸要因間の関係のモデル
(Potter, E. H., III. & Fiedler, F. E., 1981〔119〕より筆者作図)

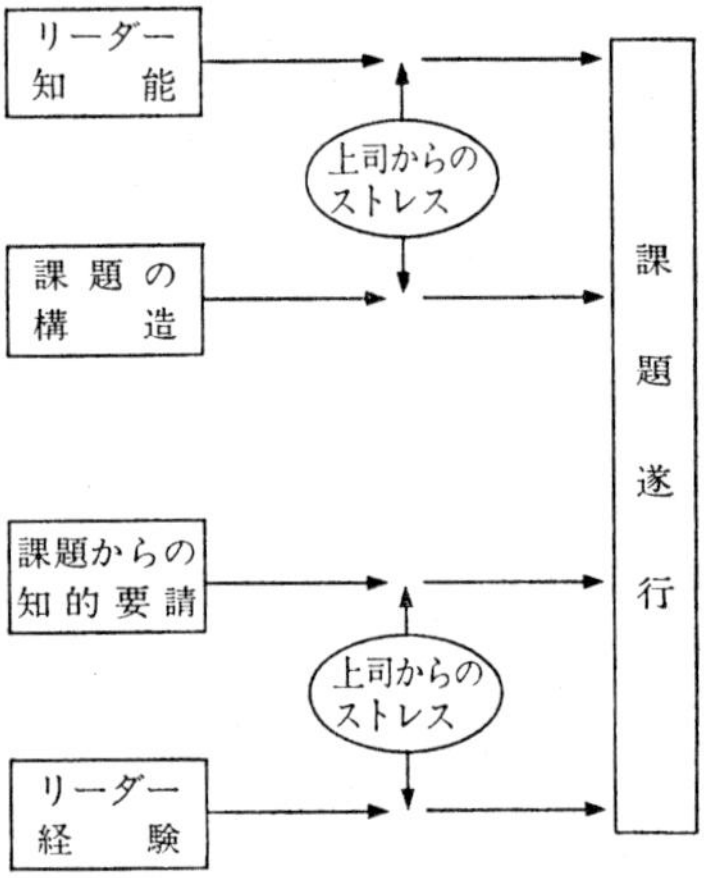

況とそうでないとき（課題からの知的要請要因の作用）では、知能、経験、上司からのストレス、業績相互間の関係に違いがあるのではなかろうか。ここで図2・5に示すような関係を考えてみることにする〔119〕。

沿岸警備隊の士官、下士官、一般職員計一三三名のデータの主要な分析結果を要約すると、図2・6のようになる〔119〕。たとえば図(A)から、同じく上司からのストレスが弱い場合でも、課題の構造化が低い（課題の内容、方法、遂行の手続が規準化されておらず不明確）ときよりも課題の構造化が高い（課題の内容、方法、遂行の手続が規準化されており明確）ときのほうが、知能と業績との相関はより高くなることが示唆される。また、図(C)から、同じく上司からのストレスが弱い場合でも、課題の知的要請度（課題遂行において知的努力の必要性）が低いときよりも高いときのほうが、知能と業績との相関はより高くなることが示唆される。

この種のデータがしだいに蓄積されることにより、もっと明確な事実があらわれてくるであろう。

上司からのストレス測定法

図2・6　知能，経験，上司からのストレス，課題の性質，業績諸要因間の関係データ

(Potter, E. H., III. & Fiedler, F. E., 1981〔119〕, Table 2, 3 より抜粋。(C)および(D)のデータは Table 3 の各該当欄の平均値)

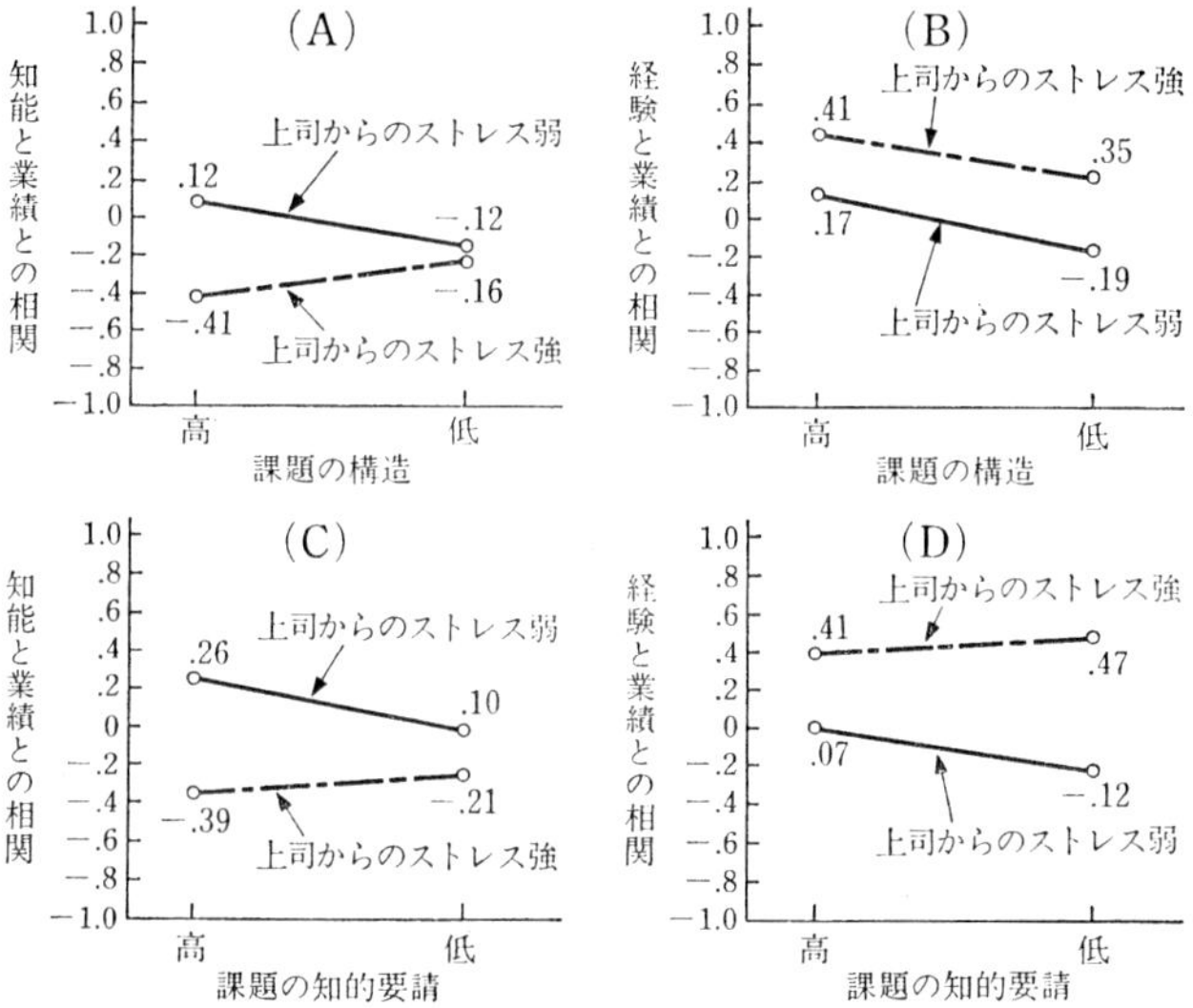

これまで検討してきた研究ごとに、上司からのストレス測定法は異なっている。たとえば歩兵分隊リーダーおよび中隊司令官、大隊参謀将校の研究（表2・5）では、リーダー自身に直属上司との関係を、「ストレスが強い」から「ストレスはまったくない」までの七段階尺度（1項目）で評定させている。

また沿岸警備隊および先任下士官の研究（表2・5）ではストッディルのリーダー行動記述質問票（LBDQ－XII、第3章第2節七四ページを参照）あるいは類似のリーダー行動評定質問票を用いて、直属上司のリーダーシップ行動を25～34項目にわたって部下に評定させ、それぞれの行動評定項目ごとに、（上司がそのような行動をとれば）どの程度ストレスを感じるかを併せて評定させた。後者の評定結果の因子分析から、次のような上司のリーダーシップ行動がストレスとして受けとられることがわかった。

(1) 仕事をやっていくうえで上司はわたしとうまく協力することができない。
(2) 上司は信用（信頼）できない。
(3) 上司は部下たちとうまく折り合わない。
(4) 上司は非友好的で、近づきにくい。

（以上、先任下士官の研究より）

(1) 上司はわたしに何を期待しているのかを教えてくれない。
(2) 上司はわたしの仕事をうまく遂行するために必要な情報をわたしに与えてくれない。

（以上、沿岸警備隊の研究より）

知能、ストレスおよび学業成績

これまでわれわれは、主として集団や組織における業績に個人の知能や経験がどのように貢献するか、またその間に上司からのストレスがどのような影響をもたらすか、について考察してきた。そこで問題を少し広げて、こういった関係が学校における個人の学業成績についてもどの程度当てはまるかについて考えてみよう。

九七名のアメリカ沿岸警備隊学校生徒（高等学校卒業後入学を許可されるので、普通の大学と同じ年齢と考えてよいであろう）一年生〜四年生（男子九五名、女子二名）を対象にした調査結果〔7〕を見よう。本研

図2・7　知能，ストレス，学業成績間の関係
(Barnes, V., Potter, E. H., III. & Fiedler, F. E., 1983〔7〕, Fig. 1, 2, 3)

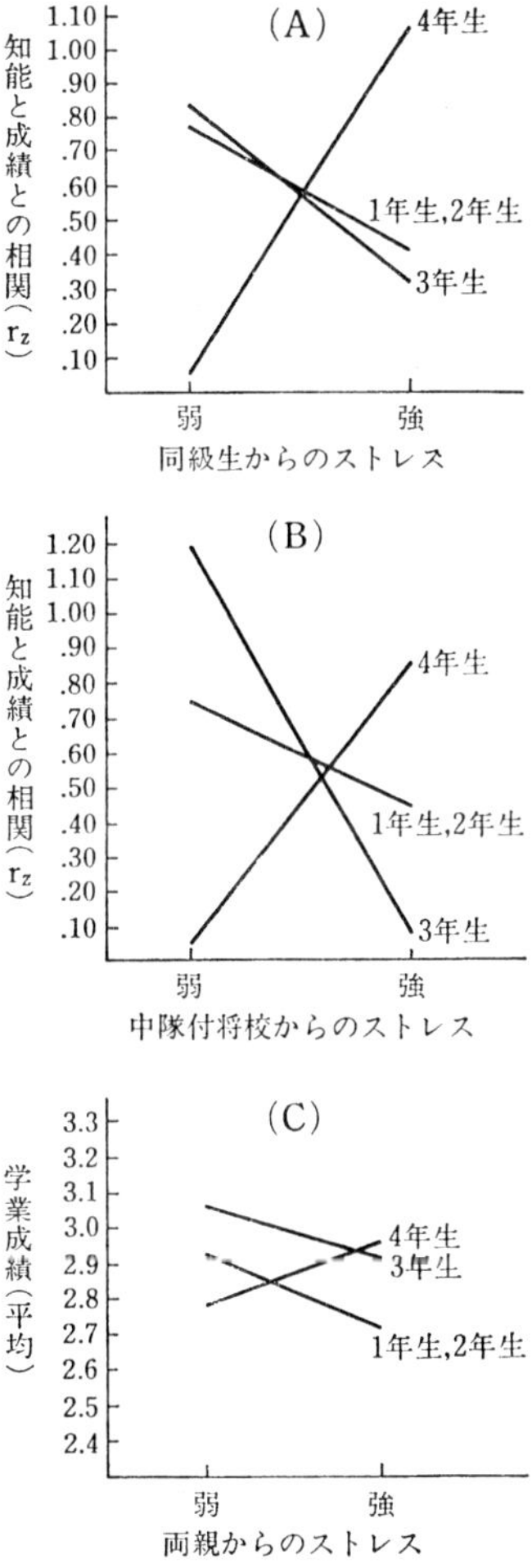

究で被験者の知的能力は教育適性検査（標準化された検査でSATと略称される）のうち、数量テスト（SATQと略称）の得点によって測定された。また学業成績は学校の累積総合得点がその指標とされた。対人関係のストレスを測定するため、同級生、各中隊付将校、両親に対する態度を測定した（測定方法は前述の先任下士官、あるいは沿岸警備隊の研究の場合と類似。四五ページ参照）。

主要な結果は図2・7に示される。図(A)および(B)から、四年生を除いた他のすべての学年において、同級生および中隊付将校からのストレスが弱い場合はそれが強い場合よりも知能と学業成績との相関が高いことがわかる。これは前に述べた表2・5の結果（四二ページ参照）と一致している。しかし四年生においては本調査が卒業のわずか五週間ないし八週間前に行なわれたため、ストレスなどは成績

にあまり影響しなかった（あるいは他の学年とは影響の仕方が異なった）のであろう。この結果は、前に述べた考察が単に組織における仕事上の業績のみならず、学校における学業成績にまで該当する可能性が示唆されたものであり、教育心理学の分野においても今後十分検討すべき課題を示唆しているといえよう。

第3章

リーダーはいかに行動するか

第2章では知能や経験をはじめさまざまなリーダーの資質・特質について考察してきた。しかしリーダーが現実に集団（あるいは集団成員）に影響を与えるのは、集団内のリーダーと成員との相互作用におけるリーダーシップ行動を通してであるから、本章ではそのリーダーシップ行動そのものに焦点を合わせて検討しよう。

1　P型かM型か

P型、M型とは三隅[99]によって提唱されているリーダーシップ行動のパターンであり、Pは英語の Performance（遂行）、Mは Maintenance（維持）の略である。すなわちP型とは集団の目標達成・

図3・1　三隅らの4つのリーダーシップ行動パターン

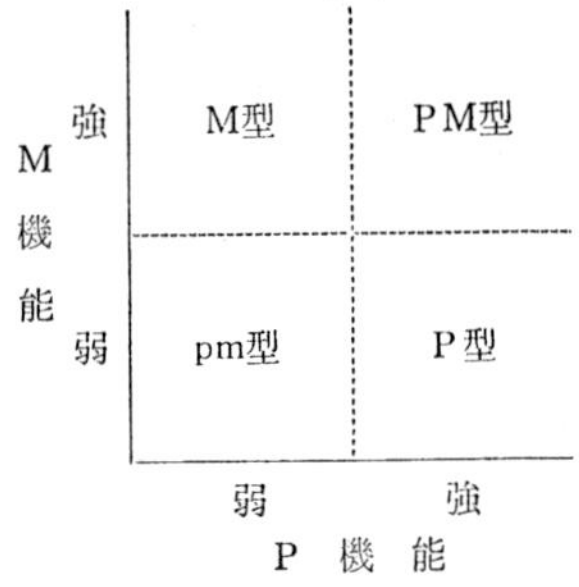

課題遂行に焦点を合わせたリーダーシップ行動パターンであり、課題遂行型ともいえよう。またM型とは集団内の対人関係の緊張をやわらげ、成員相互が愉快に、楽しくやっていけるよう集団それ自身を維持・強化することに焦点を合わせたリーダーシップ行動パターンであり、関係維持型ともいえるであろう。

三隅らの初期の研究においては、P型、M型の二つのリーダーシップ行動パターンのみが取り扱われたが、実験室実験、現場研究の積み重ねからしだいに、もう二つのタイプがあることが判明し、今日では図3・1のような四つのパターンが類別されるようになった。

P機能とは集団における目標達成ないし課題解決を志向した集団機能である。具体的な行動でいえば、部下を最大限に働かせる、仕事量をやかましくいう、所定の時間までに仕事を完了するように要求する、目標達成の計画を綿密にたてている、計画・手順をきちんとたてており、時間のむだがない、仕事を仕上げる時期を明確に示す、などがリーダーシップP行動である。

M機能とは集団の自己保存ないし集団の過程それ自身を維持し強化しようとする機能である。具体的な行動でいえば、(リーダーが)部下を支持する、部下の立場を理解する、部下を信頼している、部下に好意的、(部下は)仕事のことで上役と気軽に話せる、すぐれた仕事をしたときは認めてくれる、部下を公平に取り扱う、などがリーダーシップM行動である。

P、Mの二つの機能を組み合わせると、図3・1に示した四つのリーダーシップ行動パターンが生まれる。すなわち、

(1) **P型**はもっぱら課題達成・目標遂行に専念するリーダーシップ行動パターンで、成員の感情などにあまり配慮しない。P機能のみ強く、M機能は弱いパターンといえる。

(2) **M型**は課題遂行よりもむしろ集団内の人間関係の調和や人々の感情に気くばりすることに重点をおくリーダーシップ行動パターンである。M機能のみ強く、P機能は弱いパターンである。

(3) **PM型**（ラージ・ピー・エム型とよぶ）は課題遂行・目標達成を強調しながらも、同時に集団内の対人関係の調整にも努力するリーダーシップ行動パターンである。P機能、M機能ともに強いパターンといえる。

(4) **pm型**（スモール・ピー・エム型とよぶ）は課題遂行および対人関係の両側面について消極的なリーダーシップ行動パターンである。P機能、M機能ともに弱いパターンである（三隅らの諸文献ではときにP型の代わりにPm型、またM型の代わりにpM型という表記法が用いられているが、本書では単純化のためにP型、M型と表記する）。

以下で、これら各種のリーダーシップ行動パターンの効果性に関する主要な研究を検討する。

郵政研修所実験

九州郵政研修所中等部男子研修生（平均年齢二二歳）を被験者とする実験室実験が行なわれた〔103〕〔104〕。被験者三人を一集団として編成し、この三人が分担・協力しながらIBMカードのパシチされたもの

図3・2 郵政研修所実験における第一線監督者のリーダーシップ行動パターンと集団生産性との関係
（三隅・白樫，1963〔103〕，Table 4 のデータより筆者作図）

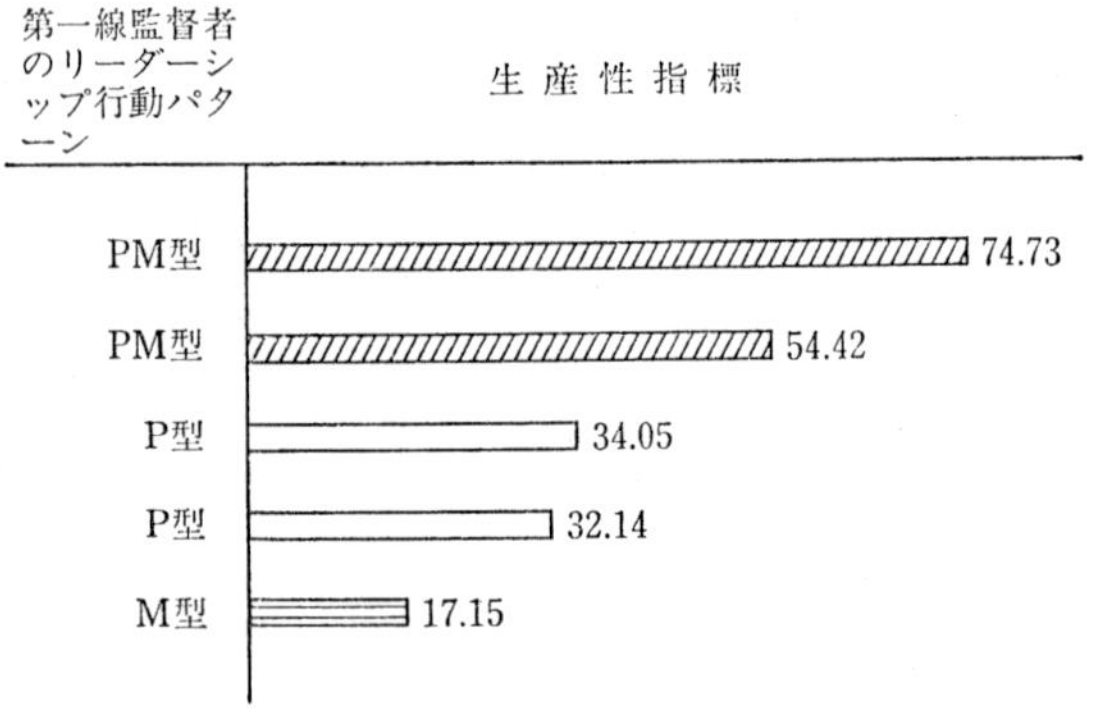

につき、各カードのパンチされた穴の数を正確に数えてカードを分類するという、きわめて単調で面白くない課題が与えられた。一回の作業時間は五〇分。全部で一三回のセッションがもたれた。各集団に一人ずつ第一線監督者（心理学専攻の助手および大学院学生。実験に先立ってリーダーシップ行動パターンの役割について実習・訓練している）がつき、P型、M型、PM型（本実験ではpm型は含まれない）のそれぞれの行動パターンで集団成員を指導・監督した。

実験条件としての第一線監督者のリーダーシップ行動パターンを導入するに先立って、基礎セッションにおける各集団の作業実績（一定時間内に誤りなく分類されたカードの枚数）を測定しておき、リーダーシップ条件導入後の実績と比較して、これを各集団の生産性指標とした。実験セッション全体を通しての各集団の生産性指標は図3・2に示される。

この結果から、生産性にとって最も効果的な第一線監督者のリーダーシップ行動パターンはPM型であり、ついでP型、M型の順になることが示された（本実験の開始当時もっと多数の実験集団が編成されたが、実験が長期にわたって行なわれたため、多くの集団において成員の変更があった。それらの集団のデータはすべて省き、最初から最後まで一度も成員の変更がなかった五つの実験集団の結果のみが報告されている)。

実験期の途中および最終セッションの二回にわたって、質問紙調査によって被験者の態度が測定された。その主要な結果を図3・3に示す。つまり成員の好意度・満足度も第一線監督者のリーダーシップ行動パターンがPM型のとき最も高かった。

図3・3　郵政研修所実験における第一線監督者のリーダーシップ行動パターンと成員の態度との関係
（三隅・白樫，1963〔103〕，Fig. 5 データより抜粋）

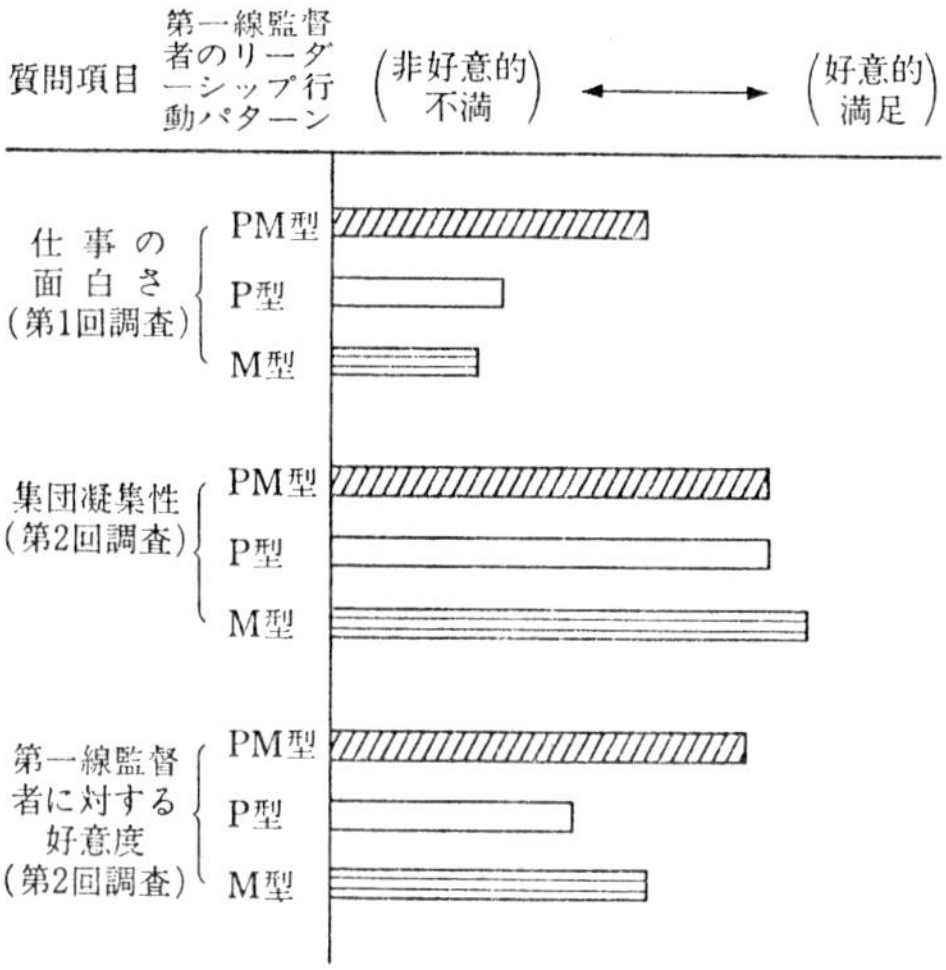

なお本実験では第一線監督者の上に仮想の第二線監督者をおき、そのリーダーシップ行動パターンの相違を監督者から出されるメモによる指令で操作することを試みたが、その影響はきわめて弱かったので、ここでの考察では省略する。

さて、これらの結果から次のように考察することができよう。第一線監督者がPM型のとき、集団成員は監督者に好意的態度をもち、集団成員間のまとまりもよく、仕事に興味をもち、したがって作業実績は最も高い。第一線監督者がP型のとき、監督者に対する好意的態度は最も劣る。しかし仕事の面白さは（監督者がPM型のときと比べればかなり低いが）M型よりもやや高い水準になるので、成員はまじめに課題に取り組み、PM型に次ぐ作業実績をあげる。第一線監督者がM型のとき、集団凝集性は高く、監督者に対する好意度もPM型に次いで高い。しかし仕事に対する興味は最も低く、したがって作業実績もこの三つの中では最低となる。

産業現場における監督者のリーダーシップ効果性

先に実験室実験の結果を述べたが、その結論がわが国の産業組織の現場にどの程度当てはまるであろうか。三隅ら〔105〕は炭鉱、銀行、製造業等、多くの産業現場で実証的研究を行ない、監督者のリーダーシップ行動パターンと集団生産性との関係を明らかにしようとした。

これら諸研究において、監督者のリーダーシップ行動は直属の部下による評定によって測定された。測定項目はいずれも五段階評定で、P、M各次元について、一〇問あるいは一二問からなっている。表3・1に測定尺度の例を示す。この質問項目に対する集団成員の評定結果から（その組織における評定値全体の平均と比較することによって）、各監督者のリーダーシップ行動パターンを明らかにすることができる。たとえば、ある監督者のP機能の得点が平均より高く、M機能の得点が平均より低いとき、この監督者はP型であり、P、M両機能ともに高いときPM型、またP、M両機能とも低いときpm型と判定する。

また、これら一連の実証的研究においては集団生産性の指標として出炭量（炭鉱）、預金獲得量（金

表3・1　リーダーシップP，M行動測定尺度（例）

P　機　能	M　機　能
(1)　あなたの上司はあなた方を最大限に働かせようとすることがありますか。 5 いつも 4 かなりしばしば 3 ときにはある 2 あまりない 1 ほとんどない	(1)　全般的にみてあなたの上司はあなたを支持してくれますか。 5 いつも支持してくれる 4 かなりしばしば支持してくれる 3 ときには支持してくれる 2 あまり支持してくれない 1 ほとんど支持してくれない
(2)　あなたの上司は仕事量のことをやかましくいいますか。 5 いつもやかましくいう 4 かなりしばしばやかましくいう 3 ときにはやかましくいう 2 あまりやかましくいわない 1 ほとんどやかましくいわない	(2)　あなたの上司はあなた方の立場を理解しようとしますか。 5 十分理解しようとする 4 かなり理解しようとする 3 どちらともいえない 2 あまり理解しようとしない 1 ほとんど理解しようとしない
(3)　あなたの上司は規則に決められた事柄にあなたが従うことをやかましくいいますか。 5 たいへんやかましくいう 4 かなりやかましくいう 3 どちらともいえない 2 あまりやかましくいわない 1 すこしもやかましくいわない	(3)　あなたの上司はあなたを信頼していると思いますか。 5 非常に信頼していると思う 4 かなり信頼していると思う 3 どちらともいえない 2 あまり信頼していないと思う 1 ほとんど信頼していないと思う
(4)　あなたの上司は所定の時間までに仕事を完了するように要求しますか。 5 非常に強く要求する 4 かなり強く要求する 3 どちらともいえない 2 あまり要求しない 1 ほとんど要求しない	(4)　あなたは仕事のことであなたの上司と気軽に話し合うことができますか。 5 気軽に話し合える 4 わりに気軽に話し合える 3 どちらともいえない 2 あまり気軽にというわけにはいかない 1 かなりむずかしい
(5)　あなたの上司はあなた方の仕事に関して，どの程度，指示・命令を与えますか。 5 いつも指示を与える 4 かなりしばしば指示を与える 3 どちらともいえない 2 あまり指示を与えない 1 ほとんど指示を与えない （以下略）	(5)　あなたの上司は昇進や昇給などあなたの将来について気を配ってくれますか。 5 非常によく気を配ってくれる 4 かなり気を配ってくれる 3 どちらともいえない 2 あまり気を配ってくれない 1 ほとんど気を配ってくれない （以下略）

（注）　リーダーシップ，PM測定尺度については，（財）集団力学研究所（〒810　福岡市中央区天神1-4-1　西日本新聞会館14階，TEL　092-713-1308）に問い合わせられたい。

図3・4　わが国の産業現場における監督者のリーダーシップ行動パターンと集団生産性との関係に関する諸研究結果の要約

（三隅ほか，1970〔105〕，第1表のデータより筆者作図）

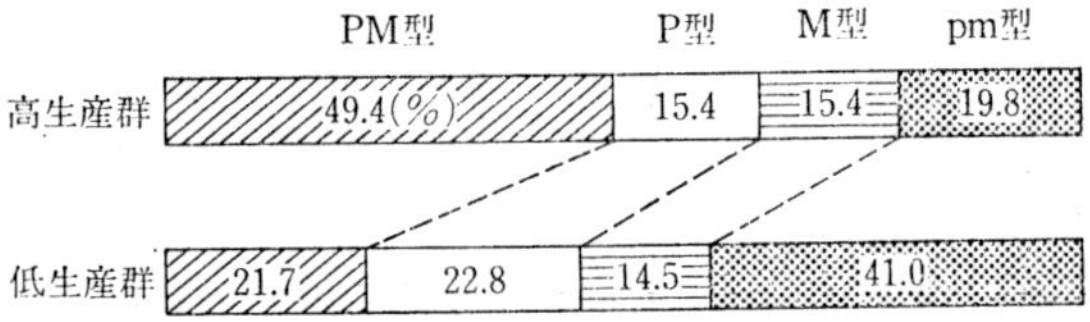

融機関）など、できるかぎり客観的な指数をとる努力がなされた。ときに管理者の主観的な評価も用いられた。主要な結果は図3・4に示される[105]が、集団生産性にとって最も効果的な監督者のリーダーシップ行動パターンはＰＭ型であり、次いでＭ型、Ｐ型の順となり、最も非効果的なのはｐｍ型となる。

この結果を郵政研修所実験のそれ（五二ページ、図3・2）と照合すると、ＰＭ型が集団生産性において最もすぐれているという点では両者は完全に一致している。しかし産業現場の実証的研究（図3・4）ではＭ型が二位、Ｐ型が三位であるのに対し、実験室実験ではＰ型が二位、Ｍ型が三位となっている点が異なる（産業現場の実証的研究データでは、第二位のＭ型と第三位のＰ型との差はその他の順位の差と比較して、それほど大きくはない）。

なぜこのような差異があらわれるのであろうか。実験室実験ではその期間が限定されており（たとえ実験者が実験終了日を予告しなくても、被験者はいずれその実験が終了することを知っているから）、たとえＰ型のリーダーのもとで不満があっても作業を続行し、一定レベルの業績をあげることも可能であろう。しかし現実の職場組織では監督者のリーダーシップに不満があったとしても直ちにそこから離脱することは不可能なことがわかっているから、人々は我慢しながら一定レベルの作業水準を保つのはより困難となろう。実験室実験と現場研究の結果の相違の原因はこのようなことによるのではなかろうか。

図3・5　監督者のリーダーシップ行動パターンと部下の満足度との関係（造船所一般従業員）

（三隅，1978〔99〕のデータを5段階評定に置き換えて，筆者が換算・要約）

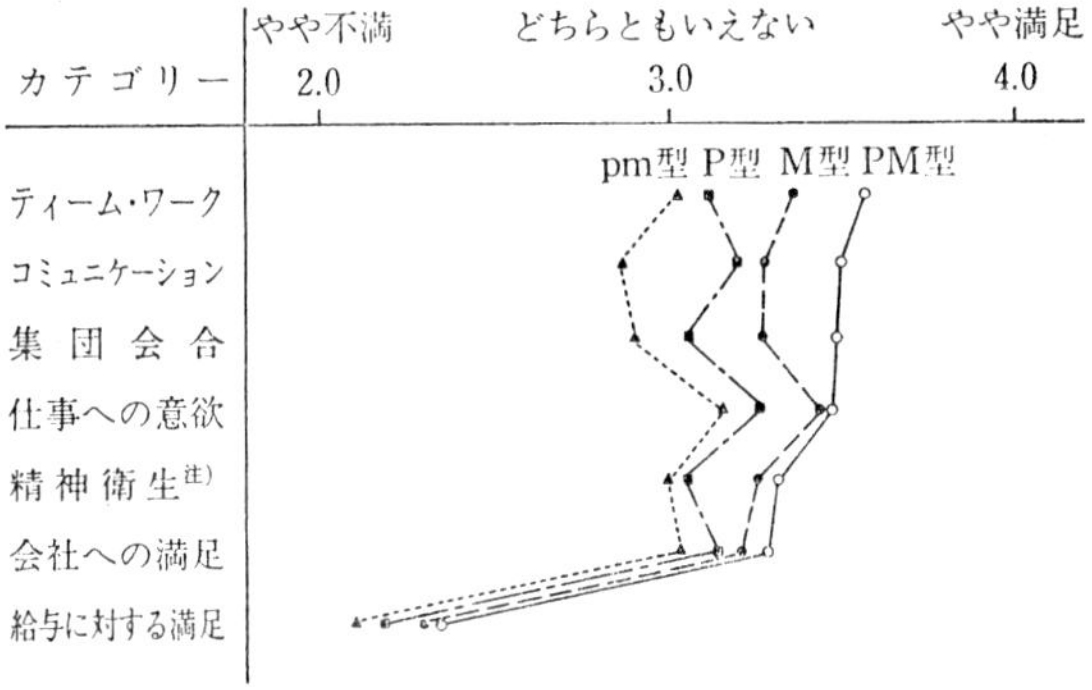

（注）　原著のデータの他のすべてのカテゴリーは5項目の質問項目による測定結果であるのに，このカテゴリーのみ6項目によって測定されている。したがって，このカテゴリーのみ，各グループの平均点を.833倍して，他と比較できるようにした。

ここで、産業現場における監督者のリーダーシップ行動と、その下にいる部下の職場生活満足度との関係について検討しよう。

産業組織における成員の満足度

これに関連して従来多くの研究が報告されているが、ここでは造船所一般従業員（非監督者層、二、二五七名）を対象にした三隅〔99〕らの調査結果を取り上げてみよう。

この調査で使用された測定項目の例は表3・2に示される。主な結果は図3・5に示されるが、それによるとティーム・ワーク、コミュニケーション、集団会合、仕事への意欲、精神衛生、会社に対する満足、給与に関する満足、などすべてのカテゴリーにおいて監督者のリーダーシップ行動パターンがPM型のとき成員の満足度は最も高く、

表3・2　造船所労働者（非監督者層）の調査で用いられた項目（例）

（三隅，1978〔99〕，よりカテゴリー名を筆者が若干訂正）

（ティーム・ワーク）

(1)　仕事のことで必要なとき仕事仲間はあなたを助けてくれますか。

5　いつも助けてくれる
4　かなりしばしば助けてくれる
3　ときには助けてくれる
2　あまり助けてくれない
1　ほとんど助けてくれない

(2)　あなたの仕事仲間はティーム・ワークがとれていると思いますか。

5　非常によくとれている
4　かなりよくとれている
3　どちらともいえない
2　あまりとれていない
1　とれていない

(3)　あなたは今の仕事仲間とうまくやっていけると思いますか。

5　十分やっていける
4　かなりやっていける
3　どちらともいえない
2　あまりうまくやっていけない
1　うまくやっていけない

（以下略）

（コミュニケーション）

(1)　会社はあなた方に会社の計画や経営の状態などを知らせてくれますか。

5　いつも知らせる
4　しばしば知らせる
3　ときには知らせる
2　あまり知らせない
1　ほとんど知らせない

(2)　あなたの上司は職場間の連絡をうまくとっていると思いますか。

5　非常にうまくとっている
4　かなりうまくとっている
3　どちらともいえない
2　あまりとっていない
1　とっていない

(3)　会社の上層部から当然あなた方に知らされているべき事柄であるのに，それが知らされていないことがありますか。

5　ほとんどない
4　あまりない
3　ときにはある
2　かなりしばしばある
1　いつもある

（以下略）

（集団会合――上司が主催する朝礼，点呼，会議など）

(1)　その会合での話し合いは役にたっていると思いますか。

5　非常に役にたっている
4　かなり役にたっている
3　どちらともいえない
2　あまり役にたっていない
1　役にたっていない

(2)　その会合にあなたはどの程度満足していますか。

5　非常に満足
4　かなり満足
3　どちらともいえない
2　かなり不満
1　不満

(3)　一般的にいってその会合はうまく運営されていると思いますか。

5　非常にうまく運営されている
4　かなりうまく運営されている
3　どちらともいえない

2　あまりうまく運営されていない　　1　うまく運営されていない

（以下略）

（仕事への意欲）

(1)　あなたは今の仕事に興味がもてますか。

5　非常に興味がもてる　　2　あまり興味がもてない
4　かなり興味がもてる　　1　興味がもてない
3　どちらともいえない

(2)　あなたは毎日の仕事に張り合いを感じますか。

5　非常に張り合いを感じる　　2　あまり張り合いを感じない
4　かなり感じる　　1　感じない
3　どちらともいえない

(3)　あなたは今の仕事を自分のものにしていると思いますか。

5　十分自分のものにしている　　2　あまり自分のものとなっていない
4　かなり自分のものにしている　　1　ほとんど自分のものとなっていない
3　どちらともいえない

（以下略）

（精　神　衛　生）

(1)　一般的にいって，あなたは上司から無理な圧力を感じることがありますか。

5　全然ない　　2　ときどきある
4　ほとんどない　　1　しばしばある
3　あまりない

(2)　あなたは自分の職務の責任範囲がはっきりしないと思いますか。

5　まったく思わない　　2　かなり思う
4　たまには思う　　1　しばしば思う
3　ときどき思う

(3)　あなたはこれからの人生をあれこれ考えてみて，「将来がなんとなく不安だ」というような気がしますか。

5　まったく不安がない　　2　かなり不安だ
4　あまり不安がない　　1　非常に不安だ
3　どちらともいえない

（以下略）

（会社への満足）

(1)　あなたはこの会社に入社してよかったと思いますか。

5　非常によかった　　2　あまりよくない
4　かなりよかった　　1　よくない
3　どちらともいえない

(2)　会社は従業員の幸福にほんとうに関心をもっていると思いますか。

5　非常に関心をもっている　　2　あまり関心をもっていない
4　かなり関心をもっている　　1　ほとんど関心をもっていない
3　どちらともいえない

(3)　会社は労働条件（設備，待遇などの）の改善に意欲的だと思いますか。

5　非常に意欲的　　2　あまり意欲的でない
4　かなり意欲的　　1　意欲的でない
3　どちらともいえない

（以下略）

（給与への満足）

(1) 現在の昇給についてどう思いますか。
5 非常に満足　2 やや不満
4 かなり満足　1 非常に不満
3 どちらともいえない

(2) 仕事の性質，負担を考えあわせて，今の給与に満足していますか。
5 非常に満足　4 かなり満足
3 どちらともいえない　1 不満
2 やや不満

(3) ボーナスについてどう思いますか。
5 非常に満足　2 やや不満
4 かなり満足　1 不満
3 どちらともいえない

（以下略）

次いでM型、P型となり、監督者のリーダーシップ行動パターンがｐｍ型のとき成員の満足度は最も低い。この傾向は他の多くの現場研究でも一貫してあらわれる（三隅〔99〕参照）。

成員の達成動機とリーダーシップ効果

これまでの説明で、監督者のリーダーシップ行動パターンがＰＭ型のとき成員の満足度および集団生産性は最もすぐれているということが理解できたであろう。しかしこの結論はどこまで一般的なものであろうか。集団状況（あるいは条件）が異なる場合にも当てはまるのであろうか。そこでまず、成員が仕事に関してきわめて高い意欲をもっている場合とそうでない場合とを実験的につくり出して、リーダーシップ行動パターンの効果性を比較した研究〔101〕〔102〕があるので、これを取り上げて検討してみよう。

被験者は女子大学生。本実験に先立つ三週間前、マックレランドらの方法〔93〕によって各被験者の達成動機（むずかしいことを成し遂げる、できるだけそれを独力でやる、障害物を克服し高い標準に達する、困

図3・6　成員の達成動機高・低条件ごとにみた，監督者のリーダーシップ行動パターンと集団生産性との関係に関する実験室実験結果
（三隅・関，1968〔101〕，Table 4 のデータから筆者作図）

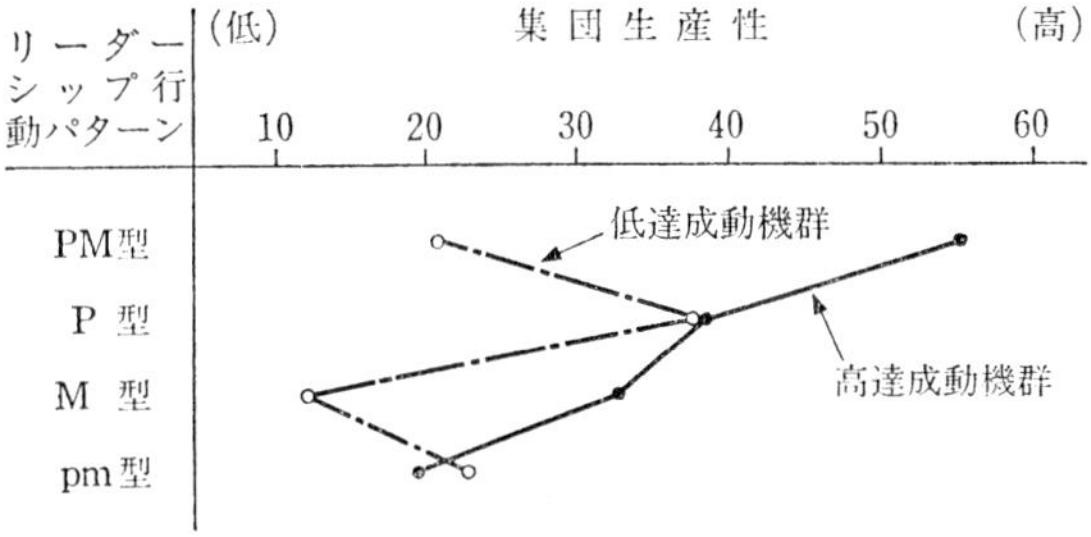

難を超克する、他者と競争し他者をしのぐ、自尊心を高める——こういったことに対する動機）が測定された。

その結果に基づき、達成動機の高い者三名からなる集団四つと、達成動機の低い者三名からなる集団四つとがそれぞれ構成された。各集団に一名ずつ監督者がついたが、彼らは心理学専攻の大学院学生で、事前の訓練により、それぞれP型、M型、PM型、pm型のリーダーシップ行動をとった。集団に与えられた課題は前述の郵政研修所実験（五一ページ）と全く同じカード分類作業であった。一回の作業時間は一五分で、二日間にわたり七回の作業期間がもたれた。最初の作業期においては、各実験集団の基本的作業実績を測定するためリーダーシップ条件は操作されなかった。各実験集団の生産性指標の取り方は郵政研修所実験と全く同じである。

集団生産性の結果は図3・6に示される。すなわち達成動機の高い群では監督者のリーダーシップ行動パターンPM型のとき集団生産性は最も高く、次いでP型、M型となり（ここまでは郵政研修所実験の結果と一致）、pm型のとき最低となる。しかし達成動機の低い群では監督者のリーダーシップ行動パターンの効果性の順番がこれと異なり、最も効果性の高いのはPM型で

図3・7　リーダーシップのライフ・サイクル理論
(Hersey, P. & Blanchard, K. H., 1972〔70〕, Fig. 7)

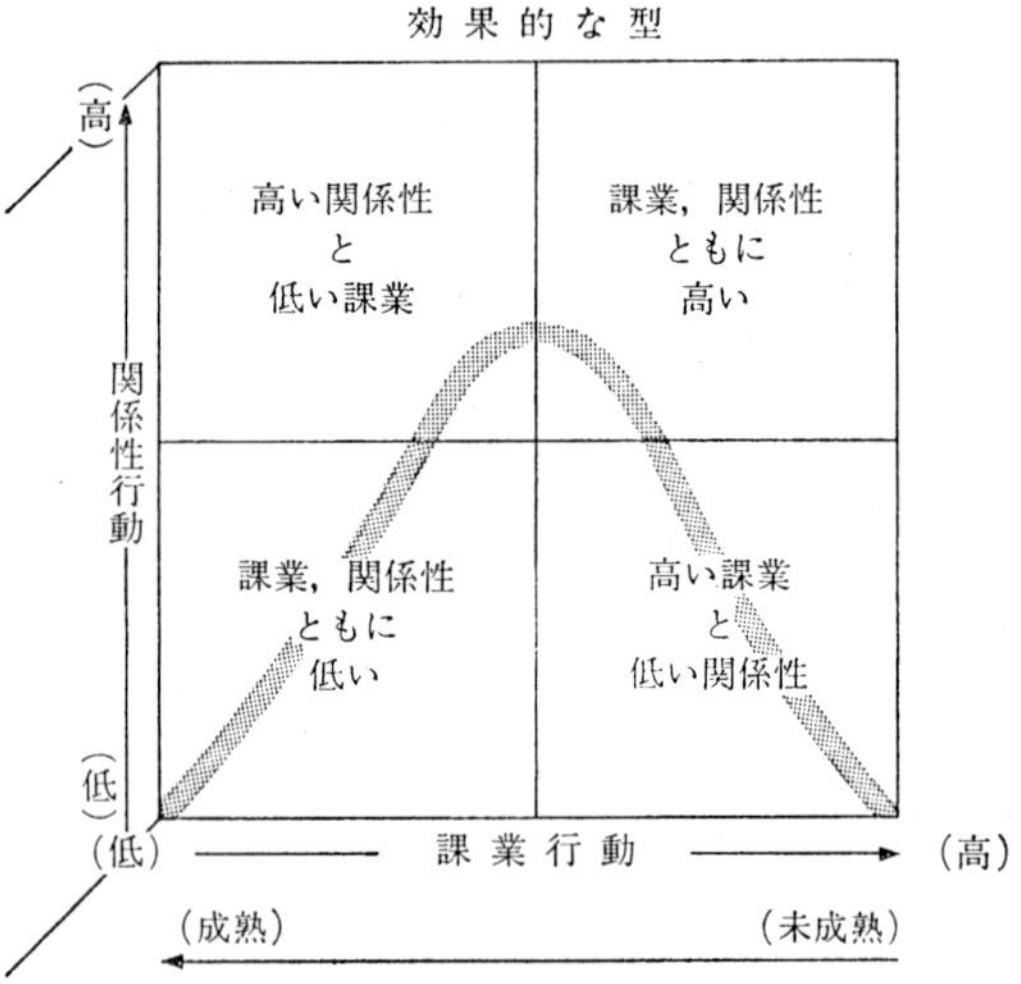

はなくてP型であった。そしてこのあとpm型が第二位で、PM型は第三位、最も効果性の低いのはM型であった。

なぜこのような差異が生じたのであろうか。特に注目に値すると思われるのは、達成動機の低い群で監督者のリーダーシップ行動パターンがP型のとき、最も高い集団生産性が導かれたということである。本実験の条件下で被験者の達成動機が低い場合、監督者がむしろ仕事オンリーで押しまくり、成員の感情に配慮などあまりしない場合のほうが、集団生産性はむしろ高くなったのである。またこの同じ条件下で監督者がもっぱら成員の感情に心くばりをし、集団の人間関係調整に配慮して監督すると、集団の生産性は最も低くなる（M型の方がpm型よりも低くなる）。

この結果は、アメリカのハーシイ、ブランチャードらのリーダーシップのライフ・サイクル理論〔70〕に照らして考察するとわかりやすい。まず彼らのモデルを図3・7に示す。このモデルによれば効果的なリーダー行動はフォロワーの成熟度（個人の達成動機、みずから責任を引き受けようとする意志と能力、および課題の遂行にふさわしい教育と経験を意味する）の発展段階によって異なってくるという。①まずフォロワーが最も未成熟の場合、最も効果的なリーダー行動は「高い課業と低い関係性」パターン（三隅らのP型に対応）であり、②フォロワーの成熟度が次の段階に達すれば、最も効果的なリーダー行動は「課業、関係性ともに高い」パターン（三隅らのPM型に対応）であり、③フォロワーの成熟度がさらに高く第三段階に達すれば、最も効果的なリーダー行動は「高い関係性と低い課業」パターン（三隅らのM型に対応）であり、④フォロワーの成熟度が最高の第四段階に達すると、最も効果的なリーダー行動は「課業、関係性ともに低い」パターン（三隅らのpm型に対応）であるという（以上の関係は図３・１とこの図３・７を比較するとわかりやすい）。

言い換えれば、フォロワーが仕事に関する意欲も経験ももたない場合、監督者はもっぱら仕事中心でフォロワーを指導するのがよい。フォロワーの意欲、経験が増えてくるにつれ、監督者はフォロワーの感情や集団内対人関係への配慮もしだいに加えてゆき、フォロワーの意欲、経験がかなり十分と思われるところまで成熟したら、監督者は仕事面は部下にまかせて、もっぱら対人関係の調整に配慮しておけばよい。そしてフォロワーの意欲、経験が最高度に達したならば、すべてをフォロワーにまかせて監督者はなるべく表面に出ることを避けるのが望ましいというわけである。

さて、このモデルを使って先の図３・６の結果を考察してみよう。本実験の達成動機の低い群はライフ・サイクル理論でいう、フォロワーの成熟度が最も低い段階に相当するのではなかろうか（その根拠として、成熟度の定義の要素のひとつとして達成動機が含まれていることに注意する必要がある)。この条件下で監督者はもっぱら課題遂行中心的(P的)に指導しなければ、もともと仕事意欲の乏しい成員(フォロワー)はついてこないであろう。次に、本実験で達成動機の高い群はライフ・サイクル理論でいう、フォロアーの成熟度が第二段階に達したとみてよいのではなかろうか。彼らはある程度自主的に仕事と取り組む意欲をもっている。このような場合、監督者が仕事のみならず対人関係に配慮してやることが最も必要であるだろう。つまりこの場合、PM型が最も効果的であるといえよう。

このように考えてくると、達成動機とリーダーシップ効果性の関係を分析しようとした本実験の結果は、リーダーシップのライフ・サイクル理論の妥当性を部分的に検証しているともいえるであろう。

それでは本章のこれまでに述べてきたところで、リーダーのリーダーシップ行動パターンがM型やpm型において集団生産性が最も高いという結果が見出されてこなかったのはなぜであろうか。それはこれまでの実験室実験あるいは現場研究のほとんどが、ライフ・サイクル理論でいう、フォロワーの成熟度の第二段階(あるいは、たまに第一段階)に相当する条件下で行なわれてきたためではなかろうか。

図3・5(五七ページ)に示される造船所一般従業員の態度の全般的傾向をみると、ティーム・ワーク、コミュニケーション、集団会合、仕事への意欲、精神衛生、会社への満足度の平均点は五段階評定でおよそ三・二点くらい(三点が「どちらともいえない」という中立的反応に相当)のところにくる。また給与に対する満足度だけはこれよりかなり下がって、二・二点くらい(二点が「やや不満」という反

図3・8　成員の達成動機およびリーダーのリーダーシップ行動パターンの各条件ごとの被験者の仕事に対する興味
（三隅・関，1968〔101〕，Table 6 のデータを筆者図示）

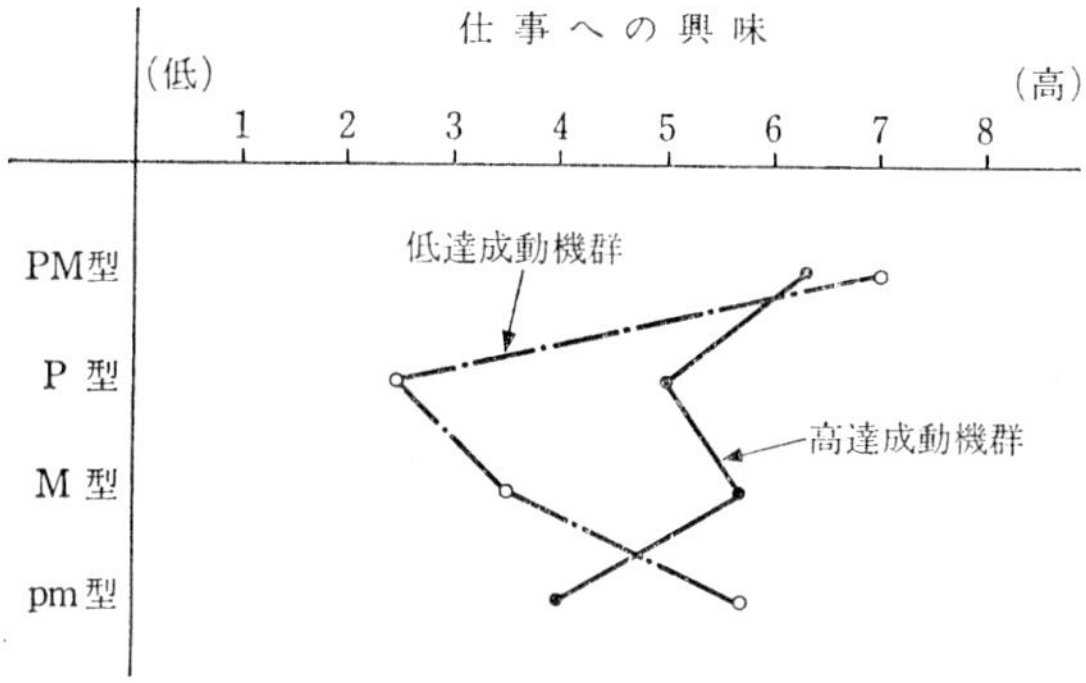

応に相当）のところにくる。このことから、この調査の対象者の全般的満足度が大ざっぱにいって、「どちらともいえない」という、中立的レベルにあると推定できよう。したがって大まかにいって、ライフ・サイクル理論のいう第二段階の成熟レベルと推定するのも大きな誤りではなかろう。

つまり本章で扱ったデータには、ライフ・サイクル理論でいう成熟度の第三段階あるいは第四段階がほとんど含まれていないとも考えられる。したがって本章でこれまで検討してきた諸研究において、リーダーシップ行動パターンがM型（あるいはpm型）のもとで最高の集団生産性を導くというケースがあらわれなかったのではなかろうか。

ただし達成動機とリーダーシップ行動パターンを組み合わせた本実験の結果について注意しておくべき点がひとつある。それは各実験条件の被験者の態度に関するデータである。図3・8に示されるように高達成動機条件については、集団生産性と仕事に対する興味との間に（各リーダーシップ行動パターン間の比較をすると）ほぼパラレルな関係が認められる（図3・6と図3・8を比較されたい）。しかし低達成動機群につい

図3・9　本実験で用いられた2種類のコミュニケーション構造
（狩野，1970〔80〕，Fig. 4）

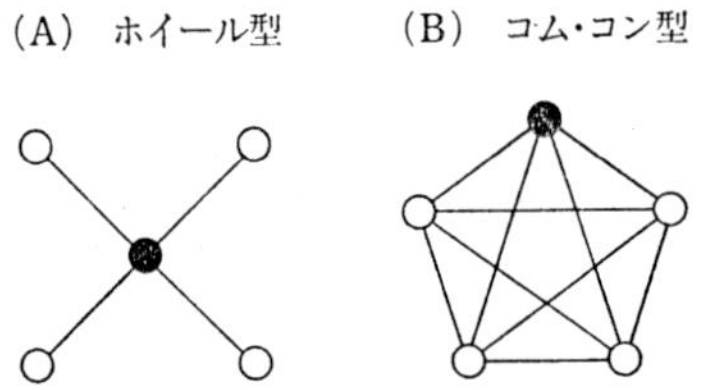

（注）各グラフ中の●印はリーダーのポジションを示す。

ては、集団生産性と仕事に対する興味とが大いに食い違っている。特に監督者のリーダーシップ行動パターンがP型のとき（集団生産性は最も高いにもかかわらず）成員の仕事に対する興味は最も低い。つまり、もともと意欲の低いフォロワーの場合、リーダーが仕事中心型で指導すると、やむなく仕事に取り組みかなり高い水準の業績をあげるが、仕事そのものに対して本質的には興味を見いだすことができない。したがって作業が長期間にわたった場合は、生産の効率が低下する可能性を秘めているとも考えられる。

これに対し、低達成動機条件群でも監督者のリーダーシップ行動パターンがPM型のとき、フォロワーは仕事に対する興味を最も高くもっているので、作業期間が長期にわたる場合には生産性が徐々に向上するとも考えられる。三隅・関〔101〕〔102〕の原著論文はこの観点に立って考察されている。しかしここで述べた筆者の考察も本実験の実施期間で得られたデータという条件つきながら、リーダーシップ理論の一層の発展にひとつの刺激を与えているのではなかろうか。

コミュニケーション構造とリーダーシップ効果

リーダーシップP、M行動パターンの効果性が条件（状況）によって異なるということを示す、もうひとつの実験室実験について検討しよう。これはコミュニケーション構造とリーダーシップ行動パ

図3・10　集団のコミュニケーション構造の2つのタイプ別にみたリーダーのリーダーシップ行動パターンと集団生産性との関係に関する実験室実験結果

（狩野，1970〔80〕，Table 8 のデータを筆者図示）

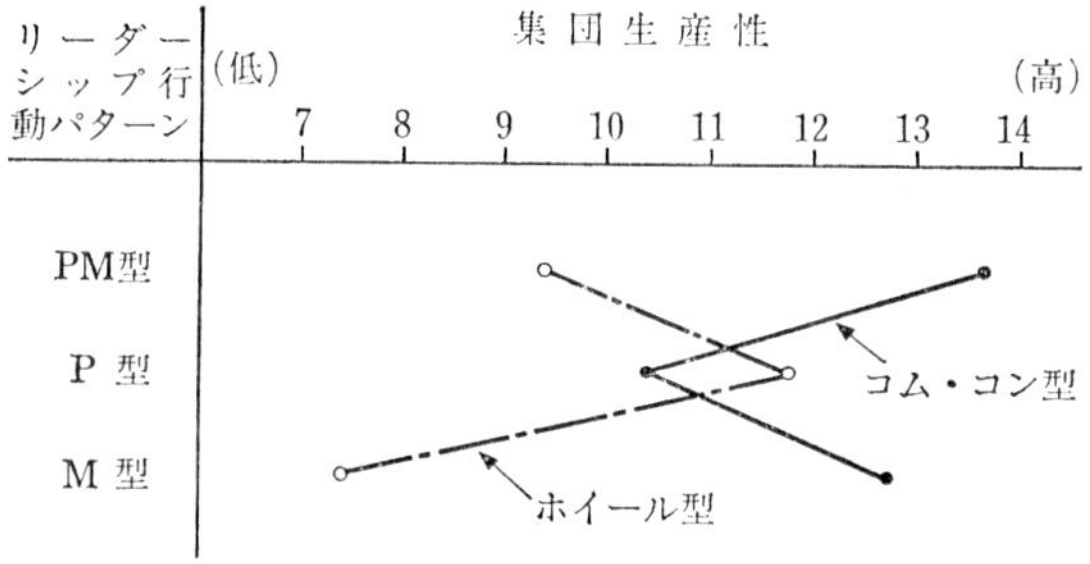

ターンの二つの要因を操作した実験室実験〔80〕である。本実験では図3・9に示す、二種類のコミュニケーション構造が取り扱われた。ホイール型では中央のリーダーを通してのみ各成員は情報を交換することが許された。またコム・コン型では五名の成員相互が自由に情報を交換することができた（コム・コン型ではどのポジションの人がリーダーに指名されたとしても全く同じ条件となる）。

被験者は女子大学生、各集団五名の中から一名がランダムに選ばれてリーダーとして指名された。本実験に先立ってリーダーはそれぞれP、M、PM型のリーダーシップ行動が取れるよう訓練を受けた（本実験ではpm型は操作されていない）。課題は各自に与えられた情報を交換して、正しい漢字を構成するゲームで、五名全員がすべて正解になるまでの解決所要時間が集団効果性の指標とされた。集団内の課題解決のための成員間のコミュニケーションはすべてメモ用紙の交換（その交換ルートはもちろん、コミュニケーション構造条件によって、ある場合は制限を受ける）によって行なわれた。またリーダーから他成員へのリーダーシップ行動の働きかけは言語的・非言語的相互作用を通して、メモ用紙によるコミュニケーションとは独立に行なわれた。

図3・11　集団のコミュニケーション構造およびリーダーのリーダーシップ行動パターンの各条件での被験者の仕事に関する動機づけ
（狩野，1970〔80〕，Table 12 のデータから抜粋して筆者作図）

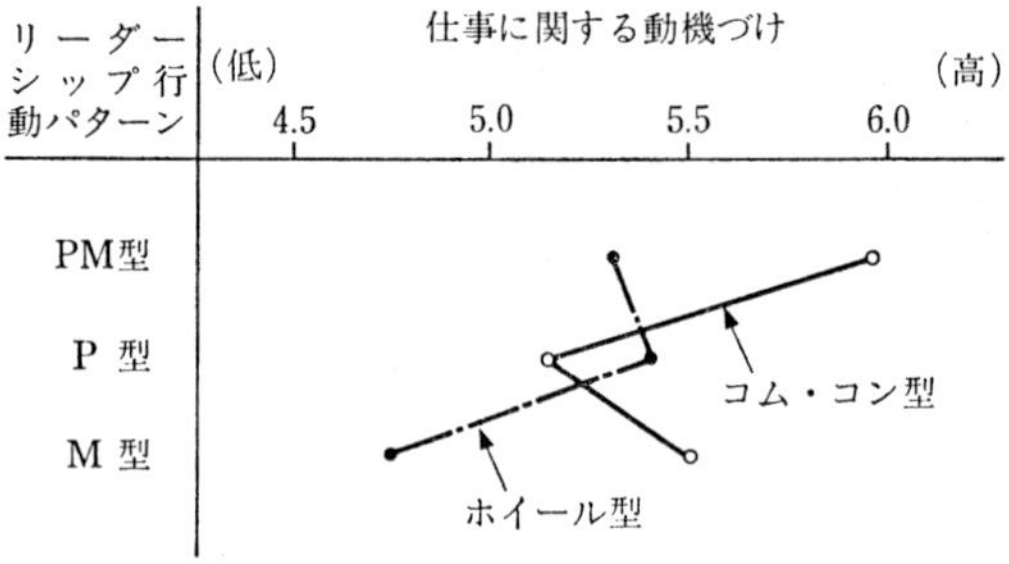

各集団の問題解決に要した時間（平均）の逆数によって集団効果性の指標とすると、実験結果は図3・10のとおりとなる。コミュニケーション構造がコム・コン型の場合、集団の問題解決が最もすぐれていたのはリーダーがPM型のリーダーシップ行動パターンを示したときであり、次いでM型、P型の順位となった。しかしコミュニケーション構造がホイール型の場合、最も効果的なのはP型であり、次いでPM型、M型の順位となった。実験終了後測定した各被験者の仕事に関する動機づけ（「あなた自身問題をはやく解決しなければならないと思いましたか」「自分のグループがはやく問題を解決しなければならないと思いましたか」の二つの質問項目で測定）の結果（図3・11参照）もこれと全く同じパターンであった。

すなわち、コミュニケーション構造がコム・コン型の場合、リーダーのリーダーシップ行動パターンがPM型であれば集団成員は仕事に関する動機づけが最も高く、集団の課題解決も最も効果的である。ところが、コミュニケーション構造がホイール型の場合、成員の仕事に関する動機づけが最も高いのはリーダーのリーダーシップ行動パターンがPM型ではなくてP型のときであり、またこのとき集団の問題解決も最も効

表3・3　成員の達成動機とリーダーシップ行動の効果の実験および集団のコミュニケーション構造とリーダーシップ行動の効果の実験の結果の要約

成員の達成動機	リーダーシップ行動	集団生産性の順位	集団のコミュニケーション構造	リーダーシップ行動	集団効果性の順位
高	PM型	1	コム・コン型	PM型	1
高	P型	2	コム・コン型	P型	4
高	M型	4	コム・コン型	M型	2
低	PM型	5	ホイール型	PM型	5
低	P型	3	ホイール型	P型	3
低	M型	6	ホイール型	M型	6

（注）表中の数値は各実験における集団生産性指標の高いものからつけた順位。なお，集団のコミュニケーション構造実験においてpm型のリーダーシップ行動パターンは操作されていないので，この表からは省いた。

果的である。

ホイール型では図3・9(A)に示されるとおり、成員間のコミュニケーションは必ずリーダーを経て行なうよう、厳しく制限されている。したがって、仕事に取り組む前から成員は、一般にその意欲が低下せざるを得ないのではないか。つまり、ハーシイ、ブランチャードらのライフ・サイクル理論（六二ページ）でいう、フォロワーの成熟度が最も低い段階にあるのではないだろうか。この条件下で本実験の場合最も効果的なリーダーのリーダーシップ行動パターンがP型であったという結果は、このモデルの主張と一致している。

これに対してコム・コン型（図3・9の(B)）では成員相互間の完全に自由なコミュニケーションが保障されており、成員の意欲は少なくともホイール型の場合より高いと想定できよう。もしこれがハーシイ、ブランチャードらのライフ・サイクル理論でいう、フォロワーの成熟度の第二段階にあると仮定すれば、本実験の場合最も効果的なリーダーのリーダーシップ行動パターンがPM型であったという結果はこのモデル

図3・12　リーダーシップP，M行動と集団－課題状況要因のかかわり方に関する理論モデル

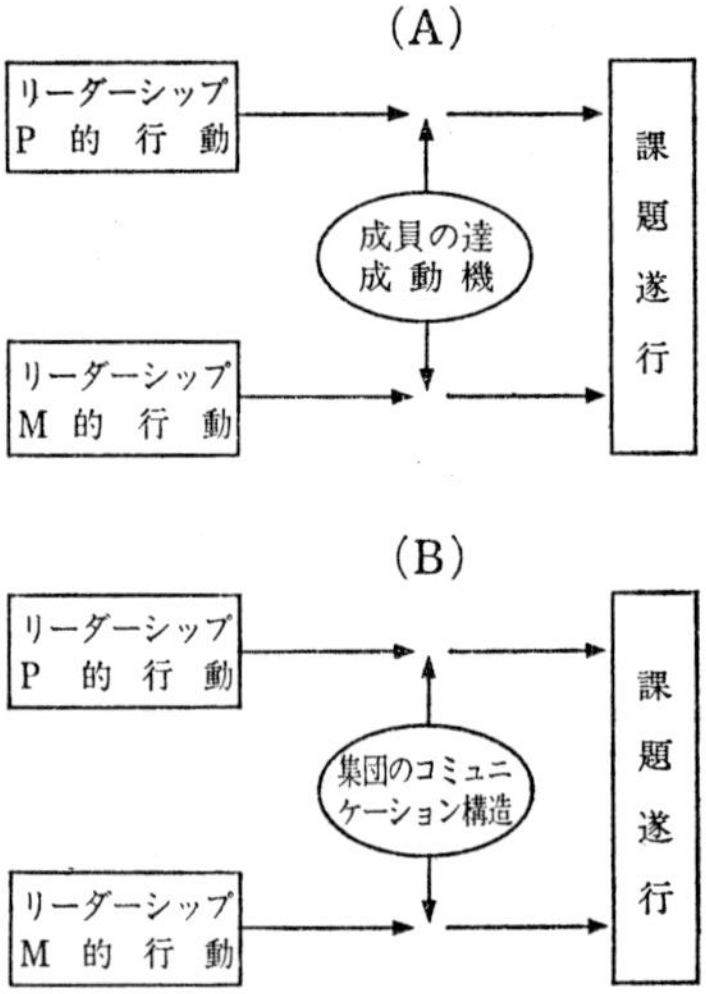

の主張と一致している。

　ここで、この二つの実験室実験の結果を総合して考察してみよう。表3・3に示されるとおり、集団生産性（あるいは集団効果性）の指標の順位でみる限り、この二つの研究結果はきわめてよく類似している（両者の順位相関係数はプラス・七七）。わずかに第二位と第四位が入れ替わっているだけであとは完全に一致している。われわれはここで二つの研究に共通する心理的要因の働きを推定することができよう。すなわち、成員の達成動機が高い、あるいは成員相互間の自由なコミュニケーションが保障されている、などの条件のために集団（あるいは集団成員）側に、課題解決へのレディネス（準備状態）がある程度できている場合、彼らはリーダーシップ行動PM型を受け入れ、よい業績をあげることができたのではなかろうか。

　これに対して成員の達成動機が低い、あるいは集団成員間の相互のコミュニケーションがかなり厳しく制限されているなどの条件のために、集団の側に課題解決の準備状態がまったく整っていない場合、リーダーは多少の無理を承知で成員を課題達成の方向へ引っぱっていかなければ仕事は進まなか

ったのではなかろうか。

リーダーシップP、M行動と集団-課題状況

ここで検討した二つの実験室実験結果は、リーダーシップ研究領域でわれわれに新しい示唆を与えてくれる。すなわちリーダーシップP行動、M行動が集団効果性に与える影響は成員の達成動機あるいは集団のコミュニケーション構造という、仲介要因（モダレーター）によって左右されるという理論モデルを新たに想定することができる（図3・12の(A)(B)、〔116〕〔151〕参照）。監督者ないしリーダーのリーダーシップ行動と集団の課題遂行との間に一義的な関係を想定するのではなく、その両者の関係を仲介する要因（モダレーター）の働きをそこに認めるという理論モデルをわれわれは提唱する。

図3・13　ハーシイ，ブランチャードらのリーダーシップのライフ・サイクル理論のもうひとつの概念的表示

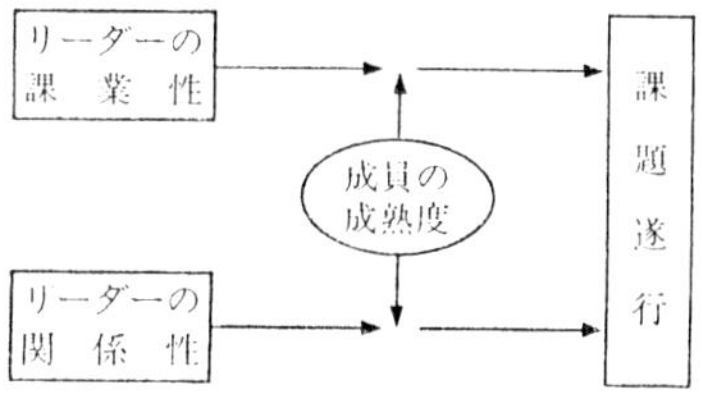

ハーシイ、ブランチャードらのリーダーシップのライフ・サイクル理論（六二ページ）も図3・13のように描くことができるであろう。われわれは第1章第2節の最後の部分（二七ページ）でリーダーシップ発生を規定するパーソナリティ要因と状況要因との交互作用について考察した。また第2章第2節において知能、経験の生かし方についてそれらが上司からのストレス要因によっていかに影響されるか（四一ページ）について検討してきた。これらを総合的に考察すればリーダーシップ研究において、リーダーの特性・資質のみならず、リーダーシ

ップ行動の分析においても集団－課題状況要因とのかかわり方がいかに重要であるかが理解できるであろう。

2　配慮か構造づくりか

配慮（Consideration）、構造づくり（Initiating structure）とはオハイオ州立大学のリーダーシップ研究者たちが因子分析によって見いだした、二つの重要なリーダーシップ行動因子である〔54〕〔157〕。

リーダーシップ行動の因子分析

一九四五年、シャートルを中心とするオハイオ州立大学の研究者たちはリーダーシップ研究の大がかりなプロジェクトを開始した。その中には既にメリーランド大学でリーダーシップ研究を手がけていたヘンフィルもいたし、さらにハルピン、ワイナー、ストッディル、フレイシュマンらが加わった。彼らの一連の研究によって、リーダーシップ行動には次の二つの主要な因子が存在することが明らかにされた。

(1)　**配　慮**　リーダーがどの程度、集団成員の幸福に関心を示すか。配慮的な監督者は部下がよい仕事をしたときにはそのよさを認め、部下を平等に取り扱うことによって彼らの自尊心を維持・強化し、部下が気楽さを感じるように特別の努力を試み、（部下からみれば）近づきやすく、部下の示唆を実行に移し、重要な事項については前もって部下の承認を得る。これに対して配慮的でない監督者は人々の前で部下を批判し、部下の感情を考慮せずに彼らを取り扱い、部下の安心感に脅威を与えたり、また（部下の）示唆を受け入れることや自分自身の行動の理由を説明したりすることを拒否する。

(2)　構造づくり　リーダーがどの程度集団における活動を開始し、集団を組織し、なさるべき仕事のやり方を規定するか。構造づくりは標準的なやりかたを保持したり、締切期限に間に合うことを強調する、何をどこまでやるかについても細かい点まで明らかにする、などの行動が含まれる。特に関

表3・4　オハイオ州立大学のリーダー行動記述質問票第12形式（LBDQ–XII）に含まれる「配慮，構造づくり」測定項目

評定者：直属の部下
評定法：以下の項目それぞれについて，5段階で評定する
A＝いつも
B＝しばしば
C＝ときに
D＝めったにない
E＝まったくない

配　慮

1　友好的で近付きやすい
2　集団の成員が愉快になるような，ちょっとしたことをする
3　集団から出された示唆を実行に移す
4　集団成員をみな平等に取り扱う
5　変更がある場合は前もって知らせる
*6　他者と交際しない
7　集団成員の個人的幸福を求める
8　喜んで変更を取り入れる
*9　自分の行動の理由の説明を拒否する
*10　集団に相談しないまま行動に移す

構造づくり

1　成員に何が期待されているかを知らせる
2　同一の手続を用いるよう勧める
3　集団に対して彼（または彼女）のアイディアを出す
4　彼（または彼女）の態度を集団に対して明確にする
5　何をどのようにするかを明確にする
6　集団成員に特定の課題を割り当てる
7　集団における彼（または彼女）の役割が集団成員に理解できるようにする
8　仕事の計画をたてる
9　業績のはっきりとした水準を維持する
10　集団成員が標準的ルールや規制をまもるよう求める

採 点 法

	A	B	C	D	E
＊印の項目	1（点）	2	3	4	5
その他の項目	5	4	3	2	1

連する行動として目標達成に対するリーダー自身および部下の役割を規定し、（組織的な体制に）組み立てることがあげられる。

彼らの研究ではリーダーシップ行動を測定するため何種類もの尺度が試作されたが、そのうち今日最もよく使用されているＬＢＤＱ－Ⅻ（Leader Behavior Description Questionnaire-Form XII）から、配慮、構造づくりの測定に用いられる項目を表３・４に示しておこう（なお、ＬＢＤＱ－Ⅻ、および関連する質問票、手引書などは次のあて先に請求して、取り寄せることができる。College of Administrative Science, Support Services, The Ohio State University, 1775 College Road, Columbus, OH43120, U. S. A.)。

配慮、構造づくりとリーダーシップ効果性

管理・監督者の配慮・構造づくりのリーダーシップ行動要因が、管理者自身ないしは部下集団の業績あるいは部下の満足度とどのように関係しているかは、この領域の主要な研究テーマであった。まず初期の頃の研究を眺めてみよう。

アメリカのある大学（二二の学科と三二二名の教員をもつ）で、学科長のリーダーシップ行動パターンと学科の管理運営との関係を明らかにする研究〔69〕が試みられた。各学科長のリーダーシップ行動については、それぞれ所属する教員が所定の尺度により評定・記述した。各科の少なくとも二名以上の教員から評定が得られた場合のみ、データ分析の対象とした。これから、図３・14に示す四つのリーダーシップ行動パターンを類別することができる。

各学科の管理運営の効率については客観的指標をとることが困難であったので、各科所属の教員に対して、学科の管理運営が最もうまくいっていると学内で評判になっていると思われる学科（自分の所属する学科を除いて）を上位から順に五つ、また学科の管理運営に問題があり最もまずいと学内で評判になっていると思われる学科（自分の学科を除いて）を順に五つあげることを求めた。この調査結果を集計して、全体の評定の中央値より高い学科八学科、また低い学科八学科を明らかにすることができた。

さて、学科長のリーダーシップ行動パターンとその学科の管理運営に関するキャンパス内の評判の指標とを組み合わせて示したのが図3・15である。すなわち学科長のリーダーシップ行動パターンが配慮・構造づくり両次元ともに積極的（学科長が所属する科の教員の自尊心を維持・強化し、彼らの幸福に関心を示すと同時に、集団の標準的な仕事のやり方を明示し、自己および各教員の役割を明らかにすることに熱心）なとき、その他の行動パターンに比較して、その率いる学科の管理運営はうまくいく（少なくともキャンパス内でそのような評判を得る）傾向にある。参考までに述べると、学科長のリーダーシップ配慮行動と管理運営の評判との間にはプラス・三六の相関があり、またリーダーシップ構造づくり行動と管理運営の評判との間にはプラス・四八の相関がある。この結果は先に述べたPMパターンに関する図3・2（五二ページ）、図3・4（五六ページ）のそれときわめてよく類似していると

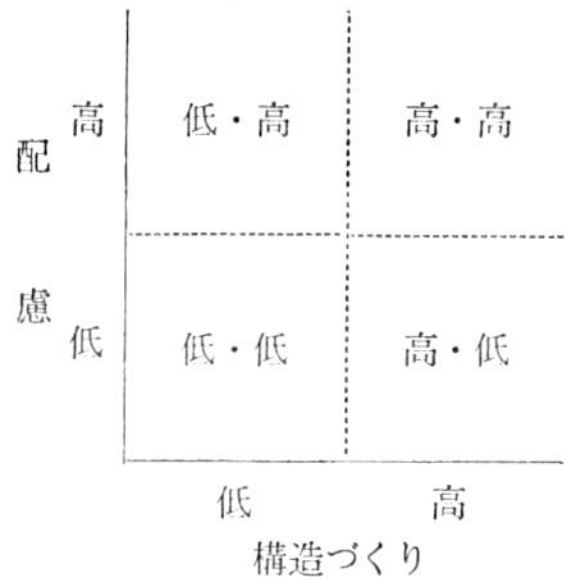

図3・14　配慮，構造づくり要因に基づく4つのリーダーシップ行動パターン

言えるであろう。

もうひとつ類似したデータ〔66〕を示そう。調査対象は極東のアメリカ空軍基地にいる八九名のB29爆撃機部隊司令官。リーダーシップ行動は部下評定。司令官（自身）の業績は全般的効率という点で上司からの評定によって測定された。図3・16に見られるとおり、配慮・構造づくりともに積極的な司令官は一般に上司からその業績を高く評価されていることがわかる。司令官の配慮行動と業績との間の相関はプラス・一七、また構造づくり行動と業績との間の相関はプラス・二五であった。この結果は図3・15と同じ傾向を示している。

アメリカのみならずイスラエルにもこれとよく似た結果がある。　これは同国の産業現場における第

図3・15　大学の学科長のリーダーシップ行動パターンと学科の管理運営の評価との関係
(Hemphill, J. K., 1957〔69〕, Table 3 のデータより筆者作図)

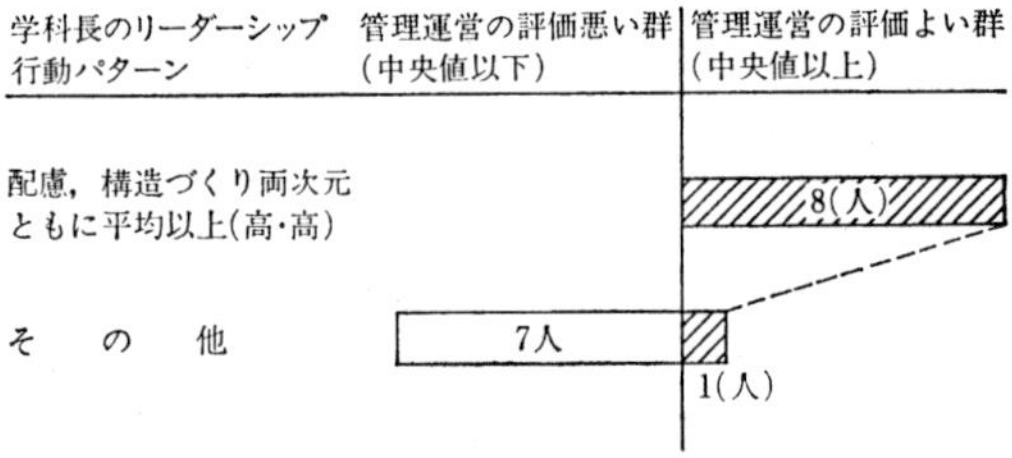

（注）　図中の数値は該当する学科長の人数を示す。

図3・16　B29爆撃機部隊司令官のリーダーシップ行動パターンと彼の業績との関係
(Halpin, A. W., 1957〔66〕, Table 3 のデータから筆者作図)

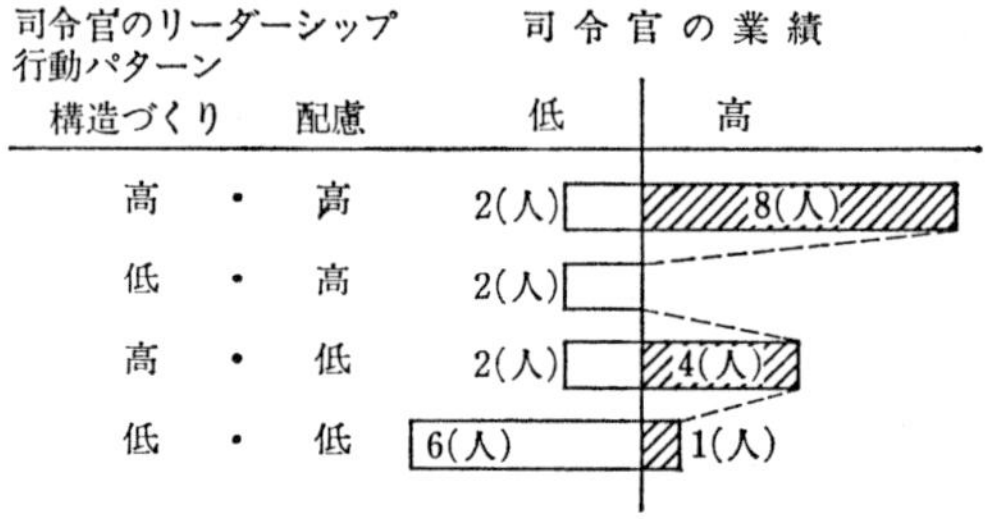

（注）　図中の数値は該当する司令官の人数を示す。

図3・17　イスラエルの産業現場における第一線監督者のリーダーシップ行動パターンと業績との関係

(Fleishman, E. A. & Simons, J., 1970〔55〕のデータより筆者作図)

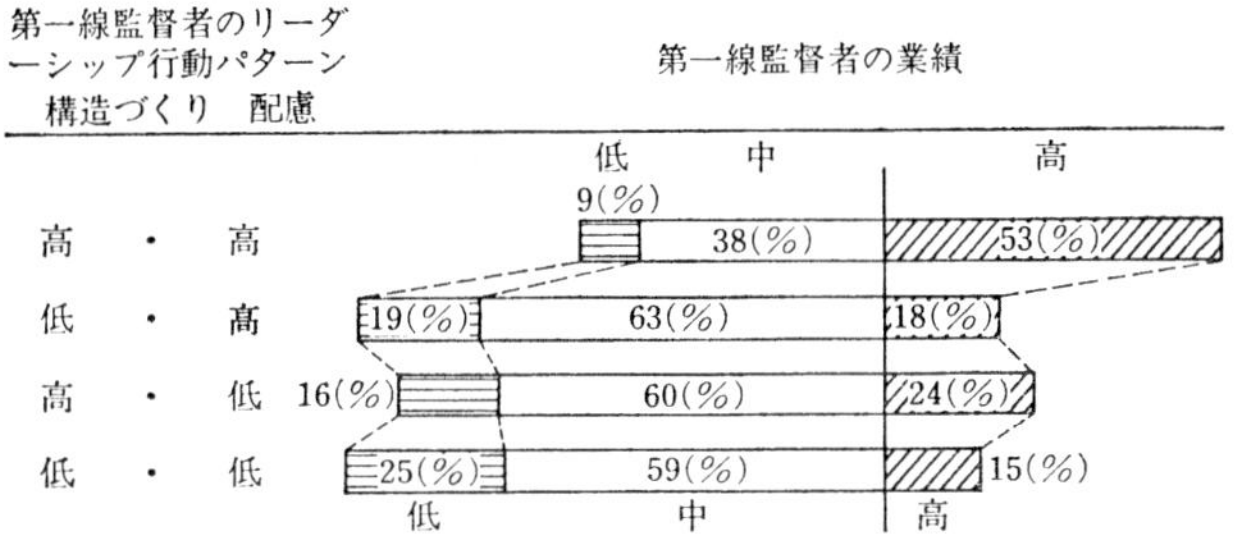

(注)　図中の数値は該当する第一線監督者の人数を示す。

一線監督のリーダーシップ行動（部下記述）と彼の業績（上司評定）との関係を分析したもの〔55〕である。図３・17に示すとおり、ここでもやはり配慮・構造づくり両次元でともに積極的な第一線監督者はその業績について上司から最も高い評価をうけ、ついで業績が高いのは、配慮が低く、構造づくりが高いパターン、そして配慮が高く、構造づくりが低いパターンと続き、業績評価が最も低いのは配慮・構造づくりともに低いパターンである。この傾向は図３・16の結果とかなりよく似ているといえよう。

これまで検討してきた諸研究結果にはかなり一貫した傾向が認められる。しかしその後の多くの研究結果を詳細に検討すると、必ずしもこれはそれほどはっきりとした結論とは言えない。たとえば、爆撃機司令官を対象とした研究では図３・16に示すとおり、リーダーシップ（配慮、構造づくり）行動と業績との間にいずれもプラスの相関が見いだされたが、同じくB50爆撃機司令官を対象とした別の研究〔67〕ではリーダーシップ行動と業績（上司評定による）との相関がいずれもマイナスになった。また同じ産業場面を扱った研究〔54〕でも、生産部門と非生産部門とで結果のあらわれ方がかなり異なった。このように諸研究結果に必ずしも予期されたほどの一貫した結果が得られないことから、配慮・構造づくりの二要因にはリーダーシップ効果性の予測能力が果たしてあるのかという疑問を投げかける論文（たとえば〔85〕）もあらわれてきた。

これら諸研究の結果をブルーム〔166〕がたいへん要領よくまとめているので、それを参照してみよう。

(1) 配慮次元で積極的なリーダーの下にいる部下は、配慮次元で消極的なリーダーの下にいる部下よりも、彼らのリーダーに対して一般により満足している。また彼らは欠勤や苦情が少ない。

(2) リーダーの配慮行動とリーダー効果性（上司の評定による）との相関関係は状況によって異なる。

(3) リーダーの構造づくり行動とリーダー効果性（上司の評定による）との相関関係は一般にプラスになる傾向があるが、ときにゼロやマイナスになる場合も認められる。

(4) 部下の苦情や転職を規定するうえで、リーダーの配慮行動と構造づくり行動が互いに交互作用をもつ事例がわずかながら見いだされている。

右の(2)および(3)については次項で詳しく述べるとして、ここでは(4)に関連したデータを示しておく。アメリカの貨物自動車製造工場の第一線監督者のリーダーシップ（配慮、構造づくり）行動と部下の苦情との間に図3・18のような結果〔53〕が見いだされた。すなわち、監督者の配慮行動が強い（高い）ときには、監督者の構造づくり行動のレベルにかかわりなく部下の苦情は少ない。また監督者の配慮行動が弱い（低い）ときには監督者の構造づくり行動のレベルにかかわりなく部下の苦情は多い。しかし、監督者の配慮行動が中程度の場合は、構造づくり行動とかかわりがあってそれが弱い（低い）間は苦情は少ないが、構造づくりが増えるにつれ急速に苦情が増す。つまり、構造づくりと苦情との相関関係が配慮要因によって仲介されると考えられる。アメリカの精練所において行なわれた調査〔22〕〔75〕でもこれと類似の結果が得られている。また逆に、監督者のリーダーシップ配慮行動と集団業績との相関関係が構造づくり行動要因によって仲介されるというケース〔63〕も見いだされている。

このことからみても、リーダーシップ配慮・構造づくり行動の効果はそれほど単純なものではないことがわかる。

図3・18　第一線監督者の構造づくり行動と部下の苦情の割合との関係が監督者の配慮行動によって仲介される
(Fleishman, E. A. & Harris, E. F., 1962〔53〕)

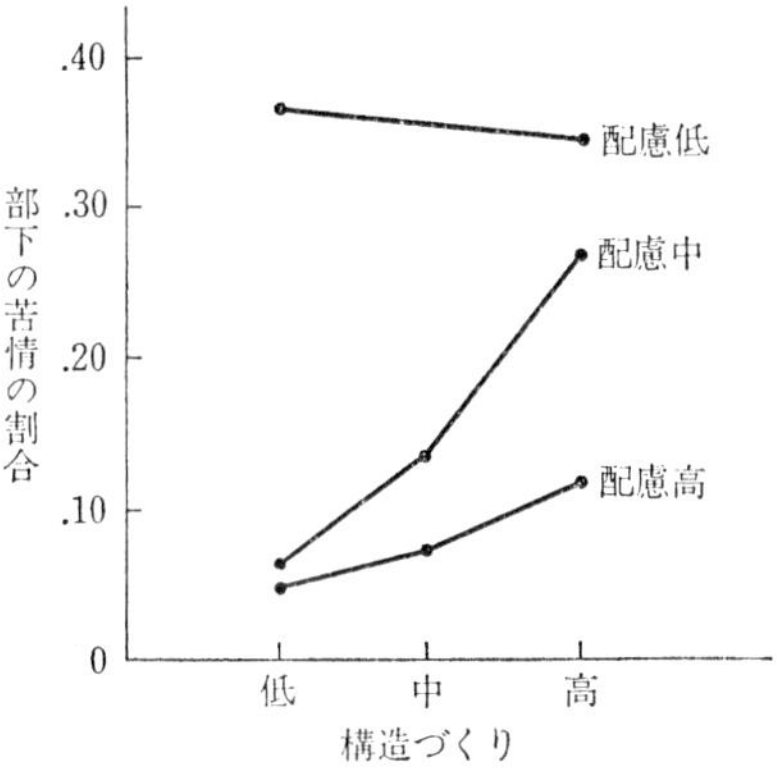

ではどう考えてゆけばよいのか。カーほか〔83〕、ユクル〔176〕、ブルーム〔166〕など、この分野の諸研究に関するすぐれた展望を行なった諸理論家が一致して主張しているのは、今後の研究においてリーダーシップ変数と業績・満足変数との間に状況要因（仲介要因）変数をおいて諸関係をとらえるという行き方をとらざるを得ないということである。

配慮、構造づくりと集団－課題状況

(1)　仲介要因としての集団内対人関係　リーダーと集団成員あるいは成員相互の人間関係のよし・あしによ

図3・19　監督者の構造づくり行動と監督者に対する部下の満足度との相関関係が集団凝集性によって仲介される

(Schriesheim, J. F., 1980〔126〕, Table 3のデータから筆者が抜粋して作図)

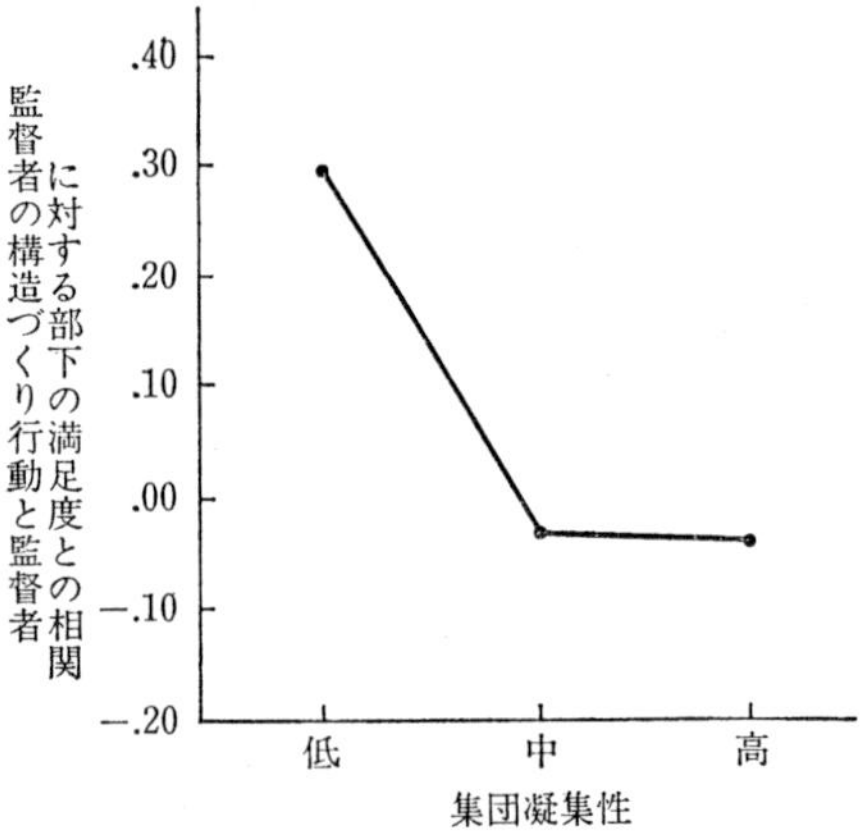

って、リーダーの配慮・構造づくり行動と業績・成員の満足度との相関関係が左右されるであろうということは容易に予想できる。たとえばティーム・ワークがとれて集団内の対人関係がきわめてスムースなとき、リーダーの配慮行動はそれほど必要とされないであろう。これに対して集団凝集性が低い場合、監督者が配慮行動を十分示すことができれば部下の成員はより満足するであろう。

アメリカのある公益事業体職員三〇八名を対象にした調査結果〔126〕をまず取り上げよう。ここでは監督者の配慮・構造づくり行動と部下の監督者に対する満足度（18項目）との相関関係が集団凝集性（三七ページ参照、本研究では5項目によって測定）の要因によっていかに左右されるかが分析された。図3・19に見られるとおり、集団凝集性が低い場合には、監督者の構造づくり行動と監督者に対する部下の満足度との間にはプラスの相関があるが、集団凝集性が中程度または高い場合には、二つの要因の間にほとんど相関がない。つまり、リーダーの構造づくり行動と部下の満足度との相関関係が集団凝集性によって仲介（モダレート）

されたのである。

もうひとつ、アメリカの産業現場におけるデータ〔22〕をみておこう。図3・20に示されるとおり、監督者と成員との人間関係がよい場合は、監督者の配慮・構造づくり行動はともに部下集団の業績（品質）とプラスの相関を示すが、監督者と成員との人間関係がわるい場合は、配慮・構造づくりとも、業績との相関が低くなる。ここでもふたたびリーダーの配慮・構造づくり行動と部下の業績との相関関係がリーダー／成員関係によって仲介（モダレート）されるということが示された。このことを図3・21のようにあらわすことができよう。

図3・20　監督者の配慮・構造づくり行動と部下集団の業績（品質）との相関関係がリーダー／成員関係要因によって仲介される

（Cummins, R. C., 1972〔22〕のデータより筆者が抜粋して作図）

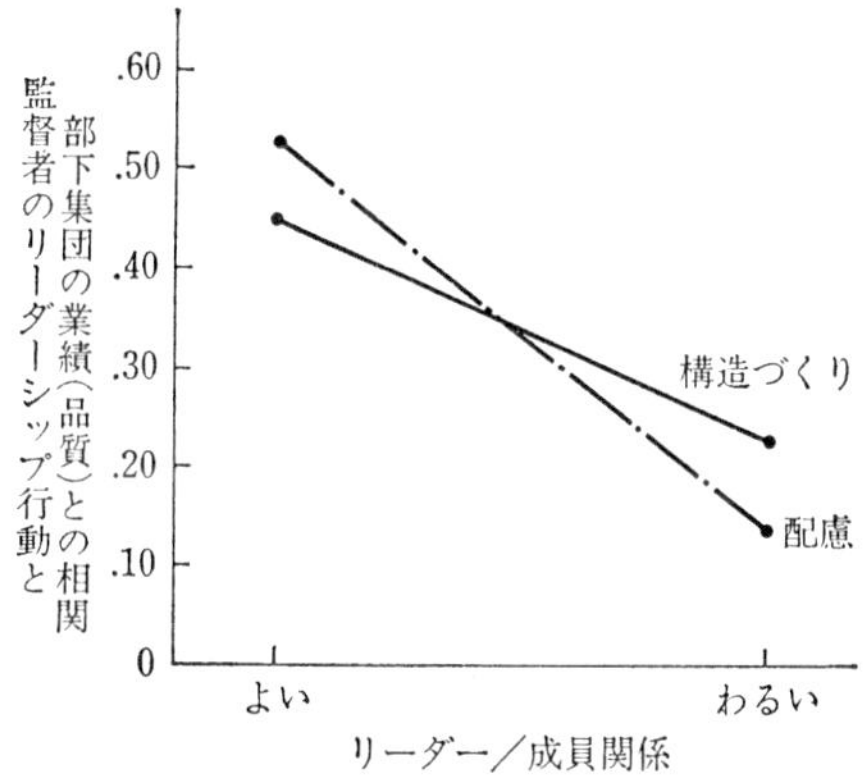

(2)　仲介要因としての課題の構造　課題の種類・性質もリーダーシップの影響過程に大きくかかわるであろう。たとえば課題の目的・内容が非常に明確で、課題解決に際しては標準的な解決法があり、正しい解答（解決策）は限られており、しかもそれが正しいか否かが客観的に証明できるような課題――こういった性質をもつ課題をフィードラー〔33〕は「構造化された課題」

図3・21　リーダーの配慮・構造づくり行動と部下の満足度・業績との相関関係がリーダー／成員関係によって仲介される理論モデル

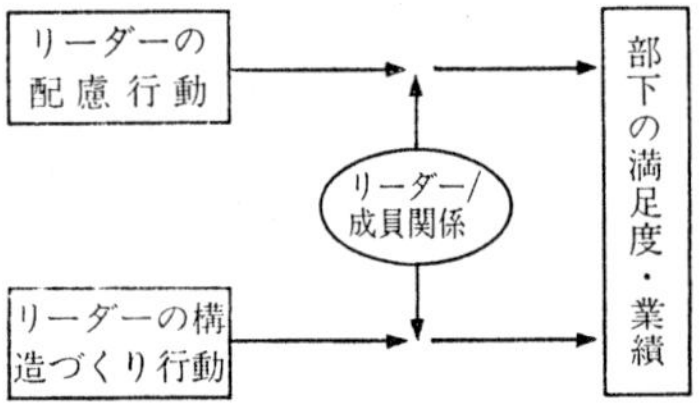

とよぶ――と、課題の目的や内容が不明確で、正解（正答）やそれに至る方法の数も多く、正解であるか否かの検証が客観的には行ない難い課題――これをフィードラーは「構造化されていない（あるいは非構造的）課題」とよぶ――とでは、リーダーシップ効果の過程もかなり異なってくるであろう。たとえば、流れ作業工程で決まった資材を規定の工具を用いて組み立てる作業は構造化された課題であり、テレビ局のチーフ・プロデューサーの仕事は非構造的課題であろう。

アメリカの大規模な病院に勤務する三七二名の看護婦を対象とした調査結果〔135〕を取り上げてみよう。ここでは監督者の構造づくり行動と部下の行動（特に調査一年以内に病院を退職したか否か。ここでは定年その他の理由で病院を退職したものを除き、自発的な退職のみを取り扱った）との相関関係が仕事の内容（どの程度繰り返しの多い、決まりきった仕事であるか）によってどのように異なるかに注目する。図3・22に示されるとおり、構造的課題の場合は非構造的課題の場合よりも、リーダーの構造づくり行動と部下の離職傾向との相関がより大きい。

つまり、繰り返しの多い、単調な仕事の場合、リーダーの構造づくり的行動が強ければ強いほど、部下はその職場に魅力を失い、やがては退職していくであろう。これに対して課題が非構造的である場合（変化の多い仕事で、部下自身いろいろ工夫する余地を与えられている場合）、リーダーの構造づくり行動は部下の離職傾向をそれほど強くは規定しないであろう。

ここで前に倣って図3・23のようなモデルを考えることも許されよう。仲介要因としての課題の内容に関しては改めて第4章第2節（一六八ページ以下）で詳しく検討する。

(3)　仲介要因としてのリーダーの地位力

図3・22　リーダーの構造づくり行動と部下の離職傾向との相関関係が課題の構造化要因によって仲介される
(Sheridan, J. E. & Vredenburgh, D. J., 1979〔135〕の記述データより筆者作図)

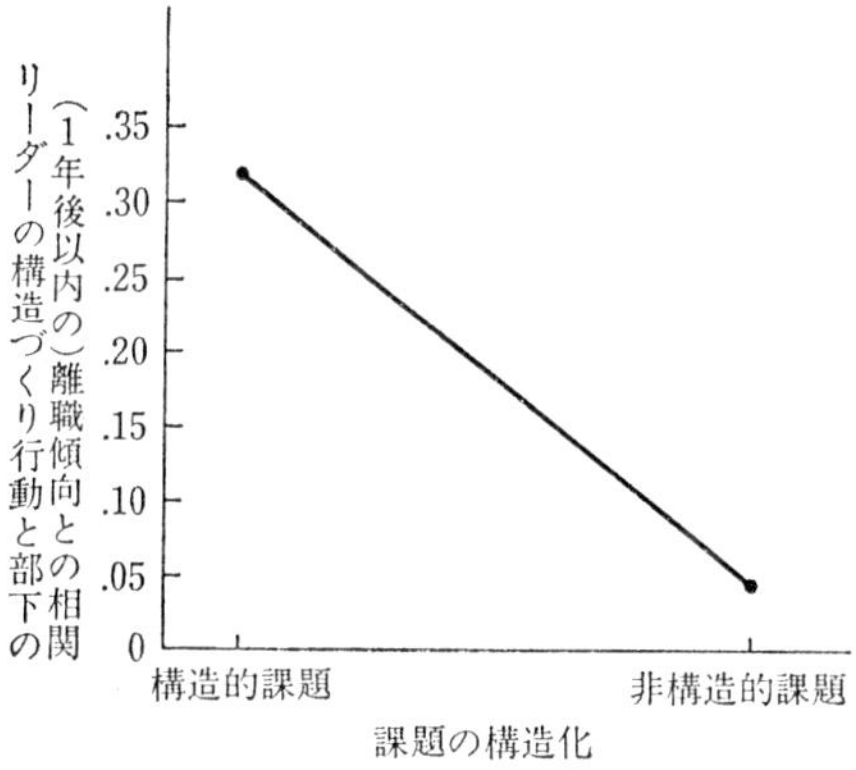

図3・23　リーダーの配慮・構造づくり行動と部下の満足度・業績との相関関係が課題の構造化によって仲介される理論モデル

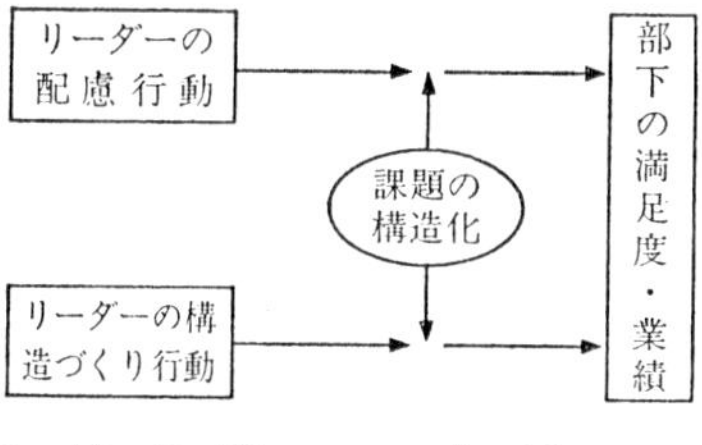

組織の中で上司が十分な地位力・影響力をもっているか否かもまた、重要なファクターのひとつであろう。たとえば同じく配慮行動を示すにしても、上司が大きなパワーをもっている場合とそうでない場合とでは、部下に与える効果も異なってくるであろう。

アメリカの海軍高等飛行隊隊員五六二名を対象にした調査結果〔116〕から、このことを考えてみよう。

図3・24　上司の配慮行動と仕事に対する部下の満足度との相関関係が「上司が組織の中でもつ影響力」によって仲介される
(O'Reilly, C. A., III. & Roberts, K. H., 1978〔116〕のデータより)

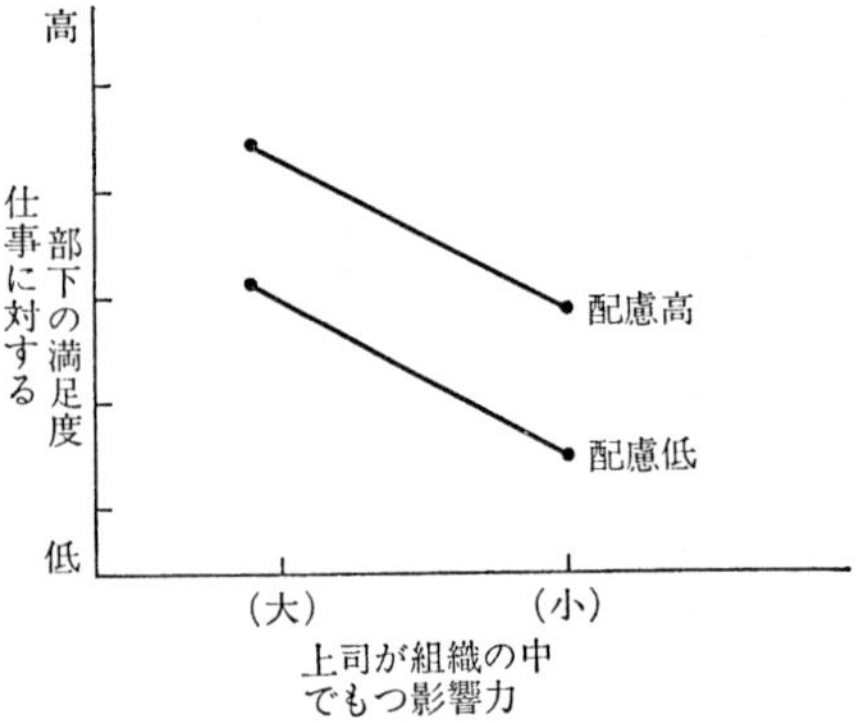

図3・25　リーダーの配慮・構造づくり行動と部下の満足度・業績との相関関係がリーダーの地位力（影響力）によって仲介される理論モデル

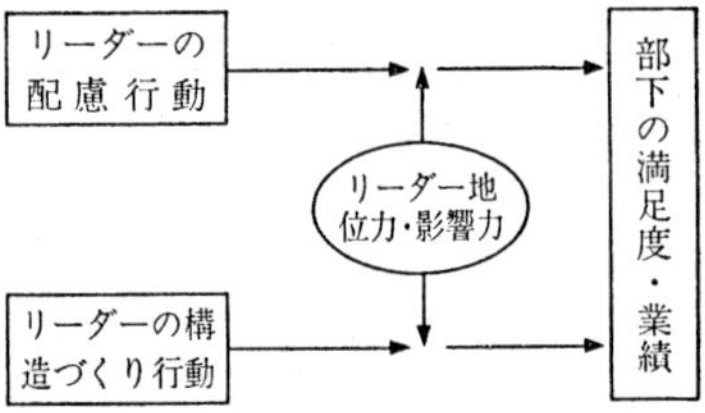

図3・24に示されるように、上司の配慮行動と仕事に対する部下の満足度との関係は、組織が上司の中でもつ影響力のレベルによって左右される（この図から大きな違いはないようにも見えるが、上司の配慮行動と上司の影響力の交互作用は統計的に有意）。すなわち、上司が組織の中であまり影響力をもたず、しかもその上司が配慮行動を示さない場合、仕事に対する部下の満足度はきわめて低下する。

前の二つの場合に倣って図3・25のようなモデルを想定することも許されよう。

われわれはここで、オハイオ州立大学の研究者たちが見いだした、配慮・構造づくりという二つのリーダーシップ行動要因が部下の満足度・業績に与える影響過程で、リーダー／成員関係、課題の構造化、リーダーの地位力（影響力）の三つの仲介要因（モダレーター）によって両者の相関関係がいかに変容するかを、具体的な研究データを通して考えてきた。もちろん、仲介要因としては多くのものがあげられるであろう。たとえば、仕事に関するプレッシャー、仕事に関する内発的満足度、情報に対する部下の要求、職務レベル、部下の期待、上司とその上司とのリーダーシップの一致度、組織からの部下の独立など（これらの仲介要因としての意義はカーほか〔83〕によって考察されている）があろう。あるいは、課題の構造化とフォロワーのパーソナリティの二つの要因の組み合わせを扱った研究〔170〕や、グループ・サイズ、経験、地位力、課題の構造化の四つの要因を同時に取り扱った研究〔6〕もあるが、あまり複雑になるので、ここではふれないことにする。

われわれはここで三つの仲介要因に焦点を合わせて考察したが、このことは第4章第1節（一一九ページ以下）のフィードラーのモデルを検討するときにもう一度考察することになろう。またわれわれは先に図3・12に関連する考察のところで、リーダーシップPM行動と集団‐課題状況との交互作用についてふれた（七〇ページ）が、このことはまったくそのまま、配慮・構造づくり行動に関する考察にも該当する。過去二〇年間の、オハイオ州立大学リーダーシップ研究を振り返って、フレイシュマン〔52〕は今後、状況要因を考慮した研究がいかに必要であるかを強調している。本書の中心となる視点がしだいに明確になってきたといえよう。

＊　本章第2節の論述には文献〔143〕〔148〕を参照した。

3　民主型か専制型か

民主型か専制型か

ここでいう民主型リーダーシップ、専制型リーダーシップとは、一九三〇年代の後半、レヴィン、リピット、ホワイトらが行なった、アメリカ人の男子小学生を被験者とするリーダーシップ行動の実験室実験〔171〕において用いられた概念を指す。レヴィンらのこの実験が実はリーダーシップ行動の最初の実験室実験といわれる（一九三五年、わが国の心理学者土岐《とき》〔161〕によって日本人の小学生集団を被験者とした、指導者－フォロワー関係の実験が報告されている）。

レヴィンらは、男子小学生五名からなる集団に一名の成人のリーダーを配置し、そのリーダーの行動を厳密にコントロールした。この実験では民主型、専制型、自由放任型の三種類のリーダーシップ行動が操作されたが、ここでは民主型、専制型の二類型にしぼって考察する。レヴィンらの実験で用いられたリーダーシップ行動の比較を表3・5に示す。これによって二つのリーダーシップ行動のイメージを描くことができよう。

さて、このレヴィンらの実験の主たる目的は、専制的、民主的リーダーシップという、いわば政治的概念で従来捕えられてきたものを表3・5のように操作することによって実験室の中で具体的につくり出すことができるか否か、もしできるとしたら、それが成員である子どもたちの反応になんらか

表3・5　レヴィン，リピット，ホワイトらの実験で用いられたリーダーシップ行動パターン

（White, R. & Lippitt, R., 1960〔171〕より）

専制的指導	民主的指導
1. 方針のいっさいは指導者が決定した。	1. あらゆる方策は集団によって討議され決定された。指導者はこれに激励と援助を与えた。
2. 作業の要領と作業の手順は，そのつどひとつずつ権威的に命令する。そのため，それから先の作業の見通しの多くはいつも不明瞭であった。	2. 作業の見通しは討議の間に得られた。集団の目標に達するための全般的な手順の予定が立てられた。技術上の助言が必要な時には，指導者は二つ以上の方法を提示して，その中から選択させるようにした。
3. 指導者は通常個々の作業課題を指令し，各成員の作業の相手方も指導者が決めた。	3. 成員は仕事の相手として誰を選んでも自由であり，仕事の分担は集団にまかされた。
4. 指導者は，各成員の仕事を賞讃したり批判する際に，「個人的主観的」にする傾向があった。実演してみせる場合以外は，集団の仕事に実際に参加することはなかった。	4. 指導者は，賞讃や批判をするにあたって，「客観的」で，「即事的」であった。指導者は気持のうえでは正規の集団成員の立場にあるようにつとめたが，差し出がましくならぬように気をつけた。

（注）自由放任的指導は省略。

の違いをもたらすかどうかを見いだそうとするものであった。各実験集団には複数の観察者がついて、リーダーおよび成員の行動を客観的・数量的に観察・記録し、その結果、民主的、専制的リーダーシップを実験室の中でつくり出し得ること、およびそれらが各々固有な反応を成員から引き出すことなどが確証された。

レヴィン〔89〕が「グループ・ダイナミックス」（集団力学）ということばを一九三九年に初めて用いたのも、この実験の報告に関連させてである。

レヴィンらがこの実験を報

表3・6　民主的，専制的リーダーシップの効果に関する諸研究結果の要約
(Bass, B. M., 1981〔9〕の展望を筆者が要約)

業績について	
専制型が優れている	7（篇）
民主型が優れている	14
差がない	10
満足度について	
専制型が優れている	0
民主型が優れている	13
差がない	2

（注）表中の数値は研究報告の数。また，業績については比較的短期のリーダーシップ過程を中心にデータが要約されている（筆者）。

告して以来、民主的リーダーシップと専制的リーダーシップの効果はどちらが優れているか、について数多くの研究が試みられてきた。ここでは、バス〔9〕の詳細な展望を参照してまとめてみよう。その結果は表3・6に要約して示される。成員の満足度に関しては民主的リーダーシップの効果性が認められるが、業績に関してはその結果は一貫しているとはいえない。

なぜこうなるのか。われわれはここで再びそのリーダーシップ影響過程に、課題、コミュニケーション構造、リーダーおよび成員のパーソナリティなど、さまざまな集団‐課題状況要因を仲介要因として取り上げざるを得ない。

民主型、専制型と集団‐課題状況

(1) 仲介要因としての集団凝集性

集団凝集性が高いか低いかによって、リーダーの専制的、民主的リーダーシップ効果性が異なってくるであろうと予想される。関連するデータをアメリカのあるプラスティック製品をつくっている工場の作業者集団に対して行なわれた調査結果〔118〕から見てみよう。図3・26に示されるように、監督者が厳格な監督行動（つねに機械操作を見まわり、部下から求められないのにみずからボタンを押したり、機械を調整したりする）をとる場合には、部下集団の凝集性と業績との間にプラス・七七の高い相関がある（集団凝集性が高いほど業績もよい）が、監督者がそのように厳格でなく一般的監督行動をとる場合には、集団凝集性と業績との相関はかなり低くなる。ここで、監督者の監督行動（厳格か一般的か）要因と集団凝集性要因とが相互に組み合わさって集団業績が規定されているという過程があると推定することができよう（本研究のデータ処理では、むしろ監督者のリーダーシップ行動パターンが仲介要因とされてはいるが）。

図3・26　集団凝集性と集団業績との相関が監督者のリーダーシップ行動パターンによって仲介される
（Patchen, M., 1962〔118〕, Table 4 のデータから筆者が抜粋して作図）

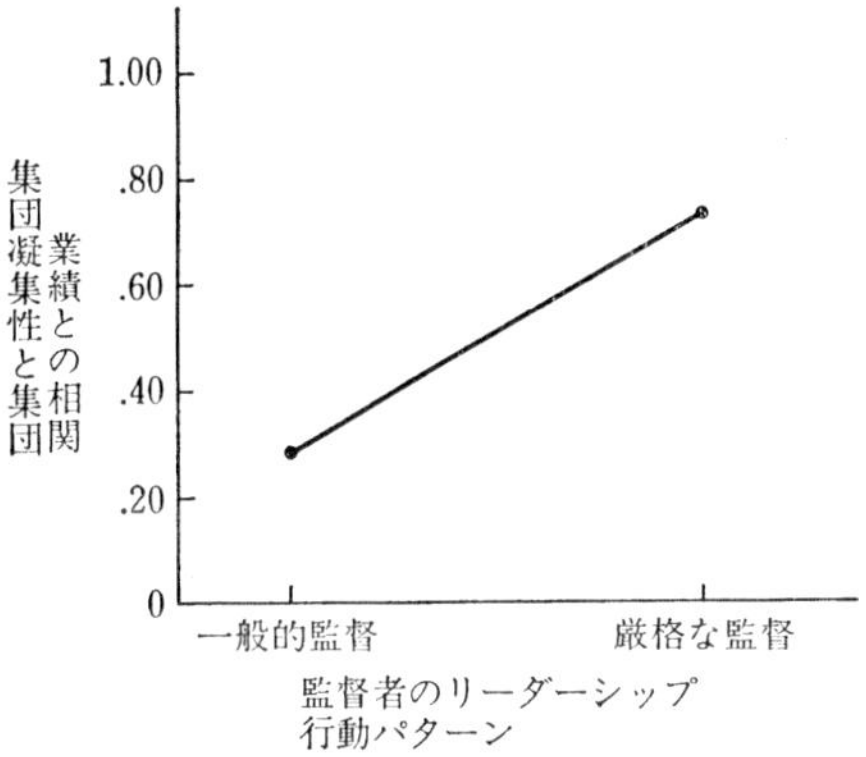

(2)　**仲介要因としてのコミュニケーション構造**

アメリカの男子大学生を被験者とする実験室実験〔131〕からこの問題を考えてみよう。本実験では図3・27に示す三種類のコミュニケーション構造が取り扱われた。このグラフで直線は相互に意見や情報を交換できるルートを示す。特定のポジションについた人がリーダーとして指名された。ここで二種類のリーダーシップ行動パターン（専制的リーダーシップと非専制的リーダーシップ）が操作された。課題は五名の被験者それぞれに与えられた情報を総合して、数学的問題に解答を出すことであった。正解に到達するまでに費した時間（分）

図3・27　ショーの実験で用いられた3種類のコミュニケーション構造パターン
（Shaw, M. E., 1955〔131〕, Fig. 1 よりリーダーのポジションについて筆者が加筆）

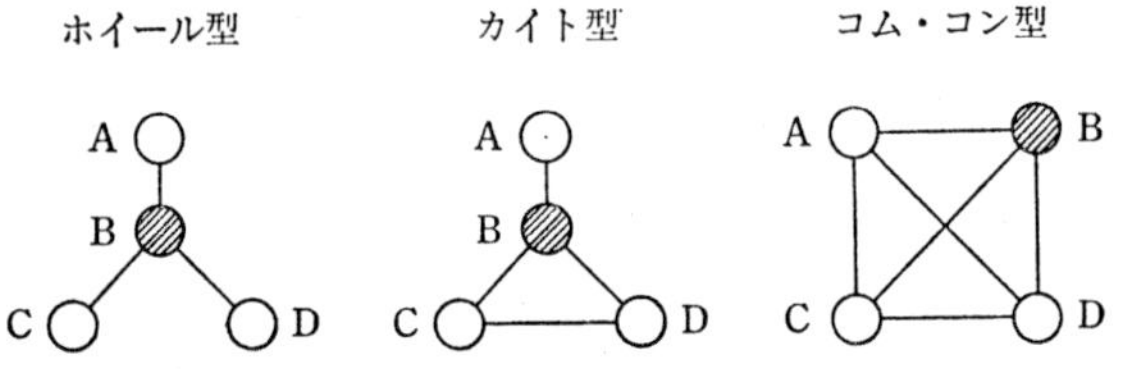

（注）　●はリーダーを示す。

図3・28　コミュニケーション構造，リーダーシップ行動タイプ，集団の課題解決に関する実験結果
（Shaw, M. E., 1955〔131〕, Table 2 のデータに基づき筆者が指数を換算して作図）

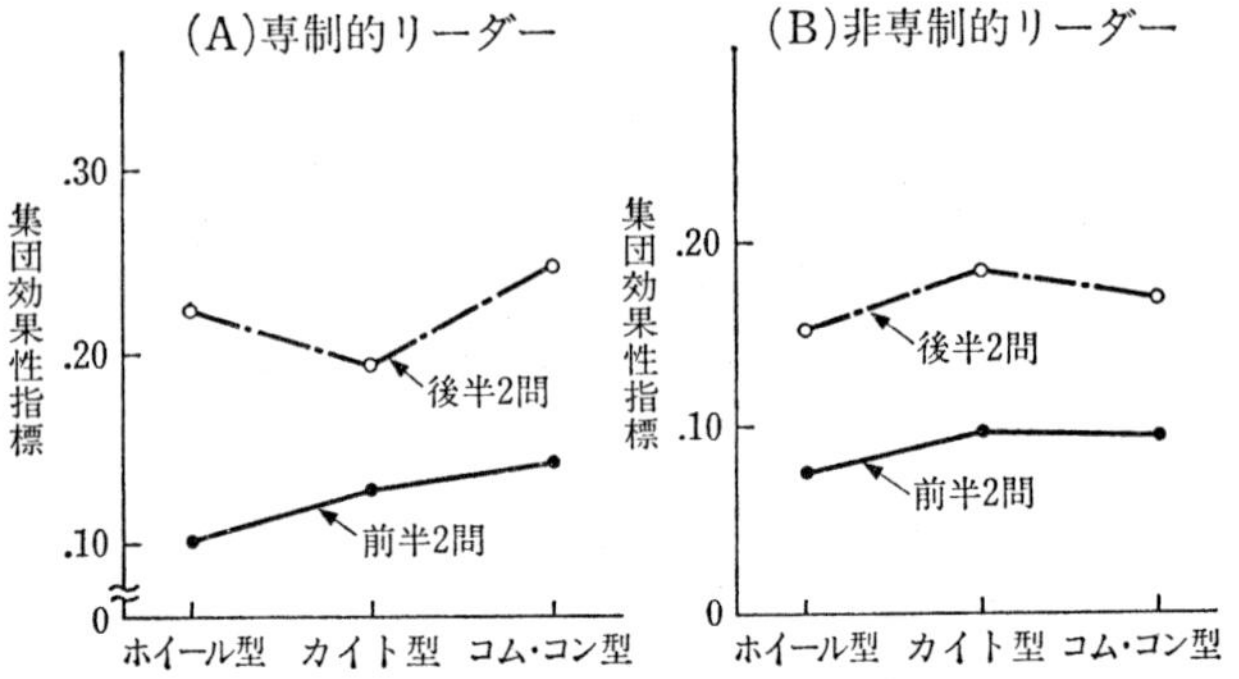

が測定され、集団業績の指標とされた。全部で四個の課題が使用された。

図3・28に示されるとおり、非専制的リーダーの場合（図の(B)）は、前半、後半を通じて一貫して集団の課題解決効果性はカイト型、コム・コン型、ホイール型の順番となるが、専制的リーダーの場合（図の(A)）は、前半と後半で効果性の順序が多少入れ換わる。すなわち前半ではコム・コン型、カイト型、ホイール型の順となるのに対し、後半ではコム・コン型、ホイール型、カイト型の順となる（リーダー

シップ行動パターン、コミュニケーション構造、課題試行の三要因の交互作用は統計的に有意)。この実験結果から、リーダーの専制的・民主的リーダーシップ行動とコミュニケーション構造（および課題試行）の各要因がお互いに組み合わされて、集団の課題解決を規定していると考えることができる。ただし、同じくコミュニケーション構造とリーダーシップ・パターンの組み合わせを取り扱った前の実験（六七ページ図3・10）の結果と本実験の結果とは直接対応しない。しかしいずれにしても、コミュニケーション構造とリーダーのリーダーシップ行動パターンの二つの要因が相互に関連し合って集団効果性を規定するという点に関して、この二つの研究は同じことを示唆している。

(3)　仲介要因としてのリーダー／成員関係　集団の規模が小さく、リーダーと成員あるいは成員相互の関係が密接な職場と、逆に集団の規模が大きく、リーダーと成員あるいは成員相互の関係がそれほど密接でない職場では、リーダーの専制的・民主的リーダーシップ行動が与える効果もかなり異なってくることが予想される。アメリカのある運送会社で行なわれた調査結果〔168〕を参照してみよう。

この調査では、トラック運転手のグループとポジショナー（ベルトコンベヤの横に立ち、流れてくる品物を所定の手続に従って分類する）のグループとが比較された。運転手は毎朝リーダーから仕事の指示を受けたあとは、一日中トラックを運転して、所定のルートをまわり、終了後リーダーに報告をする。ポジショナーは一日の勤務時間中ずっと同じ位置で仕事を続ける。また運転手は一人の監督者のもとに三〇名ないし五〇名の同僚がいる。ポジショナーの場合、一集団は八名ないし一〇名からなる。

ここではリーダーの権威主義的態度（「権威に対して無条件に服従し同調する傾向を示す態度。非寛容で偏

図3・29　監督者の権威主義的態度と部下の満足度との相関関係は職場組織によって異なる
(Vroom, V. H. & Mann, F. C., 1960〔168〕, Table 1 のデータから筆者が抜粋して作図)

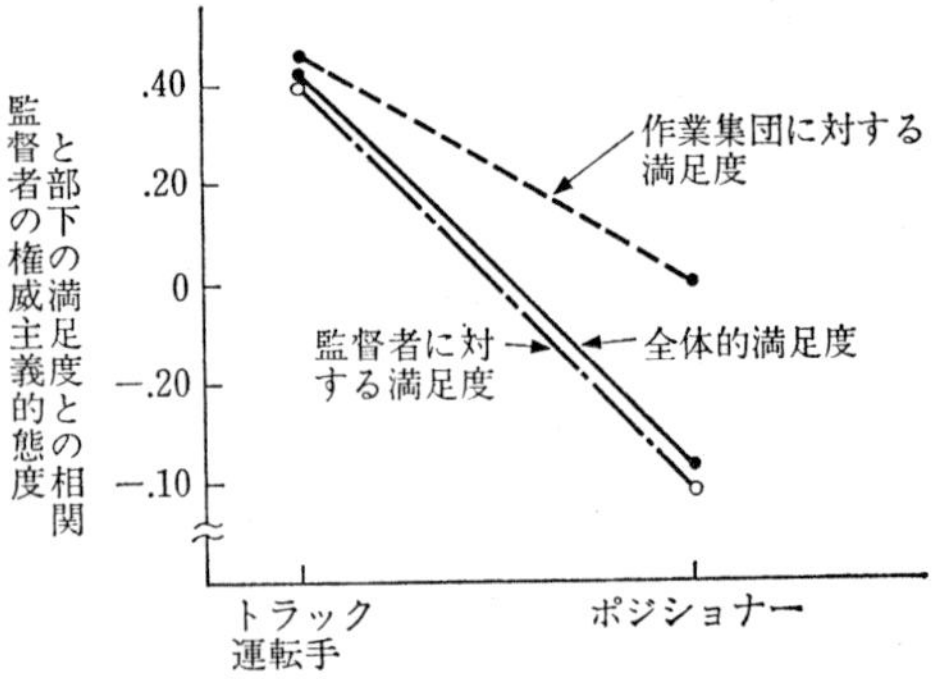

狭な反民主主義的傾向『潜在的ファシズム』をあらわすもので、その基底には因習主義、権威主義的従属、権威主義的攻撃、想像的・主観的・内在的・思索的基準を軽視し、外在的対象によって支配される傾向、迷信と偏見、権力とタフネスへの信仰、破壊性とシニシズム、投射性、性に対する過度の関心などを内容とする、個人のパーソナリティ構造があるとする。」〔『新版心理学事典』平凡社、一九八一〕と部下の態度との相関関係が分析された。図3・29に見られるとおり、両者の関係はトラック運転手とポジショナーの場合とできわめて異なる。つまり運転手の場合は監督者が権威主義的であるほど部下は満足するが、ポジショナーの場合は逆に監督者が権威主義的であるほど部下の満足度は低くなる、あるいは両者の関係がなくなる。ここでリーダーの権威主義的傾向と部下の満足度との相関関係が、リーダーと成員の相互作用要因によって仲介（モダレート）されるといえよう。

(4)　仲介要因としてのパーソナリティ要因　リーダーあるいはフォロワーのパーソナリティ要因を取り扱った研究は数多い。その中から先ず、リーダーの行動（特に自由に対する耐性の大きさ——部下が自由に仕事をすることをどの程度認めるか、部下がベストと思うやり方で仕事をすることをどの程度認めるか）と成員の満足度との関係が、成員の権威主義的態度によってどう変わるかについての調査〔163〕を取り上げよう。

調査対象はアメリカのある大きな金融機関における四八八名の管理者であった。多くの質問項目が質問紙の中に含まれたが、ここではそのうち特に関連するものだけについて説明する。部下の権威主義的態度はアドルノほかのF尺度（日本版が藤沢・浜田〔59〕によって試作されている）によって測定された。また職務に関する不安は「明年の自分の仕事を予測できない」「上司が実際よりも自分の業績を低く評価する」などの質問四項目で測定された。さらに、上司のリーダーシップはオハイオ州立大学のリーダーシップ行動記述質問票第12形式（七三ページ）の中の「自由に対する耐性《トレランス》」尺度（上司は成員の仕事で完全な自由を許す、ほか九項目）によって測定された。

これら諸変数間の関係は図3・30に示される。すなわち、監督者の自由に対する耐性が低いときよりもそれが高いとき、一般に職務に関連する成員の不安は高くなる。しかも成員の権威主義的態度が低い（すなわち平等主義的傾向が強い）とき、この傾向はい

図3・30　監督者の自由に対する耐性，成員の権威主義的態度および成員の職務に関する不安の関係
（Tosi, H. L., 1973〔163〕, Table 3 のデータから筆者作図）

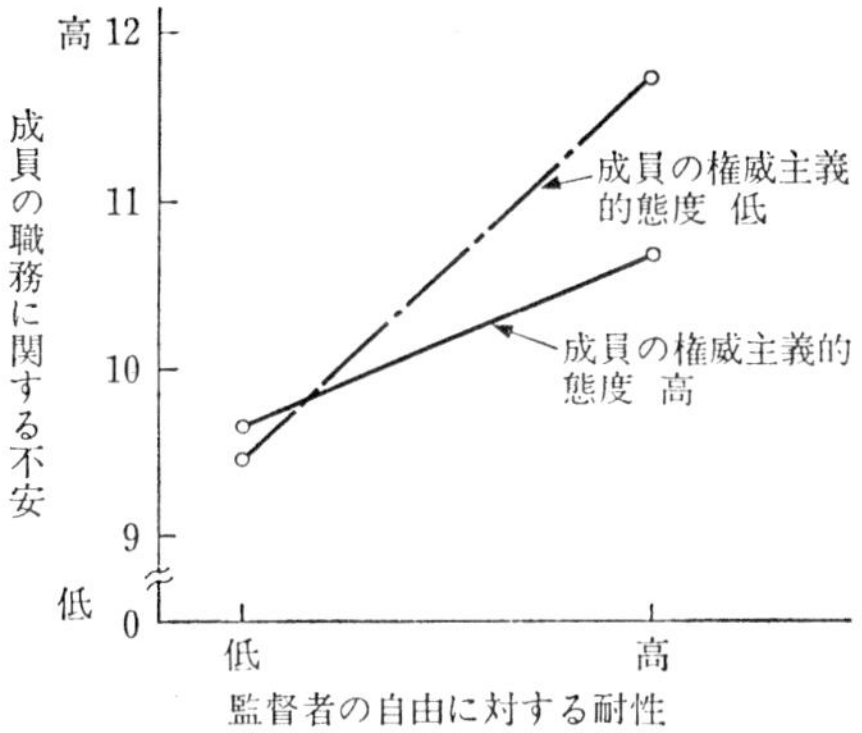

つそう顕著になる（監督者の自由に対する耐性と成員の権威主義的態度との交互作用のF比の確率は・〇九で、統計的有意水準にわずかに届かない）。言い換えれば、監督者の自由に対する耐性傾向（行動）と職務に関する成員の不安との相関関係は、成員の権威主義的態度要因によって仲介（モダレート）されることになる。

次に、意思決定への、いわゆる参加の効果が成員のパーソナリティ傾向によって左右されるという事例を取り上げよう。一般に従業員に参加の機会を与えると、態度が好意的になり、勤労意欲が向上し、業績にもよい効果が期待できる〔21〕といわれている。しかしその参加の効果は、成員のパーソナリティ要因によって左右されるのではなかろうか。

この研究は、デパートからお客の住宅へ商品を配送することを主な業務とする、アメリカのある大きな会社で行なわれた〔165〕。「参加」は「あなたの職場でなされることがらにあなたはどの程度影響力をもっていると思いますか」「あなたに関係する事柄において、あなたは直接の上司に対してどの程度影響を与えることができると思いますか」など四つの質問項目によって測定された。

また仕事に対する興味、仕事で自分がベストをつくせる程度、上司に対する好意度などを総合して、仕事に対する満足度が測定された。これらと並行して成員のパーソナリティ要因として、独立に対する欲求（「問題が起こったとき、他者からの援助を求めることなく、自分でそれを考えるのがどのくらい好きですか」ほか15項目で測定）および権威主義的態度が測定された。

図３・31でわかるように、「仕事に対する満足度」に与える心理的参加の効果は成員のパーソナリ

図3・31　参加と仕事に対する満足度との相関関係が成員のパーソナリティ要因（独立への欲求，権威主義的態度）によって仲介される
(Vroom, V. H., 1959〔165〕, Table 1のデータから筆者作図)

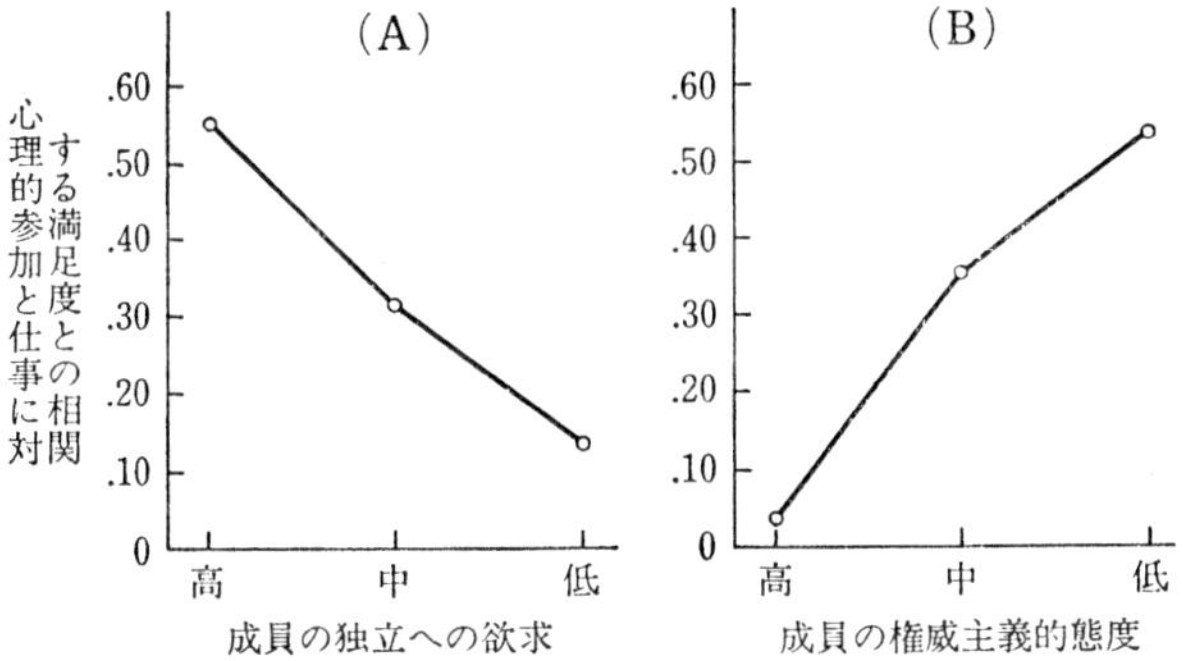

ティ要因によって大きく左右される。すなわち独立への欲求が強い、あるいは権威主義的傾向の弱い成員にとっては、心理的参加の程度が強いほど仕事に対する満足度は大きいが、逆に独立への欲求が弱い、あるいは権威主義的傾向の強い成員にとっては、参加と満足度はほとんど相関しない。言い換えれば、心理的参加と仕事に対する満足度との相関関係が成員のパーソナリティ要因（独立への欲求、権威主義的態度）によって仲介（モダレート）されたということになる。

これとほぼ同じ研究が別の研究者によってアメリカの、ある金融機関で行なわれた〔162〕が、この場合はこのような明瞭な仲介要因の働きは見いだされなかった。

ここで最後に、パーソナリティ要因の取り扱い方がこれまで検討してきた諸研究とはやや異なる、ひとつの実験室実験〔132〕を付け加えておこう。

被験者は一七六名のアメリカ人男子大学生。各集団は四名から構成された。「勢力構造」条件では四名のうちの一名を実験者がランダムに指名して、「集団討議においてこの人は

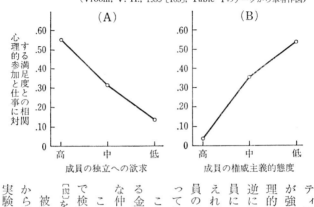

表3・7　2つの構造条件ごとにみた被験者の「リーダーシップ取得傾向」と各変数との相関係数の有意水準

(Shaw, M. E., 1959〔132〕, Table 1 より)

項目	非勢力構造	勢力構造
問題ごとの示唆の数	*	*n. s.*
集団によって受け入れられた示唆の数	*	*n. s.*
集団の意思決定における被験者の影響力1)	*	*n. s.*
集団の意思決定における被験者の影響力1)	**	*n. s.*
満足度2)	*n. s.*	*n. s.*
集団の協力度2)	*n. s.*	**
集団の業績2)	*n. s.*	*n. s.*

(注) *　$p<.05$、**　$p<.01$ 相関係数（いずれもプラス）の有意水準。表記法は，原表とは異なる。筆者が工夫して簡略化した。

1)　観察者による評定。

2)　被験者による評定。

他の成員の意見にかかわらなく自分の意見を押し通す十分な権限をもっている」との教示を全員に与えた。「非勢力構造」条件ではそのような教示はなく、全員が平等に討論に参加するよう動機づけられた。被験者のパーソナリティ要因としての「個人的リーダーシップ取得傾向」（「グループではものごとをいつも組織しようとする」「グループではチャンスさえあればいつもリードしている」「もし誰かと意見が合わない場合でもその理由を相手に知らせようとはしない」などの24項目からなる尺度によって）が測定された。

主要な結果は表3・7に示される。すなわち、非勢力構造においては被験者の「個人的リーダーシップ取得傾向」と多くの変数とがプラスの、しかも統計的に有意な相関を示す。つまり非勢力構造（全員が平等に決定に参加できる）条件では、その中のリーダーシップ取得傾向が強い人ほど、集団において多くの示唆を与え、それがまた他成員からよりよく受け入れられ、集団決定により大きな影響力を与えている。これに対し勢力構造（特別の権限があらかじめ特定の成員に与えられている）条件では、個人のリーダーシップ取得傾向の強い人と弱い人との間に、それほど目立った差はみられない（わずかともとリーダーシップ取得傾向の強い人は集団の協力度を高く評価しているのみ)。つまり、この条件ではもとリーダーシップを取りがちのパーソナリティの持ち主が、集団の中で現実にリーダーシップを発揮できないともいえる。

集団内の勢力構造があらかじめ分化しているか否かによって、潜在的にもっている個人のリーダーシップ傾向の顕在化が促進させられたり、抑制させられたりするといえよう。

(5) 仲介要因としての課題の難易度　課題の内容が成員の能力、技術レベルと比較してやさしいかむずかしいかによって、監督者の民主的・専制的リーダーシップの効果性は異なってくるのではなかろうか。

わが国の三隅・中野(100)は小学校五年生の男女児童を被験者とする実験室実験の結果を報告している。本実験では男・女別々に各六名ずつから一集団が編成された。各集団には一名の成人リーダーがつき、レヴィンらの実験(八六ページ)に倣ってそれぞれ専制型・民主型・自由放任型のリーダーシップ行動パターンで指導した。

二種類の課題が準備された。やさしい課題は、鯉のぼりを主題にした風景を大きな模造紙にポスター・カラーで描くことであり、むずかしい課題は(ボール紙、鋏、のり、セロテープ、絵具などを用いて)小学校の立体模型をつくることであった。いずれも六名が協力して集団製作をすることが要請された。一日放課後一時間ずつの作業で、やさしい課題に三日間、むずかしい課題に三日間が当てられた。ここでは民主型と専制型の二種類のリーダーシップ効果に注目して考察する。

図3・32　監督者のリーダーシップ・スタイル（民主型・専制型）の効果を課題の難易度によって比較した実験結果

（三隅・中野，1960〔100〕，Fig. 6 から筆者が抜粋して，やや表示法を変更）

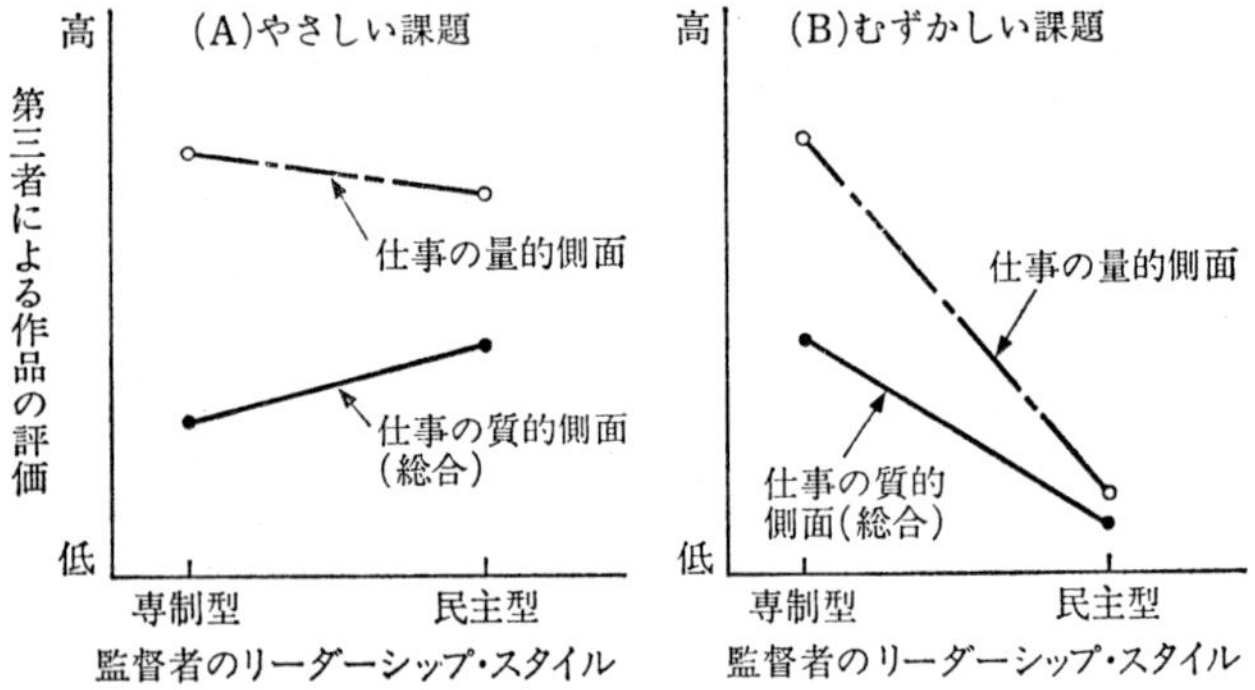

（注）　男女のデータを総合したもの。また，実験の全期間を通算しての平均の業績であり，仕事の質的側面の評価は4つの側面の評価の総合のみを示す。なお，自由放任型リーダーシップのデータは省略した。

図3・32に示されるとおり、やさしい課題の場合、仕事の質的側面（迫力・情緒性、配色、構図、ぬり方など）では専制型より民主型が優れているが（仕事の量的側面――進行の度合については民主型、専制型の間に有意差なし）、むずかしい課題では、仕事の質的側面（視覚的バランス、配色、配置、個々の建物・樹木など）、量的側面（どこまで仕事がはかどったか）の両者について民主型よりも専制型が優れている。

監督者の民主的・専制的リーダーシップ行動が集団の協同作業に及ぼす効果は、課題の難易度要因によって仲介（モダレート）されるのである。

(6)　**その他の仲介要因**　イスラエルのある海運会社に所属する一八隻の船舶に乗務中の上級・通常乗組員に対する調査結果〔56〕を取り上げてみよう。本調査では特に、上司の権威主義的・許容的態度要因と上司に対する乗組員の期待要因との組み合わせが、上司に対する乗組員の満足度とどのように関係するかが明らかにされた。

図3・33に見られるとおり、上司の態度が（現実に）専制的よりも許容的なとき、上司に対する部下（乗組員）の満足度は一般に高い。また上司の態度に対する部下の期待についてみると逆に、期待が許容的であるよりも専制的であるほうが部下の満足度は一般に高い。

図3・33　上司の態度，上司の態度に対する乗組員の期待および満足度

(Foa, U. G., 1957〔56〕, Table 5 のデータから筆者作図)

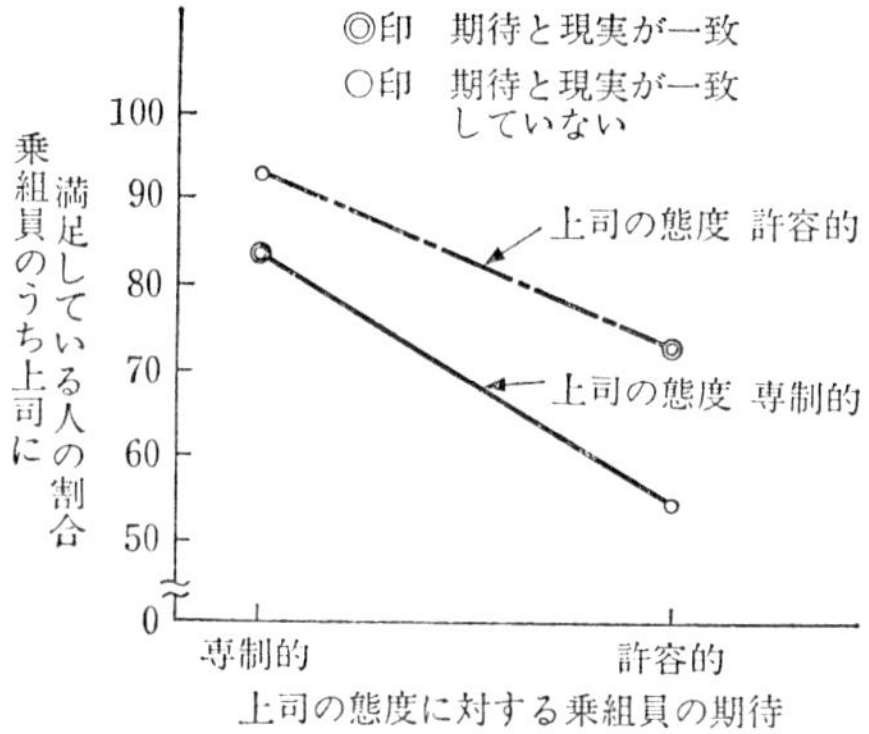

ここでさらに重要なことは、この二つの要因の組み合わせである。すなわち上司の（現実の）態度が許容的である場合には、上司の態度に対する部下の期待が専制的であろうと許容的であろうと、それほど大きな差はない。しかし上司の（現実の）態度が専制的である場合には、上司の態度に対する部下の期待が専制的であるとき（すなわち上司の態度に関して現実と部下の期待とが一致しているとき）上司に対する部下の満足度はかなり高いが、上司の態度に対する部下の期待が許容的であるとき（すなわち上司の態度に関して現実と部下の期待とが食い違っているとき）上司に対する部下の満足度はきわめて低下する。

つまり、上司が現実に許容的である場合には部下は一般に上司に対して満足している。しかし上司が現実に専制的な態度をとる場合、その現実と部下の期待とが一致していれば部下の満足度は高いが、逆に現実と期待とが食い違うと、部下の満足度はきわめて低くなるといえる。上司の現実の態度と上司に対する部下の満足度との相関関係は、上司の態度に関する部下の期待要因によって左右されるということが示唆された。

最後に、厳格な監督方式と一般的監督方式および成員の課題遂行における成功・失敗の二つの要因が、成員に対する監督者の評価に与える影響を解明しようとした実験室実験〔94〕についてふれておこう。

被験者はアメリカ人の男女大学生四〇名。五名で一集団を編成し、うち一名が監督者で他の四名は部下の役割をランダムに割り当てると教示された（しかし実際には被験者は全員監督者の役割をとった）。監督者は一方向的コミュニケーション・ルートを通じて成員に指示や命令を与えることができた。二つの条件があり、一方の条件では他の条件よりも監督者はしばしば部下に指示・激励などを与えることができた。これが厳格な監督条件であり、もうひとつの条件が一般的監督条件である。

部下の課題遂行レベルに関しては、被験者（監督者の役割）の面前のパネルを通して偽りの情報を与えることによって、（部下の課題遂行に関する）成功・失敗条件が操作された。部下はオーディオ機器の音の調整作業を個別に行なっていると教示された。一定時間終了後、成員の能力、業績その他に対する被験者（監督者）の評定が行なわれた。

図3・34に示すように、部下が失敗した場合よりも成功した場合のほうが、いずれのタイプの監督者も部下を高く評価していることがわかる。しかし一般的監督よりも厳格な監督のときに、この両者

図3・34　上司の監督行動および部下の課題遂行の成果（成功・失敗）が部下に対する上司の認知に与える影響
(McFilen, J. M. & New, J. R., 1979〔94〕, Fig. 1 から筆者が表示法をやや変更)

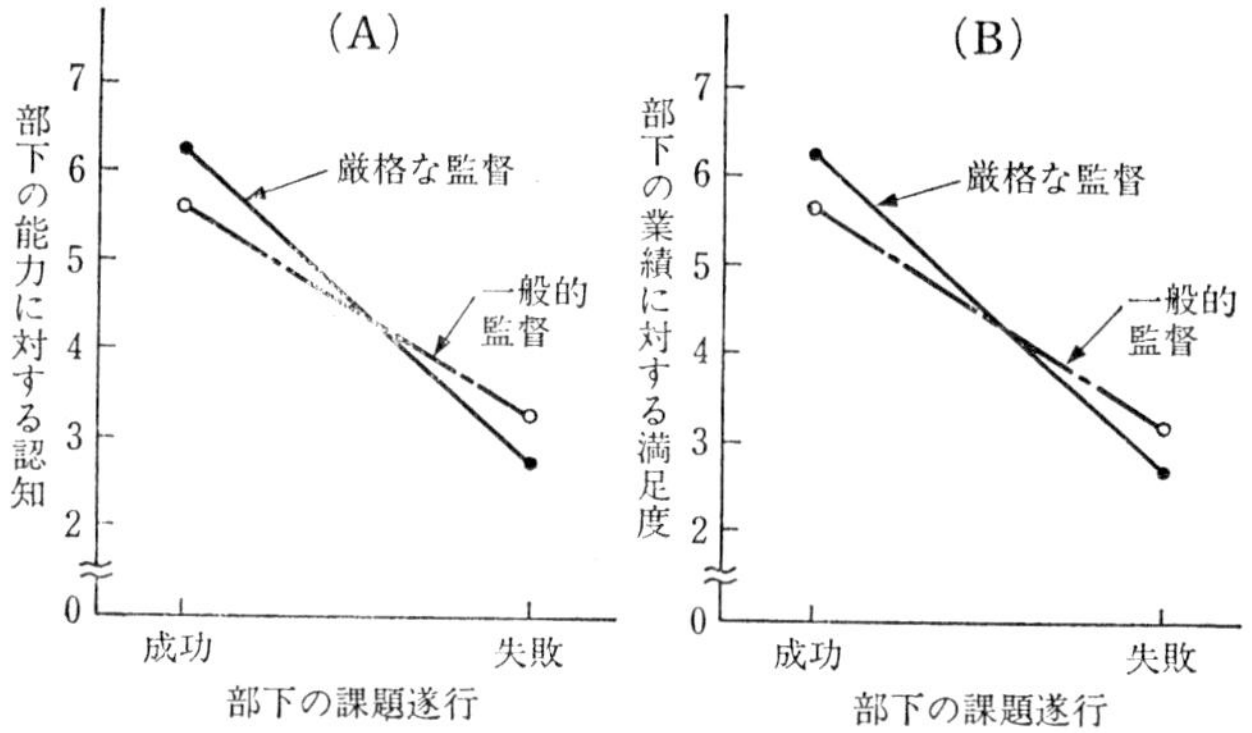

の差がより大きいことが読みとれる。すなわち一般的（あまりこまごまと指示などを与えない）監督行動をとる監督者は（厳格な監督行動をとる監督者と比較すれば）部下が課題に成功しようが失敗しようが、部下に対する評価をそれほど大きく動かさない。しかし厳格な（こまかいことまでしばしば注意したり、指示を与えたりする）監督行動をとる監督者は部下が仕事に成功した場合は部下を高く評価するが、部下が失敗した場合は部下をきわめて低く評価してしまう。つまり、監督者の監督行動と部下に対する評価との関係が、課題遂行に関する部下の成功・失敗要因によって仲介（モダレート）されるというわけである。

リーダー効果性の多元的連鎖モデル

われわれはこれまで（特に第3章第1、2、3節）リーダーシップ行動の有効性を明らかにするためには、いかに仲介要因（モダレーター）の働きを捕える必要があるかを実にさまざまな研究データを通してみてきた。

図3・35　ユクルのリーダー効果性に関する多元的連鎖モデル

(Yukl, G., 1971〔176〕, Fig. 3 より)

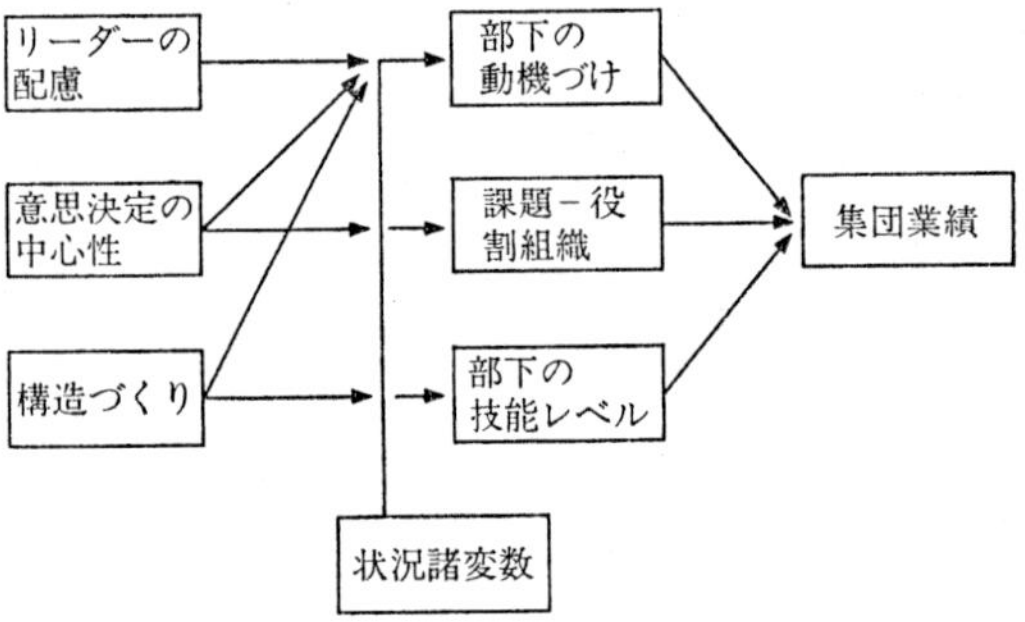

この領域の研究の現在のレベルで、これらをひとつの理論にまとめあげることは不可能といわざるを得ない。ただし、将来の研究に対するひとつの示唆として役立ちうると思われる理論モデルがユクル〔176〕によって提唱されているので、ここでそれを簡単に紹介しておこう。図3・35に示される彼の理論は「リーダー効果性に関する多元的連鎖モデル」とよばれる。

このモデルにおける独立変数（または原因変数）は図の一番左側に位置する三つのリーダーシップ行動次元である。配慮と構造づくりは第3章第2節（七二ページ以降）で検討してきたオハイオ州立大学研究グループが見いだした二因子である。もうひとつの「意思決定の中心性」とは、集団の意思決定にリーダー（あるいは部下）がどの程度影響力を及ぼすかという次元のことである。リーダーだけが影響力をもっているとすれば、それは中心化傾向が進んでいることを意味し、逆に部下が影響力をもつ（部下の心理的参加の程度が高い）とすれば、それは脱中心化傾向が進んでいることになる。

次に、このモデルでは三つの中間変数が仮定される。①部下の課題への動機づけ（課題のために費やされる努力）、②部下の課題技能、および、③課題－役割組織（課題に関連した意思決定の技術的質。たとえばリーダーは他の組織成員や他の諸機関から必要な情報、資源、協力などを得ることができるが、このことはその作業集団の文脈の外におけるリーダー行動をも含む)、がこれである。

独立変数と中間変数との関係はやや複雑である。リーダーの配慮と部下の動機づけとの間にはプラスの相関関係がある（リーダーが配慮行動を多く示すほど部下の動機づけは高くなる）ということは、従来の多くの研究によってほぼ検証されている。しかし、単に配慮行動だけではなく、構造づくり行動との相互作用も推測されている。たとえばP、M二要因ともに積極的なリーダーのもとで部下の満足度が最も高くなるという事例（五七ページ図3・5参照）もある。このほか、意思決定の中心化要因もかかわる。

さらに、これら独立変数と中間変数との間に仲介要因（モダレーター）として各種の状況諸変数の存在が仮定されている。たとえば意思決定への部下の自己関与の程度（意思決定をどの程度自分自身に関連する問題としてとらえるか）、意思決定を行なう責任性、集団凝集性などの諸要因のモダレーターとしての働きが検討されている。

課題－役割組織、部下の技能レベルといった他の中間変数もこのモデルに示されるようなパターンに従って、一つあるいは二つの独立変数によって規定される。もちろんこの過程に部下のパーソナリティ、参加に関する部下の好み、組織のインセンティブ・システム、組織内におけるリーダーの勢力など、さまざまな要因が仲介要因（モダレーター）として作用することが仮定されている。

そして最後に、部下の動機づけ、課題－役割組織、部下の技能レベルの三つの中間変数によって従属変数（あるいは結果変数）である集団の業績が導かれることになる。

われわれはユクルのこのモデルを参照しながら、今まで検討した（このほかにも類似のデータは数多く報告されている）諸研究結果をもっとうまく総合するような理論モデルを早くうち立てる必要がある。

4　システム1、2、3、4

システム1、2、3、4とは、長年ミシガン大学社会行動研究所（Institute for Social Research. 略称ISR）の所長であったリカート〔90〕〔91〕〔92〕が展開した概念である。本章でここまでに取り上げた研究の多くは、比較的短期間の実験室実験か、あるいは集団や組織における実証的研究でも、ある一定時点において、諸変数を同時に測定して、諸変数間の相関関係を分析するというアプローチによるものがほとんどであった。これに比してリカートらは、アメリカの政府、民間企業組織において、比較的長期にわたる（ときには数年間に及ぶ）経営管理あるいはリーダーシップ現象を測定してきた。ここではこういったリカートとその協同研究者のデータを中心に検討する。

システム1、2、3、4の測定

図3・36に示す各質問項目に対しての記入を、その組織の経営管理者に求める。その質問項目に対する反応選択肢の内容から、システム1、2、3、4の実態についてイメージを描くことができるであろう。

すなわち、システム1はかつて独善的専制型とよばれた経営管理スタイルであり、同じくシステム2は温情的専制型、システム3は相談型、システム4は集団参画型とそれぞれよばれたシステム〔90〕である。

リカートらは一般によい業績をあげている組織はシステム4の方向へ、また業績のよくない組織はシステム1の方向へ近いということを数多くのデータから実証している。このことはアメリカの政府、民間企業の組織のみならず、ユーゴスラビアや日本の組織にもあてはまるという〔92〕。図3・37はリカートが一九六六（昭和四一）年わが国を訪れたとき、彼の依頼により、日本の銀行員たちによって記入されたデータである（調査の実施には三隅二不二氏〔大阪大学人間科学部教授〕らがあたった）。ここで高生産の部門とは、調査対象者がよく知っている職場の中で、明らかに業績のよいことがはっきりしている部門を思い出させ、その組織の特徴についての評定を求めた結果である。また低生産の部門とは、同じく彼らがよく知っている職場の中で、明らかに業績のよくない部門について、その組織の特徴についての評定を求めた結果である。

日本の化学工場あるいはユーゴスラビアの工場においても、図3・37と全く同じ結果が見いだされている。すなわち、高生産の組織はシステム4に近く、低生産の組織はシステム1に近いというわけである。

システム4の有効性の理由

システム4は他のシステム1、2、3などと比べてなぜより有効なのであろうか。これについてリ

システム測定図

(Likert, R. & Likert, J. G., 1976〔92〕, Table 5-5 より筆者がわずかに修正)

	組織の変数	システム1	システム2	システム3	システム4	項目番号
リーダーシップ	部下をどの程度信用・信頼していますか。	ほとんどない	ある程度	かなり	非常に	1
	仕事に関して上司と話すことがどの位自由であると感じられますか。	自由とは全くいえない	ある程度自由	かなり自由	非常に自由	2
	部下のアイディアがどの程度求められ，建設的に用いられますか。	めったにない	ときにはある	しばしば	非常にしばしば	3
動機づけ	(1)恐怖，(2)脅威，(3)処罰，(4)報酬，(5)関与のうち主にどれが用いられますか。	(1) (2) (3) ときに(4)	(4) ときに(3)	(4) ときに(3)と(5)	集団で設定された目標に基づく(5) (4)	4(A)
	組織目標達成の責任を感じているのは誰ですか。	ほとんどの場合トップ	トップとミドル	かなり一般的	すべてのレベル	4(B)
コミュニケーション	コミュニケーションの流れはどうですか。	下方へ	大部分は下方へ	上方と下方	上方，下方そして横にも	5
	下方へ向けてのコミュニケーションはどのように受け取られていますか。	疑惑をもって	たぶん疑惑をもって	警戒心をもって	感受性に富んだ気持をもって	6
	上方へ向けてのコミュニケーションはどの程度正確ですか。	通常不正確	しばしば不正確	しばしば正確	ほとんど常に正確	7(A)
	部下が直面している問題を上司はどの程度よく知っていますか。	よくは知らない	割合知っている	かなりよく知っている	非常によく知っている	7(B)

図3・36 経営管理

	組織の変数	システム1	システム2	システム3	システム4	項目番号
相互作用	相互作用の特徴は。	ほとんどない，常に恐怖と不信を伴う	ほとんどない，通常ある程度の恩をきせるような態度を伴う	ある程度ある，しばしばかなりの信用と信頼を伴う	きわめて活発，高度の信用と信頼を伴う	8
	協力的なティーム・ワークがどの程度ありますか。	まったくない	ほとんどない	ある程度はある	組織全体を通じて，非常にある	9
意思決定	意思決定はどのレベルでなされますか。	ほとんどの場合トップ	政策についてはトップで。ある程度の委譲はある	全体的な政策はトップで。かなりの委譲はある	組織全体を通じて。しかもよく統合されている	10
	意思決定において用いられる技術的・専門的知識の源はどこですか。	トップ	上層およびミドル	ある程度組織が全体に	かなりの程度組織全体に	11
	仕事に関する意思決定に部下はどの程度関与していますか。	ほとんどない	ときに相談を受ける	一般に相談を受ける	完全に関与する	12
	意思決定過程はどの程度動機づけに貢献しますか。	ほとんどない	相対的に少ない	ある程度の貢献	大きな貢献	13
目標設定	組織の目標はどのようにして立てられますか。	命令による	命令。ときにコメントが求められる	討論のあと命令による	（危機のときを除いて）集団活動による	14
	目標に対する潜在的な抵抗はどの程度ありますか。	強い抵抗	中程度の抵抗	ときに，ある程度の抵抗	ほとんど，あるいは全くない	15
コントロール・フィードバック	検査やコントロールの機能はどのように集中していますか。	全くトップに集中	かなりトップに集中	ある程度低い階層にも委譲	広く分布	16
	公式組織に抵抗する非公式組織がありますか。	ある	通常ある	ときにはある	ない。あっても公式組織の目標と同じ	17
	コスト，生産性，その他のコントロール・データは何のために用いられますか。	治安，処罰	報酬，処罰	報酬 ときに自己指針のため	自己指針，問題解決のため	18

図3・37　わが国銀行の高生産と低生産の部門における経営管理システム

(Likert, R. & Likert, J. G., 1976〔92〕, Fig. 5-14)

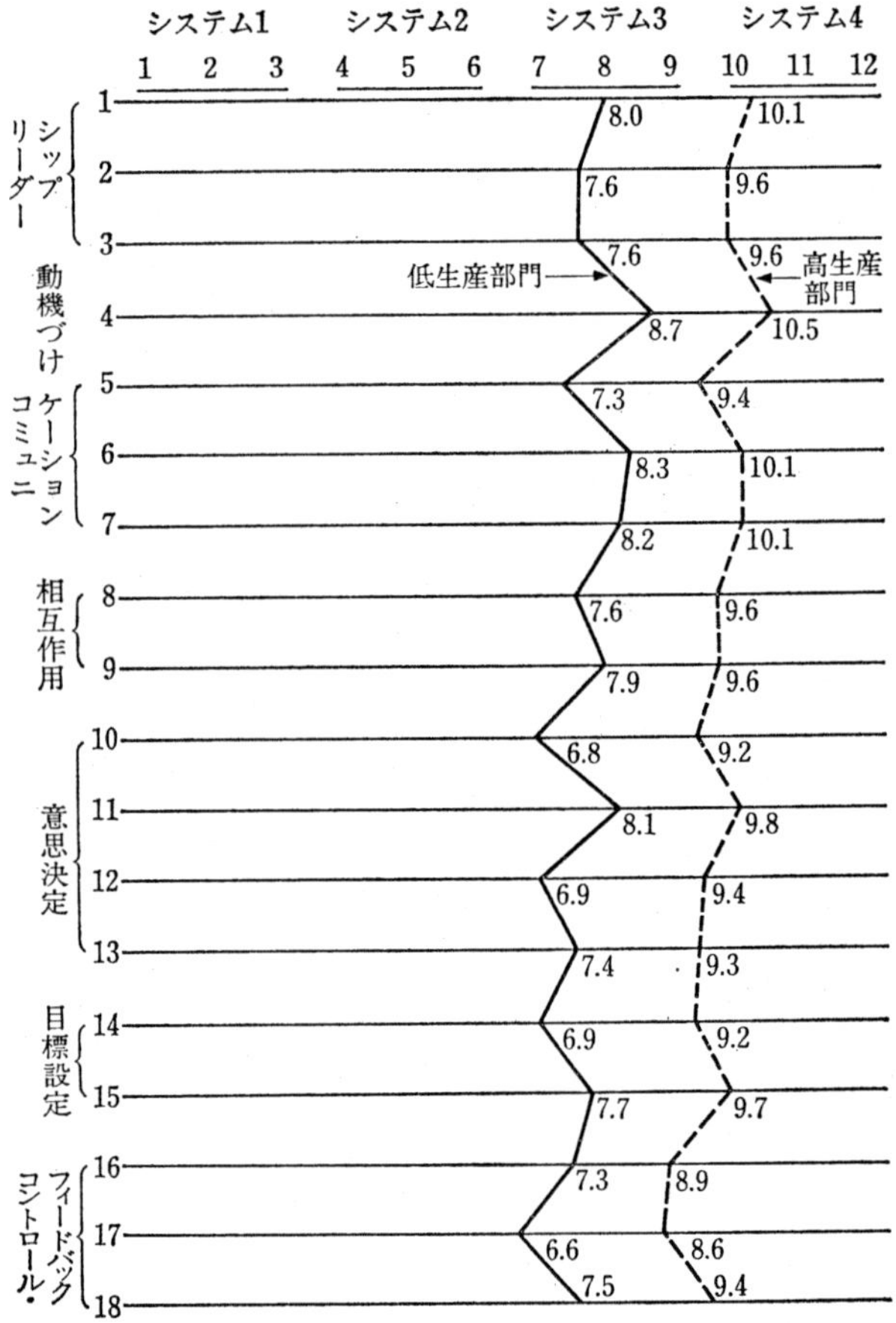

図3・38　システム1，2，4における諸変数間関係の単純化された図式

（Likert. R., 1967〔91〕，邦訳図8-1 より）

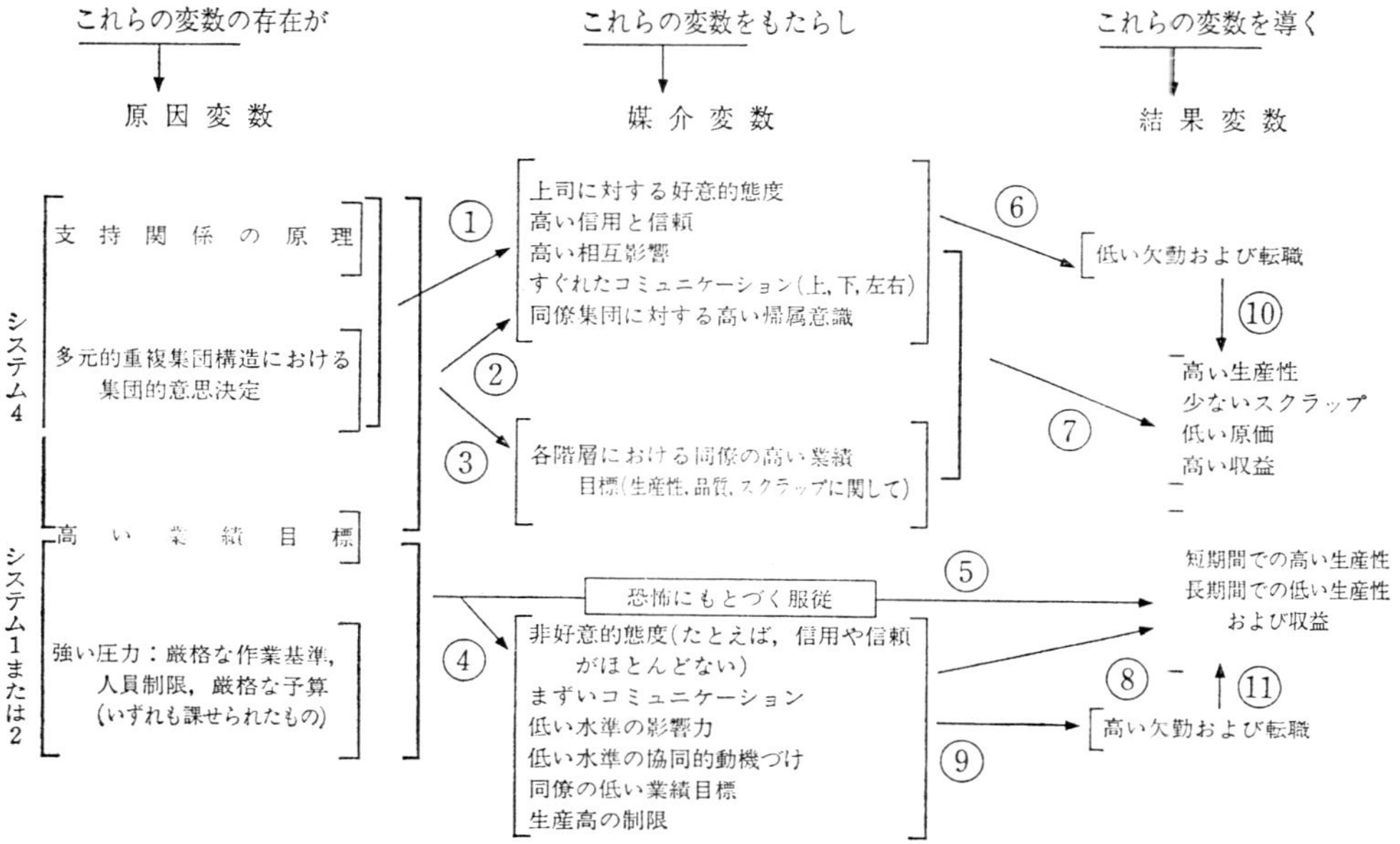

図3・39　多元的重複集団構造と連結ピン
(Likert, R., 1967〔91〕, 邦訳図4-2 より)

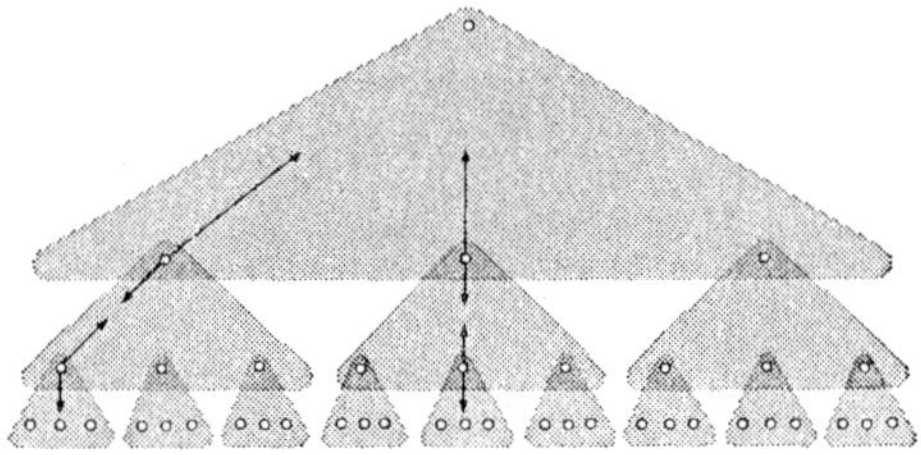

(注)　矢印は連結ピン機能を示す。

カート〔91〕は図3・38を用いて説明しようとする。

　システム4は、①経営管理者・監督者の行動に関する支持関係の原理、②組織における多元的重複集団構造と集団的意思決定・集団管理法、および、③経営管理者・監督者の高い業績目標、の三つの要素から構成される。

　「支持関係の原理」とは、組織の中ですべての構成員ひとりびとりが上司、部下、同僚との人間関係、相互作用において常に自分が支持されているという実感をもち、かつ人間としての尊厳性を自覚し、保持し続けることを最大限可能ならしめるような管理の一般的原則である。

　「多元的重複集団構造」とは図3・39に示されるように、複数の職場集団が下位集団の長を通じてお互いに重なり合い、組織全体においてそれらが多元的に相互に連結し合った構造をなしていることを意味する。このとき、二つの集団をつなぐポジションにある人の役割を連結ピン機能という。また集団的意思決定とはかかわりのあるすべての人がひとつの会合に平等に参加し、影響力を行使し、全員の合意に基づいてなされる決定のことを意味し、集団管理法とは管理者・監督者が部下一人一人とマン・ツー・マンの関係でつながるのではなく、管理・監督者はつねに職場集団の会合における成員間の相互作用を重視し、上司の見解を押し付けるのではなしに、成員の集団討議を尊重する管理技法のことである。

システム4においてはこのほかに管理・監督者自身が「高い業績目標」をもっていなければならない。リカートら〔92〕は最近の著書でこの点を特に強調して、従来のシステム4に加えて、さらに次のような諸条件が満たされた場合をシステム4T（System 4 Total model organization）とよんでいる。その条件とは、以下の五点である。

(1)　業績目標の高いレベル
(2)　技術（知識、技能を含めて）の高いレベル
(3)　仕事の援助・促進に関する高い能力（計画、設備、訓練など）
(4)　適切な垂直的・水平的つながり、最適の分化を伴う組織の構造
(5)　各成員間にうまくつくり上げられた仕事関係

さて、以上の予備知識をもって図3・38のモデルに戻ることにしよう。支持関係の原理と集団的意思決定・集団管理法の二つが実現すると、組織成員の間に上司に対する信用・信頼が生まれ、一般に好意的態度が生ずる。さらに組織内のあらゆる方向におけるコミュニケーションが活発になり、同僚集団に対する高い帰属意識が生まれる（以上の関係は矢印①で示される）。

次に、支持関係の原理と集団的意思決定・集団管理法のほかに管理者・監督者の高い業績目標の要因が加わると、先の好意的態度とともに、各職場集団における業績目標の向上が導かれる（矢印②および③で示される）。

これに対して、システム1、2のような組織では管理者・監督者は高い業績目標をもっていても、それが往々にして強い圧力を伴っているため、成員に非好意的態度を生じ、ときには生産高の制限（部下が抵抗のため、意識的・無意識的に生産高の限度を下げる）すら生じる（矢印④）。あるいは管理者・監督者に対する恐怖に基づく服従から、短期間では高い生産性を上げ得ても、長期間では結局生産性、収益とも低下する（矢印⑤）。

一方、システム4のもとではその好意的態度によって、欠勤や転職は少なくなる（矢印⑥）。さらに好意的態度と同僚間の高い業績目標が一緒になって、生産性、収益とも高くなる（矢印⑦）。

システム1、2のもとでの非好意的態度は短期的には高生産をもたらすが、結局、長期的にみれば低生産へとつながる（矢印⑧）。同時にこれらは欠勤や転職を増やす（矢印⑨）。また欠勤や転職傾向はそれぞれ究極的な生産や収益に影響を与える（矢印⑩と⑪）。

時間の要因

リカート〔91〕は組織行動を解明するためには、原因変数、媒介変数、結果変数（図3・38参照）のすべてを定期的に測定し、これら諸変数間の関係を注意深く観察しなければならないと主張している。なぜなら、支持関係の原理という経営管理行動が生産性の向上という結果にあらわれてくるまでにはかなりの日数を要するからである。

たとえばリカートの研究〔91〕では、図3・40に示されるように、まず管理者がシステム4についての知識をもち、具体的な集団運営の技術を習得し、現実の管理行動に変化があらわれるまでに一年半

図3・40　システムの方向への管理方式の変更の効果と時間の影響

（Likert, R., 1967〔91〕，邦訳図5-3 より）

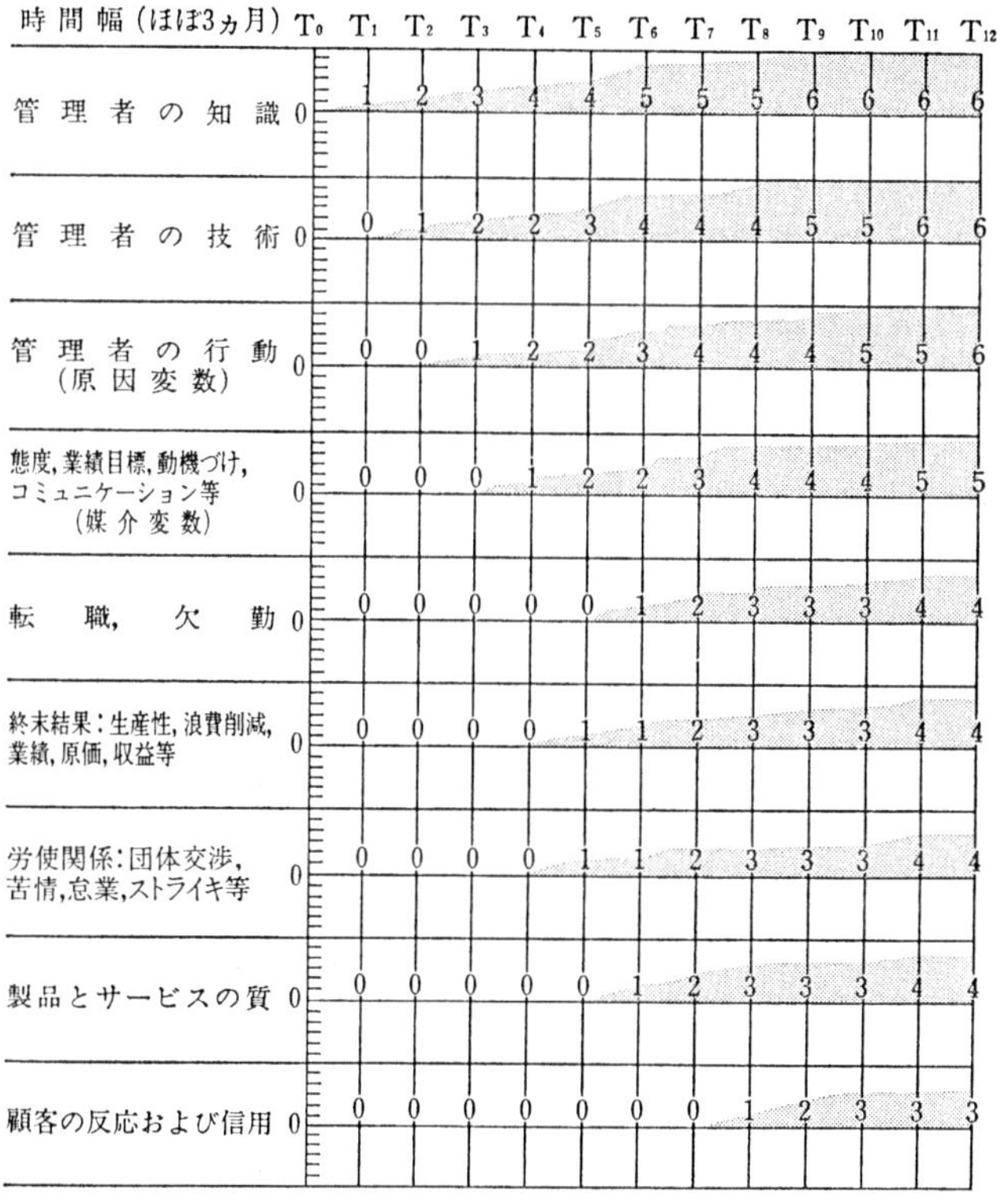

から二年近くかかる。それが従業員の態度、転職・欠勤、そして生産性にプラスの影響をみるまでにはさらに数カ月を要する。そしてそれが顧客の信用に反映するまでには実に三年近く（それでもまだ不十分）かかるのである。

この過程の途中のある時点で、原因変数と結果変数との相関を分析してもまったくゼロということがありうるわけである。組織の規模が大きくなるほど、このサイクルの進行には長い時間を要するといわれている。リカートはこの原因変数と媒介変数をいかなる組織でも少なくとも年に一回（大きな組織では、全体を三つか四つの部分に分けて順次測定してゆけばよい）は測定し（結果変数についてはいうまでもなく、どの組織でも定期的に測定されているはずである）、これら諸変数間の関係を注意深くとらえていくべきだと指摘している。

筆者の見解によれば、リカート理論の最大のポイントは、この時間要因の考え方にあるといえよう（わが国において、このような組織の原因変数および媒介変数の測定については、前述〔五五ページ〕の(財)集団力学研究所が相談に応じてくれる）。

組織開発とシステム4

組織に社会的・対人的諸問題があってそのために組織の業績がうまくあがらない、という状況が起こっているのではないかを組織内外の専門家（変革推進者、変革媒体者〔change agent〕）の援助をうけて調査・診断し、必要があれば適切な介入（intervention）を行ない、組織をより健全な状態へ導く過程を組織開発（Organization Development：OD）あるいは組織変容・組織変革（Organizational change）と

図3・41　ウェルドン社における組織開発導入前後の組織システムの変化
(Likert, R. & Likert, J. G., 1976 [92], Fig. 5-11 より)

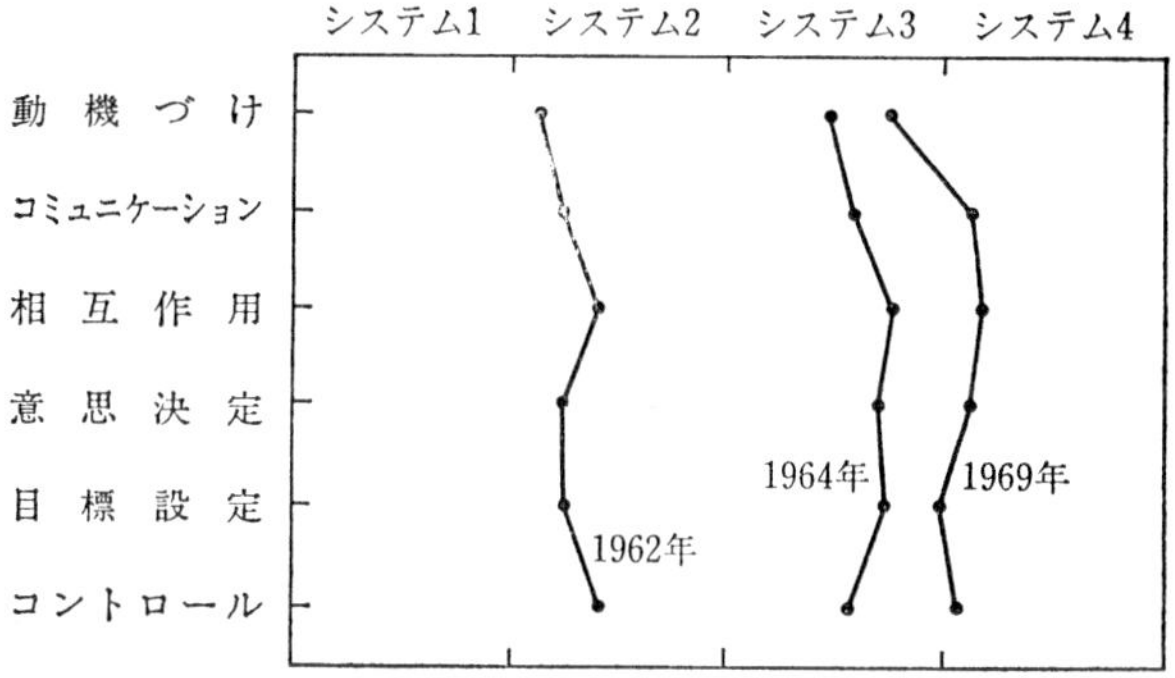

よぶ。ここで組織開発のステップとしてのリカート理論の適用例[91][92]を検討してみよう。

研究の対象となったのは、アメリカのパジャマ製造のウェルドン社であった。当時ウェルドン社は利益があがらず、ついに一九六二年一月、この業界の大手ハーウッド社に買収された。ウェルドン社の当時の従業員（監督者を含めて）約八〇〇人はそのままハーウッド社に引き継がれた。ハーウッド社は直ちにシステム4原理に必要な技能に関する管理・監督者研修、機械・設備の保守・改善、作業組織における技術変更などに取り組んだ。

ウェルドン社の組織の特徴は図3・41に示されるとおり、一九六二年当時はシステム2のレベルにあったが、のちしだいに変化し、一九六四年にはシステム3の中程度のレベル、そして一九六九年にはシステム4の範囲に入るまでに向上してきている（監督者を含めて構成員そのものはほとんど変わっていないことに注意してほしい）。

これにつれて、同社の生産性も図3・42に示すように急激

図3・42　ウェルドン社における組織開発導入前後の生産性（出来高賃金にもとづく従業員の1ヵ月当たりの平均時間賃金）の指標の変化
(Likert, R., 1967〔91〕, 邦訳図3-9より)

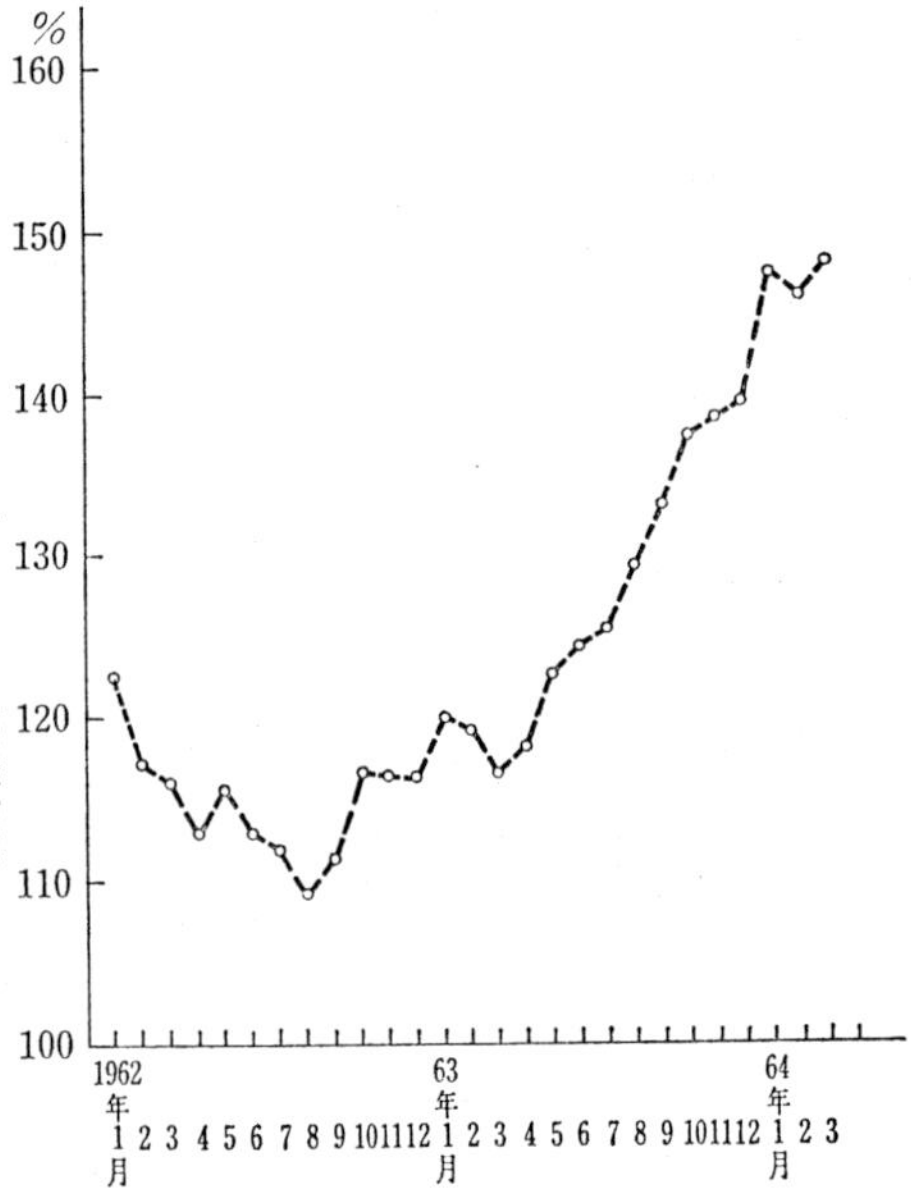

に向上したのである。一九六二年から六九年の間に同社の投資額に対する収益は約三割も改善され、欠勤は半分も減り、転職も六〇パーセント減少し、従業員の生産性はおよそ四〇パーセント向上した。これにつれて労使関係も改善されていった。

葛藤解決とシステム4

　組織には葛藤がつきものといえるかもしれない。本社と支店・出張所、本庁と出先機関、新製品開発部と販売部、教職員と学生集団など、われわれはどこにおいても葛藤の事例を容易に見いだすことができる。これらの葛藤はときに関連する人々を心理的・社会的に深く傷つけるばかりでなく、組織全体からみてもたいへん非効率的なことである。われわれはなんとかしてこのような葛藤を取り除かなければならない。ただ誤解を招くと困るのは、意見の対立・不一致をすべて葛藤ととらえる見解である。本当に独創的なアイディアは相矛盾する意見の対立の中から生まれるかもしれない。したがって、われわれは個人と組織の両者に本当に役立つ、しかも現実的な葛藤解決の道を探らねばならない。

リカートら〔92〕のあげている例を参照してみよう。図3・43の左側は市場調査課（機能別ライン集団）であり、上司（M-1）のもとに三人の部下が含まれる。図の右側は製品別作業集団（あるいは機能交差的集団）であり、上司（A-1）のもとに三人の部下が含まれる。ここで特定の成員M-1cはこの二つの集団にともに所属している（二人の上司をもつ）。

図3・43　水平的協同のための連結ピンとして機能する部下の例
(Likert, R. & Likert, J. G., 1976〔92〕, Fig. 11-1 より)

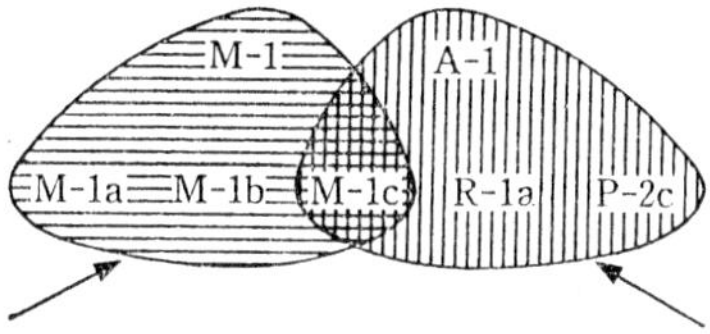

この成員は両方の集団的意思決定に参加することによって、両方の上司に影響を与えることができる（両方の集団とも集団運営技法をマスターしておかなければならない）。もし一方の集団が他方の集団と相いれない決定に至ろうとしているときには、M-1cはそのことを両集団に気付かせる必要がある。両集団は自分たちの集団というよりも組織全体にとっての有効性という視点を忘れてはならない。

もしM-1cが二人の上司（あるいは両方の集団）の板ばさみの状態になったとする。このような場合は、（個人的感情をなるべくもちこまないようにして）M-1cが参加する話し合いの場をそれぞれもつ。すぐれた相互作用過程からは独創的な問題解決が生まれてくる。

二人の上司がいる場合、人事権などで疑問をもたれる力があるかもしれない。システム4組織において、このことはあまり問題にならない。なぜなら二人の上司はお互いによくコミュニケーションを交わしており、最終的には二人の上司の合意に基づいて判断がなされるはずだからである。

このように組織における葛藤解決には、組織メンバーすべてがシステム4の原理を理解し、必要とされる技術をマスターしておかなければならない（「葛藤解決とシステム4」の項の執筆に際しては、杉万俊夫・大阪大学人間科学部助手によるリカートら〔92〕の該当する部分の日本語訳原稿を参照した。記して謝意を表する）。

われわれはリカートのシステム4の概念に基づく組織理論と、第3章第1〜3節で考察してきたリーダーシップ行動に関する諸研究（特に集団－課題状況諸要因を仲介要因〔モダレーター〕としてとらえるアプローチ）とをうまく総合することが現状ではできていない。リーダーシップ研究におけるこれからのひとつの問題点であろう。

第4章 リーダーは状況にどう適合するか

1 リーダーの個性と環境

いよいよ本書の中心的課題に取り組むときがきた。われわれはまず序章で、それぞれLPCを測定し、自分が高LPC（関係動機型）であるか、それとも低LPC（課題動機型）であるかをはっきりと認識しているはずである。この節では、このLPC得点を基調とするリーダーシップ・スタイルに関する、フィードラーのリーダーシップ理論について詳しく検討する。

一九七一年以来、アメリカの南イリノイ大学で開催されているリーダーシップ研究のシンポジウム（これは現在まで継続されている）の運営委員会で、リーダーシップ研究で顕著な業績をあげた研究者に対し、ストッディル賞（かつてオハイオ州立大学で長年にわたりリーダーシップ研究を行なってきたストッディル教授の名前を記念。九ページ参照）が一年おきに授与されることが決まった。その第一回（一九七八年）の受賞者にフィードラー教授が選ばれたことからみても、彼の研究が専門家の間で高く評価されていることが理解されよう（ちなみに、一九八〇年の第二回の受賞者はリカート教授〔一〇四ページ参照〕であった）。

フィードラーの研究者としての経歴は、臨床心理学者として始まった。シカゴ大学でカウンセリングについて研究し、精神分析的・非指示的・アドラー派の各心理療法の立場に立つ治療者が理想的な治療者－患者関係をそれぞれどのように見ているか、それが各派でどのように異なるか〔29〕、あるいは治療者が患者および自分自身のパーソナリティをどのようにみるか（相対的に類似していると見るか否か）が、治療効果に関する一般的評判といかなる関係にあるか〔30〕、などを明らかにした。しかしその後イリノイ大学に移るとともに、研究の関心はしだいに社会心理学（あるいは集団力学）の方向へ移っていった。まずこの頃の研究から見ていこう。

非公式集団における研究

リーダーシップ効果性に関するフィードラーの一連の研究は、アメリカの高等学校バスケットボール・ティームについての調査〔31〕から始まった。調査対象はイリノイ州中部の高等学校バスケットボールのリーグに所属する一四ティーム（各ティームは八名ないし一六名の高校生からなる）。集団効果性の指標として、ティームの勝率という安定した指標が得られた。各ティームのインフォーマル・リーダー（ソシオメトリー調査〔169〕で測定）のリーダーシップ・スタイルは対人認知の AS$_o$（Assumed Similarity between Opposites——相対立する二人の人物のパーソナリティの評定がどの程度類似しているかを示す[1]）指標によって測定された。

（1） 序章のLPC測定で用いた尺度（四ページ）をもう一度見直してほしい。あの場合は「仕事を一緒にすることが最もむずかしい仕事仲間」（Least Preferred Coworker）一人に対する印象を評定したが、AS_oの測定では「仕事を一緒に最もやりやすい相手」（Most Preferred Coworker）と、「最もやりにくい相手」の二人の人物に対する印象の評定を求め、楽しい―楽しくない、友好的―非友好的などの各項目ごとに、二つの評定値の差を全項目通して合計する。この合計値が小さいほどAS_oは高い（すなわち、二人の人物のパーソナリティが相対的に類似していると想定する）といい、それが大きいほどAS_oは低いという。AS_oとLPCとの間にはプラス・八〇ないし・九〇の高い相関がある[33]ので、フィードラーの一連の研究では互いに互換性のある指標として用いられる。

まずインフォーマル・リーダーのAS_o得点とシーズン半ばまでの各ティームの勝率との間の順位相関係数（Rho）が求められた。またイリノイ州全体の高校バスケットの成績上位七ティームと下位五ティームを選んで、インフォーマル・リーダーのAS_o得点に関する点双列相関係数（rpb）が求められた（データはいずれも表4・1に示す）。

次の研究[31]は、土木工学専攻のアメリカ人大学生三名ないし四名からなる二二ティームについて行なわれた。各ティームは一人の教師の指導のもとで測量、地図製作などの課題を（六週間にわたって）遂行した。ティームの業績は調査の正確さであった。前と同じく、各ティームの非公式リーダー

表4・1　非公式リーダーの AS_o 得点とティームの効果性との相関
(Fiedler, F. E., 1967〔33〕, Table 4-1 より)

標　本	基　準	統　計[1]	相　関	N	p
バスケットボール・ティーム I	シーズン半ばまでの勝率	Rho	−.69	14	(.01)[2]
バスケットボール・ティーム II	シーズン半ばまでの勝率	rpb	−.58	12	.05
調査ティーム	測量の正確さに関する教師の評定	r	−.51	22	.025

(注)　1)　Rho：順位相関，rpb：点双列相関，r：ピアンスの相関。
2)　この確率については，最初の予備研究なので，注意して解釈する必要がある(原注)。

(ソシオメトリーの調査結果から判定) の AS_o 得点とティームの業績との相関が求められた。

これら三つの研究結果〔31〕は、表4・1に示される。すなわち、非公式リーダーの AS_o が低いほどティームの効果性はよくなるという、一貫した結果が得られた。AS_o とLPCは高い相関があるので、高LPC（関係動機型）リーダーよりも低LPC（課題動機型）リーダーのほうが集団効果性が高いといえる。ただし、バスケットボール・ティームにしても調査ティームにしても、その集団の活動目標ないし活動内容は非常に明確で（フィードラーのことばによれば「課題は構造化」しており）、しかも非公式リーダーはいずれも集団成員からソシオメトリーで選ばれている（心理的に成員から受け入れられている）という条件があることを覚えておきたい。

公式組織における研究

次に、公式組織において行なわれた研究について検討しよう。まずアメリカの、三二の消費者販売協同組合について行なわれた研究〔33〕を取り上げよう。これは農業団体が所有するサービス機構であるが、本質的には企業組織と同じように機能していた。各組織には一人の本部長と二人ないし四人の本部長補佐がいた。この他に組織の運営を審議する役員もいた。もちろん一般の職員（スタッフ）もいる。各組織の業績は三年間にわたる純収入のパーセントによって測定された。組織内の対人関係を知るために、ソシオメトリー調査も同時に行なわれた。研究の焦点はもちろん、本部長のＬＰＣと組織の業績との相関である。

表４・２　本部長のＬＰＣと組織の純収入との相関
(Fiedler, F. E., 1967〔33〕, Table 6-4 より)

ソシオメトリー条件	*Rho*	*N*
本部長がほとんどの役員およびスタッフから選ばれている	−.67	10
本部長が役員からは選ばれているがスタッフからは拒否されている	.20	6
本部長が役員からは拒否されているがスタッフからは選ばれている	.26	6
本部長が役員およびスタッフの両者からともに拒否されている	−.75	7

主要な結果は表４・２に示される。すなわち、本部長のＬＰＣと組織の業績との相関関係は、組織内の人間関係によって異なってくるようである。本部長が役員やスタッフから非常によく受け入れられているか、あるいは逆に拒否されているかのいずれかの場合には、低ＬＰＣ（課題動機型）本部長のほうが効果的であるが、本部長が役員またはスタッフの一方からは受け入れられているが他方からは拒否されているという場合には、逆に、高ＬＰＣ（関係動機型）本部長のほうが効果的である。

もうひとつ、アメリカのある平炉工場で行なわれた調査〔33〕を見てみよう。生産効率は出鋼から次の出鋼までの所要時間によって測定された。表４・３に見られるとおり、係長、班長とも、組織内でよく受け入れられている場合、あるいは受け入れられていない場合には低AS_o（課題動機型）のほうが有効であるが、組織内での対人関係が中間的条

表4・3　平炉係長・班長の AS_o と生産効率との相関
(Fiedler, F. E., 1967〔33〕, Table 6-2 より)

ソシオメトリーで測定されたリーダー／成員関係	係長		班長	
	Rho	*N*	*Rho*	*N*
最もよく選ばれている	−.30	5	−.09	9
中間的	.30	5	.48	9
最も選ばれていない	−.90	5	−.52	8

件の場合は、高 AS_o（関係動機型）のほうがよい。

この二つの研究が示唆するところによれば、リーダーのLPC（または AS_o）と集団効果性との相関関係は、前に見た非公式集団の場合ほど単純ではないらしい。

集団創造性に関する研究

オランダの男子大学生を用いた実験室実験〔33〕の結果について考察しよう。オランダではもともとプロテスタントとカトリックとの間に社会的・心理的葛藤がよく見られる。本実験では、カルビン教徒とカトリック教徒各三二名が被験者として選ばれた。各四名の成員からなる集団で、各成員の宗教が同一の場合（等質集団）と、相互に異なる場合（異質集団）との二条件が構成された。

課題はTAT〔1〕のカード一枚を刺激図版として、成員間の話し合いを基礎にして、三つの物語（できるだけ独創的で、三つがそれぞれ異なるように）を作成することであった。物語は二人の評定者によって評定された。半数の実験集団においては討論に先立って実験者が各集団一名のリーダーを指名したが（公式集団構造）、残りの半数の集団ではそのようなことはなく、討議終了後、ソシオメトリー調査（「誰が他者の意見に最も影響を与えたか」）によって各集団一名の非公式リーダーを明らかにした。

結果は表4・4に示される。すなわち、宗教的に等質な成員からなり、しかもあらかじめリーダーが指名されている（リーダーシップ・ポジションを求めての闘争はない）という条件のときに限り、リーダーのLPCと集団創造性との間にプラスの相関があり、その他の条件の場合（集団の等質・異質、あるいはリーダーシップ闘争のいずれか、あるいは両方の条件からして、集団の中に緊張が生じる）にはリーダーのLPCと集団生産性との間にマイナスの相関がある。つまり前者の条件の場合は高LPC（関係動機型）リーダーが有効であるが、後者の条件の場合は逆に低LPC（課題動機型）が有効である。

表4・4　オランダの創造性研究におけるリーダーのLPCと集団生産性との相関
(Fiedler, F. E., 1967〔33〕, Table 7-1 より)

集団構造	等質集団	異質集団
公式的	.75†(7)	−.72*(8)
非公式的	−.67 (7)	−.21 (8)

（注）†は $p<.10$, *は $p<.05$。表中のカッコ内の数値は標本数。原表の中の，説明の文章を省略。

これまでに見てきたところからわかるように、リーダーのLPCと集団効果性との相関関係は集団-課題状況によって、あるときはプラスになり、またあるときはマイナスになるようである。なにかしっかりした基準によって状況を区分する必要に迫られる。

集団-課題状況の区分

フィードラーは結局、①リーダー／成員関係、②課題の構造、③リーダーの地位力、の三つの要因によって集団-課題状況を区分しようとする〔33〕。

(1)　**リーダー／成員関係**　この要因のとらえ方は研究によって多少異なり、初期の研究では集団あるいは組織内でリーダーが成員（ある

図4・1　集団雰囲気測定尺度

(Fiedler, F. E., 1967〔33〕, 邦訳364ページより)

〔教示〕以下の各項目について、あなたの集団の雰囲気を最もよくあらわすと思われる欄に○印をつけてください。とばさないように全部の項目にひとつずつ○印を付けてください。(注)

	非常に 8	かなり 7	やや 6	どちらかといえば 5	どちらかといえば 4	やや 3	かなり 2	非常に 1	
1 友好的	___	___	___	___	___	___	___	___	非友好的
2 受容的	___	___	___	___	___	___	___	___	拒否的
3 満足	___	___	___	___	___	___	___	___	不満
4 熱心	___	___	___	___	___	___	___	___	不熱心
5 生産的	___	___	___	___	___	___	___	___	非生産的
6 暖かい	___	___	___	___	___	___	___	___	冷たい
7 協力的	___	___	___	___	___	___	___	___	非協力的
8 支持的	___	___	___	___	___	___	___	___	対立的
9 面白い	___	___	___	___	___	___	___	___	つまらない
10 成功	___	___	___	___	___	___	___	___	失敗

(注)　教示および回答欄のつくり方に，筆者がやや加筆した。

いは他者）からどの程度受け入れられているかを、ソシオメトリー調査[160]で明らかにした。その後の多くの研究では、集団雰囲気に対するリーダーの評定を図４・１に示す尺度で測定することが試みられた。

この尺度で高い評定を与えたリーダーは、（少なくとも主観的には）リーダー／成員関係をよいとみなしていることになる。

(2)　**課題の構造化**　フィードラーはショー[133]が見いだした一〇個の集団課題の次元から、(a)決定の検証可能性（ある解決ないし決定の正しさがどの程度論理的手続あるいは客観的データなどによって検証することができるか）、(b)目標の明確さ（課題の要請がどの程度集団成員に明確に知られているか）、(c)目標への通路の多様性（課題はどの程度さまざまな手続によって解決しうるか）、(d)解決の特殊性（正しい解答または解決が一つ以上存在するか）の四次元を取り出して、課題の構造化を概念化した。各研究において、集団のそれぞれの課題を研究者が８点尺度で評定した。

決定の検証可能性が高く、目標が明確で、目標への通路が限定されており、しかも正解が一つに限られているとき、課題は最も構造化されており、これと逆の性質をもつ課題は最も構造化されていないという（フィードラー[33]の付録Ｄにハントが作成した尺度が掲載されている）。

(3)　**リーダー地位力**　誰がそのポジションを占めるかにかかわりなく、そのリーダーシップ・ポジションに固有な、集団成員を従わせ、そのリーダーシップを受け入れさせる勢力である。フィードラー[33]は表４・５に示す尺度でこれを測定した。

表4・5　リーダー地位力測定尺度

(Fiedler, F. E., 1967〔33〕, 邦訳34ページより)

1. リーダーの与えるほめことばのほうが他の成員の与えることばよりもありがたく受け取られる
2. リーダーの賞賛には高い価値があり，その叱責は破滅的なものと受け取られている
3. リーダーは賞罰を申請できる
4. リーダーは彼の裁量において成員を賞罰できる
5. リーダーは昇進，降格を発令（推薦）することができる
6. リーダーは集団の活動を司会し，あるいは調整することができるが，その他の事項においてはそのつど司会者あるいはリーダーとしての指令ないし承認をえなければならない
7. リーダーの意見に対しては，相当の敬意と注目が払われる
8. リーダーが特別の知識ないし情報をもっている(成員はそれを知らない)ために，彼が仕事のしかたや集団としての業務の進め方を決定することが容認されている
9. リーダーは成員に対し，そのなすべきことについて，手がかりを与えたり，教示したりする
10. リーダーは成員に対して，なすべきこと，言うべきことを言い聞かせたり言いつけたりする
11. リーダーには，グループを動機づけることが期待されている
12. リーダーには，成員たちの仕事を示唆したり評価したりすることが期待されている
13. リーダーは，仕事について，すぐれたあるいは特別の知識をもっており，もしくは特別の指導をする立場にあり，仕事の実行は成員に課されている
14. リーダーは成員各人の職場遂行を監督し，評価し，あるいはやり直しを命ずることができる
15. リーダーは，自分自身の職務と同時に成員の職務をも知っており，必要に応じて自ら手を下して仕事を完成することができる（たとえば，所要の情報をすべて使って自らリポートを書くといったことである）
16. リーダーは，実際の職場生活において，特別のあるいは公式の資格と地位をもっており，たとえば会社や組織の中で特別の階級なり特別の事務所といったものによって，一般の成員より一段と高い立場に立っている（＋5点）
17. リーダーは，たとえば「君は将軍だ」とか「マネジャーだ」と指名されて，実験者から模擬的に特別のあるいは公式の資格が与えられている。この模擬的な資格は他の成員の資格より明らかに優越したものでなければならず，実験期間を通じて，単なる議長やグループ・リーダーの地位とは違ったものでなければならない（＋3点）
18. リーダーの地位は成員の意向ひとつにかかっている。すなわち，成員はリーダーを交替させたり罷免したりすることができる（－5点）

(注)　リーダーに与えられている権限の強さは，上述のチェックリストの各項につき「該当する」なら1点（ただし，16番は5点，17番は3点，18番は－5点）を与えて加算した値で表わされる。

図4・2　リーダー／成員関係，課題の構造，リーダー地位力の3つの要因を総合して，集団－課題状況が区分される

(Fiedler, F. E., 1967〔33〕, 邦訳48ページより)

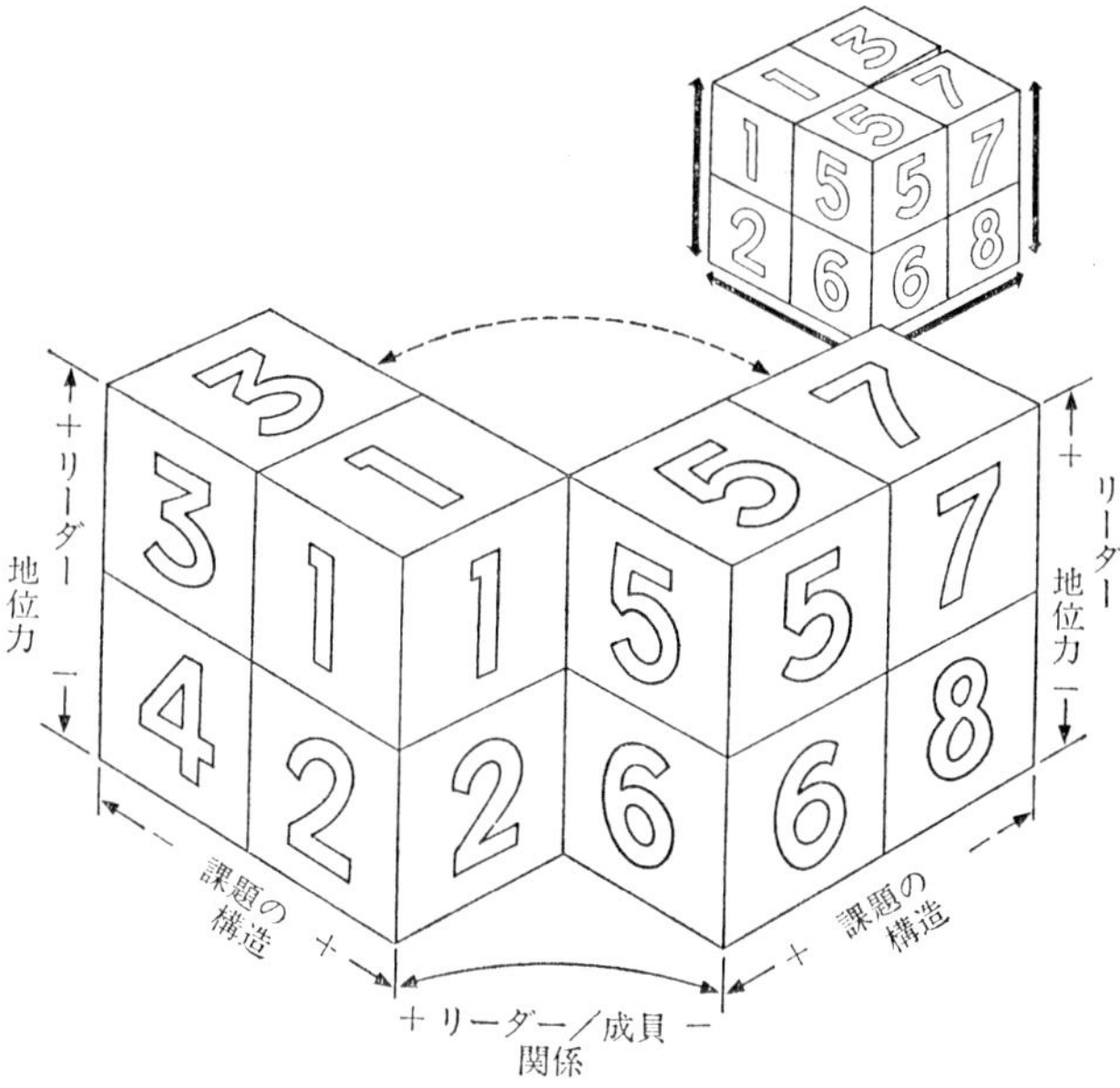

　さて、フィードラーは以上の三要因を組み合わせて、八個の集団－課題状況を区分する。つまり、リーダー／成員関係がよい（プラス）かわるい（マイナス）か、課題が構造化されている（プラス）か構造化されていない（マイナス）か、リーダーの地位力が強い（プラス）か弱い（マイナス）か、これらをすべて組み合わせるわけである（図4・2参照）。

　リーダーが成員をコントロールし、彼らに容易に影響を与えうるか否かという点で、最も重要な要因は、リーダー／成員関係であり、その次が課題の構造、そして最後がリーダー地位力である。

表4・6　集団－課題状況の区分とリーダーの状況統制力

オクタント	1	2	3	4	5	6	7	8
リーダー／成員関係	よい（4）	よい（4）	よい（4）	よい（4）	やや悪い（0）	やや悪い（0）	やや悪い（0）	やや悪い（0）
課題の構造	構造的（2）	構造的（2）	非構造的（0）	非構造的（0）	構造的（2）	構造的（2）	非構造的（0）	非構造的（0）
リーダー地位力	強い（1）	弱い（0）	強い（1）	弱い（0）	強い（1）	弱い（0）	強い（1）	弱い（0）
影響力（計）	（7）	（6）	（5）	（4）	（3）	（2）	（1）	（0）
統制力	高統制			中統制				低統制

（注）　表中の数値は，状況統制力への貢献度。

これをもう一度表4・6に沿って考えてみよう。リーダー／成員関係が「よい」ときに4点、それが「やや悪い」ときに0点（「非常に悪い」ケースはあまり一般的であるとは考えられないので、特別のケースとして取り扱う）を与え、課題が「構造的」なときに2点、「非構造的」なときに0点、そしてリーダー地位力が「強い」ときに1点、「弱い」ときに0点として、各状況ごとに三つの要素の得点を合計する。そうすると、最も高いのが7点、そして最も低いのが0点と順番に並ぶ。

つまり、リーダー／成員関係がよく、課題が構造化され、しかもリーダー地位力が高いとき、この数値（潜在的影響力を示すと考えられる）が最も高く、逆にリーダー／成員関係がやや悪く、課題が非構造的で、リーダー地位力が弱いとき、この数値は最も低い。そしてこの表に示される通り、八個の状況を順番に並べることができる。フィードラーはこの状況をそれぞれオクタント（オクタントは八分の一の意味）とよぶ。

オクタント1はリーダーの潜在的影響力（他成員をコントロールできる可能性）が最も高く、オクタント8はそれが最も低い。オクタント1にあるリーダーは思いのまま成員をコントロールできる。なぜならリーダーは成員によって十分受け入れられ、課題は目標や方法も確定しており、さらに十分なパワーが与えられているからである。これに対し、オクタント8の状況にあるリーダーは、成員をコントロールすることが非常にむずかしい。なぜならリーダーは成員から受け入れられておらず、課題の内容・方法も不明確で、さらに十分な権限が与えられていないからである。オクタント1からオクタント8まで、リーダーがどの程度成員に影響を与え、コントロールすることが容易であるかの順番に配列されている。(あとに示すデータとの関連で)フィードラーはオクタント1、2、3を「高統制」の状況、オクタント4、5を「中統制」(中間程度の統制)の状況、そしてオクタント8を「低統制」の状況とよぶ(フィードラーが一九六四年に彼の理論モデルを構成する時点までに、オクタント6のデータは入手できていなかった。またオクタント7のデータの結果は他のオクタントのデータほど明確でなかった)。

このようなオクタントの配列の仕方は、果たしてどの程度妥当なものといえるであろうか。ネベイカー[108]はアメリカの、ある官庁における第一線監督者(道路やダムの建設・維持担当)五三名についての調査結果を報告している。問題は次式が果たして成立するか否かということである。

$$\mathrm{SIT\ FAV}=(4\times \mathrm{GA}_s)+(2\times \mathrm{TS}_s)+\mathrm{PP}_s \quad\cdots\cdots(1)$$

ここで

SIT FAV＝尺度化された状況の有利さ(Situational favorability——前に述べた「状況統制力」と同じ概念)

GA_S＝標準化された集団雰囲気得点
TS_S＝標準化された課題の構造化得点
PP_S＝標準化されたリーダー地位力得点

つまり、リーダー／成員関係：課題の構造：リーダー地位力の重みづけが4：2：1の割合になっているか否かということである。

集団雰囲気については、本調査の対象者に本章の図4・1（一二六ページ）に示す尺度への記入を求めることによって測定した。課題の構造については、現在の職務経験の期間あるいはその準備期間（月数）によって測定した。すなわち、経験が長いほどその人にとって課題は構造化しているはずだからである。最後に、リーダー地位力であるが、本調査の対象者はいずれも第一線監督者で地位力に関しては全く同一なので、この変数は定数として取り扱った。

集団雰囲気得点および経験の長さをそれぞれ標準化し、前者を四倍、後者を二倍し、この両者を合計して、この合計得点をさらに標準化した（これが(1)式の左項SIT FAVである）。

次に「認知された統制力・影響力」は「作業集団の生産性や士気に対して監督者がもっていると思われる統制力あるいは影響力」について、監督者自身の認知を5点尺度の二項目で測定。

このような測定の結果に基づいて合成された状況統制力（あるいは状況の有利さ）の指標と認知された統制力・影響力との間には、プラス・五五の相関（五％レベルで統計的に有意）が得られた。これと並行して行なわれたアメリカ海軍航空機整備工場の四七名の第一線監督者の場合も、両者の間にプラス・三〇の相関（五％レベルで有意）が得られた。これらのデータから、リーダー／成員関係（集団雰囲気）、課題の構造（経験）、リーダー地位力の変数がリーダーの状況統制力（ないし状況の有利さ）に与える影響のウェイトづけは、ほぼ4：2：1といってもよかろう。

ビーチほか〔12〕がアメリカ人の学部学生に仮定のシナリオを読ませ、それぞれの状況におけるリーダーにとっての状況統制の容易さを判定させた実験によれば、リーダーの状況統制力の規定要因としてはやはりリーダー／成員関係が最も重要であり、次いで課題の構造、リーダー地位力の順番であった。しかし分散分析を用いた結果によれば、リーダー／成員関係、課題の構造、リーダー地位力のパーセント（重み）は11：4：1であった。被験者が大学生であったため、リーダー／成員関係を特に重視したのかもしれない。

オーストラリアのオブライエンほか〔109〕〔110〕は、オエザーほか〔111〕〔112〕〔113〕の構造－役割理論を用いてリーダーの潜在的影響力を測定しようと試みている。この場合は、リーダー／成員関係、勢力関係、課題遂行の順序およびその相互関係などが取り扱われる。しかもグラフ理論を使って客観的にリーダーの潜在的影響力を測定できる。

リーダーシップ効果性の条件即応モデル

フィードラーは一九五一年の高等学校バスケットボール・ティームの調査以来、一九六三年までの間に爆撃機搭乗員、戦車乗組員、高射砲部隊員、歩兵分隊、工兵小隊、教会管理者、予備将校訓練隊（ROTC）、催眠術を用いた大学生を被験者とする集団（前に紹介した研究ももちろんその一部）など、

表4・7　各オクタントごとのリーダーLPC（またはASo）と集団効果性との相関のまとめ

（Fiedler, F. E., 1967〔33〕, 邦訳表 9-1 を筆者要約）

標本（研究者，発表年）		リーダー／成員関係 よい（オクタント1） 相関係数	よい（オクタント1） N	やや悪い（オクタント5） 相関係数	やや悪い（オクタント5） N
B29爆撃機搭乗員（フィードラー，1955）	PP 18.5[1]				
集団効果性の基準 1	TS 8.0[2]	−.81	11	.42	7
集団効果性の基準 2	TS 8.0	−.52	6	.27	7
陸軍戦車乗組員（フィードラー，1955）	PP 18.5				
集団効果性の基準 1	TS 8.0	−.60	6	.60	5
集団効果性の基準 2	TS 8.0	−.33	6	.43	5
高射砲部隊員（ハッチンズ＝フィードラー，1960）	PP 18.5 TS 7.3	−.34	10	.49	10
歩兵分隊（ハブロンほか，1951）	PP 18.8 TS 7.5	−.36	26		
平炉工場（クレブン＝フィードラー，1956）	PP 18.5 TS 7.2	−.52	15		
会社管理者（ゴッドブレイほか，1959）	PP 18.0 TS 5.6	−.67	10	.23	10
相関の中央値		−.52	8	.42	6

		よい（オクタント2） 相関係数	よい（オクタント2） N	やや悪い（オクタント6） 相関係数	やや悪い（オクタント6） N
高等学校バスケットボール・ティーム（フィードラー，1954）					
第一研究	PP 3.8 TS 7.2	−.69	14		

第 二 研 究	TS	7.2	−.58	12		
大学生測量グループ（フィードラー，1954）	PP	3.2				
	TS	7.3	−.51	22		
相 関 の 中 央 値			−.58			
			よい（オクタント3）		やや悪い（オクタント7）	
			相関係数	*N*	相関係数	*N*
予備将校訓練隊（ROTC）創造性（ミューズ=フィードラー，1964）	PP	9.0				
集団効果性の基準 1	TS	3.4	−.43	6	.04	6
集団効果性の基準 2	TS	2.2	−.72	6	.24	6
予備将校訓練隊（ROTC）——高ストレス（ミューズ=フィードーラー，1964）	PP	9.0				
集団効果性の基準 1	TS	3.4	−.14	6	.11	6
集団効果性の基準 2	TS	2.2	−.60	6	.57	6
海軍予備将校訓練隊（Navy ROTC）創造性（アンダーソン=フィードラー，1962）	PP	9.0				
集団効果性の基準 1	TS	2.4	−.26	6	−.14	6
集団効果性の基準 2	TS	4.2	−.07	6	.07	6
集団効果性の基準 3	TS	4.7	−.44	6	−.07	6
集団効果性の基準 4	TS	4.7	.50	6	.54	6
海軍予備将校訓練隊創造性——リーダーが監督されている場合（アンダーソン=フィードラー，1962）	PP	11.8				
集団効果性の基準 1	TS	2.4	−.39	6	.47	6
集団効果性の基準 2	TS	4.2	−.43	6	.01	6
集団効果性の基準 3	TS	4.7	.84	6	−.10	6
集団効果性の基準 4	TS	4.7	.13	6	−.14	6
相 関 の 中 央 値			−.33	12	.05	12

標本（研究者，発表年）			リーダー／成員関係			
			よい（オクタント4）		やや悪い（オクタント8）	
			相関係数	*N*	相関係数	*N*
オランダ創造性研究						
（フィードラー＝ミューズ＝オンク，1961）						
課題の構造度	TS	1.7				
条　件　1	PP	5.8	.75	7		
条　件　2	PP	5.2			−.72	8
条　件　3	PP	2.0			−.64	6
条　件　4	PP	2.0			−.23	8
催眠研究（フィードラー＝ロンドン＝ネモ，1961）						
リーダー地位力	PP	5.0				
集団効果性の基準	TS	1.7	.64	8	−.72	8
教会リーダーシップ研究						
（フィードラー＝バス＝フィードラー，1961）						
集団効果性の基準　1	PP	4.8				
	TS	2.7	.28	6	.03	6
集団効果性の基準　2	PP	4.5				
	TS	2.2	.89	6	−.03	6
集団効果性の基準　3	PP	4.8				
	TS	3.2	.49	6	−.40	6
集団効果性の基準　4	PP	4.5				
	TS	2.2	.37	6	−.60	6
精神的健康リーダーシップ研究（フィードラー，未公刊）	PP	4.5				
	TS	2.8	.44	7	−.76	7
予備将校訓練隊（ROTC）――中程度のストレス条件	PP	4.5				
（ミューズ＝フィードラー，1964）						
集団効果性の基準　1	TS	3.4	.49	6	−.04	6
集団効果性の基準　2	TS	2.2	−.03	6	−.47	6

理事長（ゴッドブレイほか，1959）	PP 7.0 TS 4.1	.21	10	−.60	10
相関の中央値		.47	10	−.43	12

（注）1）PP（リーダー地位力〔Position Power〕，得点分布 −5～+20）　9点未満（地位力　弱い）　9点以上（地位力　強い）
　　2）TS（課題の構造度〔Task Structure〕，得点分布 +1～+8）　5点未満（非構造的課題）　5点以上（構造的課題）

多種多様な状況でリーダーのLPC得点と集団効果性との相関関係を分析し続けてきた。この間に研究対象としたのは五九組、集団ののべ数で八〇〇以上にのぼるという。実に膨大なデータである。

これら諸研究の結果は、一見互いに矛盾しているように思われた。しかしフィードラーはついに一九六三年にこれらをひとつのまとまりのある理論へ統合することに成功した。この理論はリーダーシップ効果性の「条件即応モデル」（contingency model）とよばれる。英語のコンティンジェンシーとは「条件しだいの状態」という意味である。ここでは「条件即応」という訳語（これは大阪大学人間科学部三隅教授のアイディアである）を用いることにする。

フィードラーはこのモデルを、初め、一九六三年イリノイ大学心理学部集団効果性研究室からタイプ刷りで発表し、翌六四年バーコビッツ編『実験社会心理学の進歩　第一巻』に同趣旨の論文を掲載し[32]、リーダーシップ研究者・実践家に大きな衝撃を与えた。またこの内容をより一般読者向けに、またやや詳しく書かれた著書を一九六七年に刊行し[33]、これは『新しい管理者像の探究』（山田雄一監訳、産業能率短期大学出版部、一九七〇）として翻訳されている。

フィードラーの従来の研究データを要約したものが、表4・7に示される。各集団の課題構造度お

図4・3　各オクタントごとのリーダーLPC（ASo）と集団効果性との相関

（Fiedler, F. E., 1967〔33〕, 邦訳203ページより）

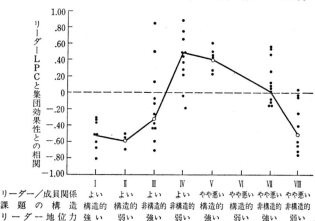

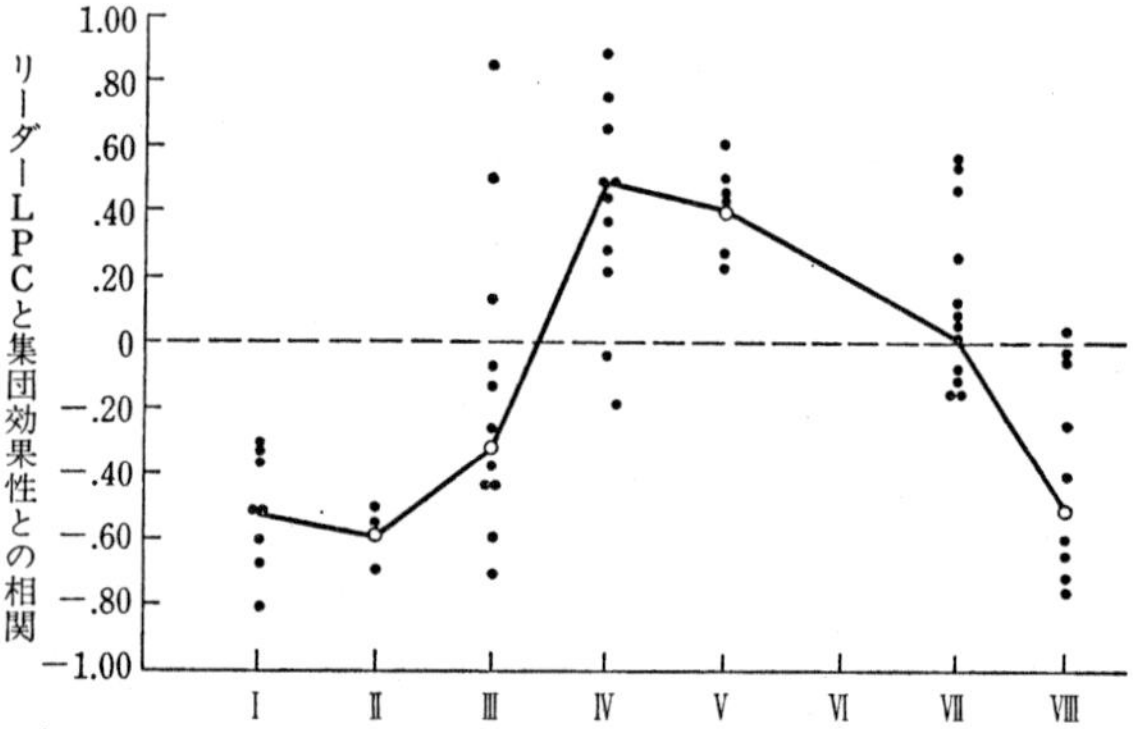

	I	II	III	IV	V	VI	VII	VIII
リーダー／成員関係	よい	よい	よい	よい	やや悪い	やや悪い	やや悪い	やや悪い
課題の構造	構造的	構造的	非構造的	非構造的	構造的	構造的	非構造的	非構造的
リーダー地位力	強い	弱い	強い	弱い	強い	弱い	強い	弱い
リーダー状況統制力	高統制			中統制				低統制

（注）図下部の説明は筆者がやや加筆。LPC（ASo）—効果性の相関とリーダーの状況統制力との重相関比（Eta^2）は .586，相関（r^2）は .007。

よびリーダー地位力に関するデータ（研究者が評定）はこの分類表の中に示されているが、リーダー／成員関係についてはそれがない。リーダー／成員関係はリーダーの集団雰囲気得点、ソシオメトリー調査の結果、あるいは集団討議場面において強い批判があったかなかったか、等の観察その他によって、研究者が総合的に判定しているのである。

この相関係数を各オクタントごとにひとつずつプロットし、各オクタントにおける中央値（表4・7の中にも示す）を線で結んだものが図4・3である。また各オクタントの条件の説明と、それぞれにおける相関係数の中央値を示したものが表4・8である。

まず図4・3をよく眺めることにしよう。

表4・8　各オクタントにおけるリーダーLPCと集団業績との相関の中央値

（Fiedler, F. E., 1967〔33〕, 邦訳197ページより）

リーダーの状況統制力1)	オクタント	リーダー／成員関係	課題の構造	リーダー地位力	相関の中央値	左に含まれる研究の数
高統制	1	よい	構造的	強い	−.52	8
	2	よい	構造的	弱い	−.58	3
	3	よい	非構造的	強い	−.33	12
中統制	4	よい	非構造的	弱い	.47	10
	5	やや悪い	構造的	強い	.42	6
	6	やや悪い	構造的	弱い		0
	7	やや悪い	非構造的	強い	.05	12
低統制	8	やや悪い	非構造的	弱い	−.43	12

（注）1）のちの説明の便利のため，原表に筆者が加筆。

この図の横軸の左端にはオクタント1（リーダーの状況統制力は最も高い）があり、右端にはオクタント8（リーダーの状況統制力は最も低い）がきている。つまり、左端からリーダーの状況統制力の高い順に並んでいる。このグラフの中の小さな黒マル印は、表4・7（一三四ページ）に示されるひとつひとつの相関係数（いずれもリーダーのLPCと集団効果性との順位相関係数）である。全体の傾向を把握するために、各オクタントごとの相関係数の中央値を求める。たとえばオクタント1にはマイナス・八一からマイナス・三三まで八個の相関があり、その中央値（表4・7および表4・8の該当欄に示される）がマイナス・五二である。

こうして得られた各オクタントの中央値を線で結んで得られたものが、このグラフである。これをみると、オクタント1、2、3では全体として相関係数はマイナス、オクタント4、5ではプラス、オクタント8ではふたたびマイナスとなる。つまり高統制または低統制の条件ではリーダーのLPCと集団業績とは一般にマイナスの相関となり、中統制の条件ではリーダー

図4・4　フィードラーのリーダーシップ効果性の条件即応モデルの簡略化した図式

(Fiedler, F. E., 1978〔43〕, Fig. 5 より)

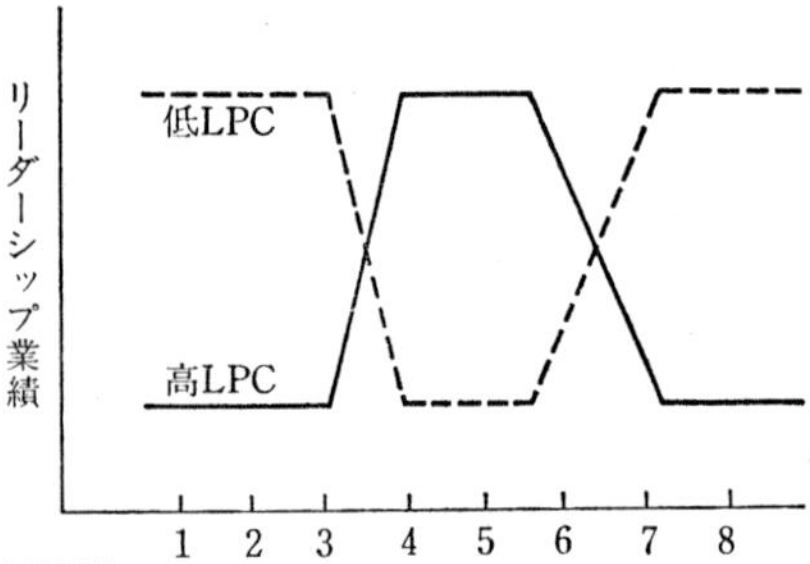

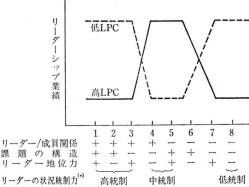

	1	2	3	4	5	6	7	8
リーダー/成員関係	＋	＋	＋	＋	－	－	－	－
課題の構造	＋	＋	－	－	＋	＋	－	－
リーダー地位力	＋	－	＋	－	＋	－	＋	－
リーダーの状況統制力(*)		高統制		中統制				低統制

(注)　*　表現方式を筆者がやや修正。

のLPCと業績との相関は一般にプラスとなる。

言い換えれば、リーダーが成員を容易にコントロールできる（高統制の）条件か、または成員をコントロールすることがかなりむずかしい（低統制の）条件かのいずれかにおいては、高LPC（関係動機型）リーダーよりも低LPC（課題動機型）リーダーのほうがより有効であるが、リーダーが成員をコントロールすることがそれほど容易でもないが、またそれほど困難でもない（中統制の）条件では、低LPC（課題動機型）リーダーよりも高LPC（関係動機型）リーダーのほうがより有効である。

図4・3をもっと簡略化し、わかりやすくしたのが図4・4である。この図に沿って、いまの結論をもう一度読み直してよく理解してほしい。以上がフィードラーのリーダーシップ効果性の条件即応モデルの最も重要な結論の部分である。ずいぶん複雑な言いまわしだと思われるかもしれないが、その基本的概念は、図4・4によってよく理解できると思われる。本書のこれからあとの部分でフィードラー理論にもし疑問を感じたら、この図に立ち帰ってもう

表4・9　各オクタントごとのリーダーにとっての状況の有利さと，リーダーＬＰＣと集団業績との相関の符号との関係：「分化の釣り合い」仮説の検証

（Foa, U. G., Mitchell, T. R. & Fiedler, F. E., 1971〔57〕より）

リーダーの状況統制力1)	オクタント	フィードラー(1964)の分類 リーダー／成員関係	課題の構造	リーダー地位力	フォアほか(1971)の再分類 状況の有利さ 対人関係に関連して	課題に関連して	リーダーＬＰＣと集団業績との相関の符号2) プラス	マイナス
（1）	（2）	（3）	（4）	（5）	（6）	（7）	（8）	（9）
高統制	1	よい	構造的	強い	有利	有利	0	8
高統制	2	よい	構造的	弱い	有利	有利	0	3
高統制	3	よい	非構造的	強い	有利	有利	3	9
中統制	4	よい	非構造的	弱い	有利	不利	9	1
中統制	5	やや悪い	構造的	強い	不利	有利	6	0
	6	やや悪い	構造的	弱い	不利	有利	0	0
	7	やや悪い	非構造的	強い	不利	有利	8	4
低統制	8	やや悪い	非構造的	弱い	不利	不利	1	11

（注）1）説明の便利のため筆者が加筆。
2）表中の数値は該当する相関係数の個数。原表データに疑問があったので，本書134ページ表4・7掲載の元データに基づいて筆者再集計。

一度確かめてから、さらに読み進んでいただきたい。

なぜこのように状況（条件）によって有効なリーダーシップ・スタイルに違いがみられるのであろうか。フィードラー理論についていえば、それを説明するデータは筆者の知る限りただひとつしかない。フォアほか〔57〕は次のような分析を試みている。まず集団－課題状況の再分類を行なう（表4・9参照）。

リーダー／成員関係がよいとき、リーダーにとって有利で、それが「やや悪い」とき、リーダーにとって不利であるとする（表4・9の第6欄参照。これはオリジナルな分類と同じ）。次に課題の構造、リーダー地位力の二つの要因（いずれも課題に関連する要因として）を同時に考えて、少なくともその一つの要因からみてリーダーにとって有利という条件があれば、これを（課題の側面からみて）リーダーに有利と判定する。

たとえば、オクタント1は課題は構造的であり、しかもリーダー地位力は強いので、いずれにしても課題の側面からみればリーダーは有利。オクタント2はリーダーの地位力が弱いという点では不利であるが、課題が構造的であるから、総合すればリーダーにとって有利。オクタント4では課題が非構造的であり、しかもリーダーの地位力が低いので、いずれにしても課題の側面からみればリーダーは不利。

このシステムで判定していけば、オクタント4とオクタント8のみが課題の側面からみてリーダーにとって不利で、あとのオクタントはすべて課題の側面からみればリーダーにとって有利となる（表4・9の第7欄参照）。

さて、この二つの条件（表4・9の第6欄と第7欄）を総合して考察する。すると、オクタント1、2、3は二つの条件がともに有利。オクタント4、5、7は一方の条件が有利で他方が不利。オクタント8は二つの条件がともに不利となる。これを表4・9の第1欄と照合してみよう。すると、高統制の場合は二つの要因がともに有利、中統制の場合は一方が有利で他方が不利、そして低統制の場合は二つの要因がともに不利、ということがわかる。さらに要約すれば、高統制または低統制の場合は、集団の対人関係、課題の二つの側面がリーダーにとってともに有利かともに不利か、いずれにしてもきわめて単純な状況であるといえる。これに対して中統制の場合は、集団の対人関係、課題の二つの側面のうちリーダーからみて一方は有利であるが、他方は不利だという具合に、かなり複雑な状況である。

言い換えれば、単純な状況とは対人関係、課題の側面がいまだ完全に分化しておらず、一方がよければ片方もよい（あるいはその逆）という状況であるとも言える。また複雑な状況とは対人関係はよいが課題は不利だという具合に（あるいはその逆）、状況がかなり分化しているともいえる。

次に、表4・9の第8欄と第9欄に目を転じてみよう。これはリーダーのLPCと集団業績との相関係数がプラスかマイナス、それぞれ該当するものを表4・7（あるいは図4・3）に基づいてその個数を数えたものである。これによるとオクタント1、2、3（高統制の条件）およびオクタント8（低統制の条件）においてはプラスよりもマイナスの相関が多い（相関の中央値もマイナス）――つまり高LPC（関係動機型）よりも低LPC（課題動機型）リーダーのほうが有効である。低LPCというのは「仕事相手として最も苦手とする人」をきわめて低く評価するということである。つまり仕事相手として苦手だということだけで、全面的にその人をわるく評価しているわけである。さらにいえば、仕事相手をこまかく見ることなく、初めから全面拒否の構えをとっているともいえる。その人物に対する認知がこまかく「分化」していないわけである。

これに対してオクタント4、5（中統制の条件）ではマイナスよりもプラスの相関が多い（相関の中央値もプラス）――つまり低LPC（課題動機型）よりも高LPC（関係動機型）リーダーのほうがより有効である。高LPCというのは「仕事相手として最も苦手とする人」を相対的に高く評価するということである。つまり仕事相手として苦手とする人を、(「仕事を一緒にやる相手としてはむずかしいけれども」こまかくみてみると) 割合よいところもあるものだというふうに相手を認知しているともいえる。その人物に対する認知がこまかく「分化」しているというわけである。

これまでのところを総合すれば次のようにいえる。つまり高統制あるいは低統制のように状況が「分化」していない場合には、対人認知が「分化」していないリーダーのほうがより有効であり、逆に中統制のような状況が「分化」している場合には、対人認知が「分化」しているリーダーのほうがより有効である。これをフォアほか〔57〕は「分化の釣り合い」(differentiation matching) とよぶ。

条件即応モデルの妥当性

フィードラーが一九六四年にリーダーシップ効果性の条件即応モデルを公表して以来、多くの研究者の関心を引いた。筆者〔138〕はすでに一九六三年に、わが国の炭鉱採炭作業集団における実証的研究から、リーダーのLPCと集団効果性(出炭量、出勤率、上司による業績評価)との間に一定の相関関係があること、しかもその相関関係のパターンはリーダーのポジション(作業員の長である「責任」またはその補佐である「副責任」)によって異なることなどを示唆している。

このモデルが公表されて以来、筆者もこのモデルそのものの妥当性検証を目ざし、次のような実験室実験〔140〕を試みた。被験者は日本人男子中学生。同一学級所属の五名をランダムに組み合わせて一つの集団を編成。半数の実験集団においては課題遂行に先立って成員相互に話し合いでリーダーを選出させた。残りの実験集団においては、くじびきでリーダーを決定。前者をリーダー地位力が高い条件、後者を地位力が低い条件とよぶ。

二種類の課題が用いられた。構造的課題は所定の乱数表の数字を（リーダーを含めて）五名の集団構成員が協力して、一定の手続に従って分類する作業。非構造的課題は、ギルホード・タイプの創造性検査をヒントに、筆者によって集団用に修正された集団創造性課題（四種類の下位検査）であった。

リーダー／成員関係はすべての課題終了後、リーダーによって評定された集団雰囲気（一二六ページ図4・1の尺度）得点によって、高・低に分割。集団業績は、乱数表の集計作業に関しては正しく集計した作業量を標準得点化し、また集団創造性検査に関しては、あらかじめ定められた手引に従って評定し、各下位検査ごとにその得点を標準化して、それぞれ指標とした。

ただしここで注意すべきことがある。実験終了後わかったことではあるが、乱数表の集計作業で、リーダーも他の成員と一緒に作業に従事したため、その間リーダーは他者に指令を与えたり、グループをまとめるということが非常に困難であった。したがって、乱数表の集計作業は課題の性格としては確かに構造的であるけれども、本実験の条件下でリーダーの状況統制力は少なくとも集団創造性検査（この場合リーダーは集団討議をリードし、まとめることができた）の場合よりも低かったとみなされた（このことは筆者の第二実験⑴結果からもその推定の正しさが示唆された）。

主要な結果は、表4・10および図4・5に示される。本実験の場合、オクタント1、2、3およびオクタント8においてリーダーのLPCと集団業績との間にマイナスの相関が、またオクタント4、5において両変数の間にプラスの相関が見いだされた。つまり高統制および低統制条件においては、

図４・５　条件即応モデルの妥当性に関する白樫〔140〕の実験データとフィードラー〔32〕のオリジナル・データとの対応

（白樫，1968〔140〕，Fig. 1 より）

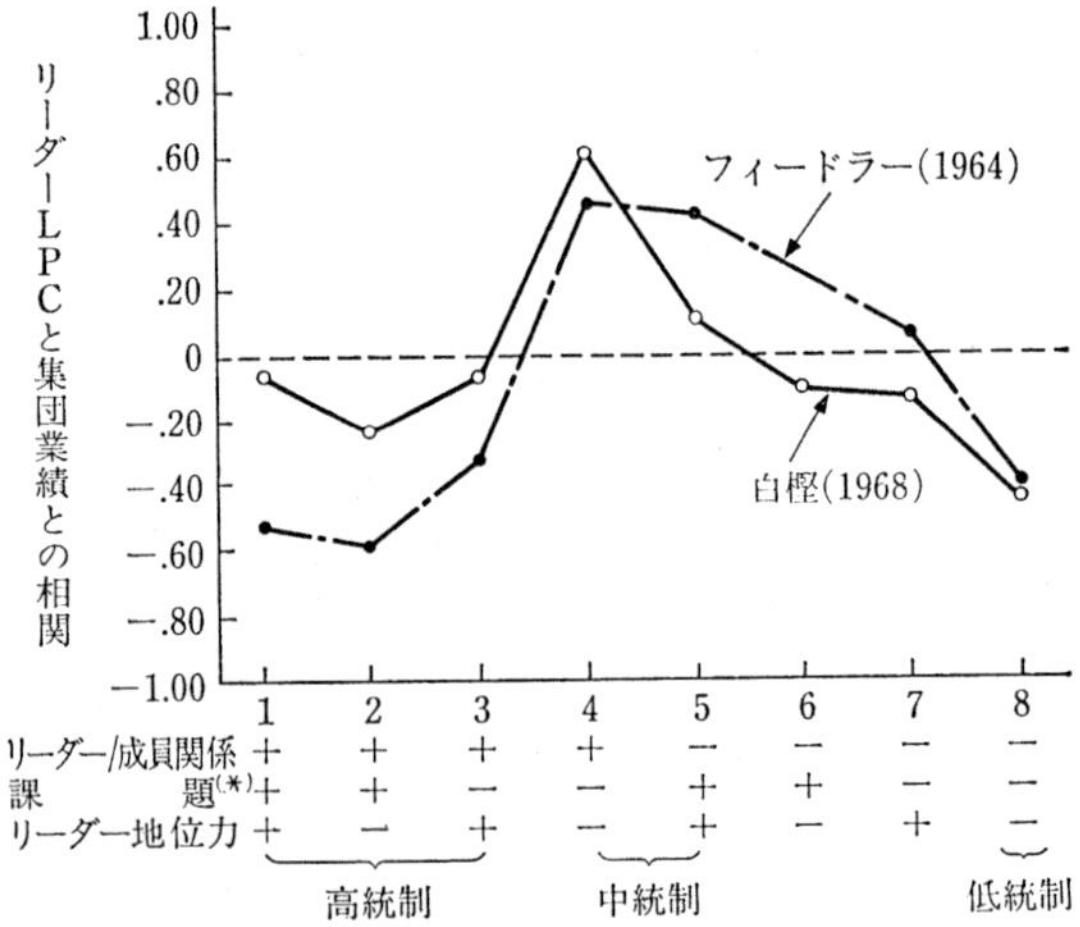

（注）　＊　課題の表示法については本文の記述を参照。

高ＬＰＣ（関係動機型）よりも低ＬＰＣ（課題動機型）リーダーのほうがより有効であり、中統制条件においては低ＬＰＣ（課題動機型）よりも高ＬＰＣ（関係動機型）リーダーのほうがより有効である。

本実験の結果とフィードラー〔32〕のモデルの結果（各オクタントの中央値）との相関係数（ピアソン）を求めると、プラス・七五で五％レベルで統計的に有意であった。このことから本実験は、フィードラーのモデルの妥当性を支持しているといえる。

ただし、本実験において課題実施状況から集団創造性検査（非構造的課題）を乱数表の集計（構造的課題）よりもリーダーの状況統制力においてより上位（高い方向）に置いたこと、あるいはリーダーの決定（話し合いかくじびきか）をリーダー地位力の操作としたこと——これはむしろリーダー／成員関係の操作ではなかったかとの批判——など、実験上の問題もいろいろ残されてい

表4・10　条件即応モデルの妥当性に関する白樫〔140〕の実験結果

（白樫，1968〔140〕，Table 7 および Table 8 のデータより）

リーダーの状況統制力1)	オクタント	リーダー／成員関係	課題	リーダー決定	リーダーのLPCと集団効果性との順位相関 Rho	N3)	フィードラー〔32〕のもとのデータ（中央値）4)
	1	よい	創造性	話し合い	−.06[2)]	12	−.52
高統制	2	よい	創造性	くじびき	−.24[2)]	6	−.58
	3	よい	乱数表	話し合い	−.09	12	−.33
中統制	4	よい	乱数表	くじびき	.60	6	.47
	5	やや悪い	創造性	話し合い	.09[2)]	10	.42
	6	やや悪い	創造性	くじびき	−.11[2)]	8	
	7	やや悪い	乱数表	話し合い	−.15	9	.05
低統制	8	やや悪い	乱数表	くじびき	−.47	8	−.43

（注）1）原表に筆者が加筆。

2）4個の下位検査ごとの相関の中央値。

3）くじびき実施に不手際があったため，集団の数がふぞろいになった。

4）原表に筆者が加筆。ただし課題の性質に関する本実験の特殊条件については，本文中の記述を参照のこと。

る（なお、オクタント6についてはフィードラー〔32〕のオリジナル論文にデータを欠いているため、またオクタント7についてはフィードラー〔32〕のオリジナル・データの相関の中央値がゼロに近いため、いずれも本実験との直接的な対比は考えない――ただし、本実験とフィードラー・データとの相関についてはオクタント7も含む）。

フィードラー〔43〕はモデルの妥当性検証を目的として行なわれた諸研究結果を、表4・11のように要約している。これは各研究報告のデータがどのオクタントに分類されるかを独立の評定者（フィードラー理論について特別の知識をもたない人。今回初めて各オクタントの条件についての説明を受け、ただ各研究がどのオクタントに入るかだけを判定させられた）が判定した。それらを現場研究と実験室実験に分けて整理したものである。

まず表の下方にある、中央値（全研究）と中央値（オリジナル・データ）を比較してみよう。前者はこれ

表4・11　条件即応モデルの妥当性検証を目的とした諸研究結果の要約

(Fiedler, F. E., 1978〔43〕, Table 1 より)

	オクタント							
	1	2	3	4	5	6	7	8
(現場研究)	−.64		−.80		.21		.30	
ハント (1967)	−.51	.60					−.30	
ヒル (1967)		−.10	−.29			−.24	.62	
フィードラーほか(1969)		−.21		.00		.67[a]		−.51
オブライエン＝フィードラー(未公刊)		−.46		.47		−.45		−.14
テュームス (1972)	−.47[b]			.62[b]				
(実験室実験)								
フィードラー (1966)	−.72	.37	−.16	.08		.07	.26	−.37
	−.77	.50	−.54	.13	.03	.14	−.27	.60
島 (1968)		−.26		.71[a]				
ミッチェル (1970)		.24		.43				
		.17		.38				
フィードラー		.34		.51				
チェマーズ＝スクルジペク (1972)	−.43	−.32	.10	.35	.28	.13	.08	−.33
ライス＝チェマーズ(1973)						.30		−.40
サスキン (1972)			−.29[a]					
シュネイヤー(1978)		−.55[c]						
中央値 (全研究)	−.59	−.10	−.29	.40	.19	.13	.17	−.35
中央値 (現場研究)	−.51	−.21	−.29	.47	.21	−.24	.30	−.33
中央値(実験室実験)	−.72	.21	−.23	.38	.16	.14	.08	−.35
中央値 (オリジナル・データ)	−.52	−.58	−.33	.47	.42		.05	−.43

予測と一致した方向での相関係数の個数　38[d]
予測と反対方向での相関係数の個数　9
二項検定による有意水準　.01
[a] $p<.05$　[b] $p<.01$　[c] $p<.001$　[d] オクタント6を除く。

(注)　表中の数値はリーダーLPCと集団業績の相関。

ら妥当性諸研究で見いだされた（リーダーLPCと集団業績との）相関を各オクタントごとに整理して、現場研究と実験室実験の全部のデータ（例えばオクタント1には全部で六個の相関係数がある）のそれら相関係数の中央値である。もう一方の中央値（オリジナル・データ）はフィードラー〔32〕の条件即応モデル構成に用いられた、相関係数の中央値（一三九ページ表4・8参照）である。この両者の符号を比較してみる。オクタント6（これはオリジナル・データがないので比較できない）を除いて他のすべてのオクタントについて、両者の符号は完全に一致している。つまり妥当性検証の諸研究結果を総合すれば、それは条件即応モデルの仮説を支持しているといえる。

この表4・11をもうすこし詳しく調べてみよう。現場研究の結果と実験室実験の結果を（二つの中央値について）比較してみると、オクタント2を除いて他はすべて両者の中央値の符号が一致している。つまりオクタント2で、現場研究全体の傾向はオリジナル・データと一致しているが、実験室実験の結果はこれと食い違っている。これはここで報告されているオクタント2の実験室実験の諸研究に何か実験条件の操作に関して不十分な点があったのか、あるいはこのオクタント2がさらに二つ以上の条件に分かれて、一方ではリーダーのLPCと集団効果性との相関がプラスになり、他方ではそれがマイナスになるという、まだ見いだされていない何らかのファクターが特に実験室実験場面で働いているのかもしれない。

しかし表4・11で示されている諸研究の相関係数四七個のうち、実に三八個（八一%）は条件即応モデルの示す符号と一致している（二項検定によれば一%レベルで統計的に有意）。これらの事実からフィードラー〔43〕は、条件即応モデルの妥当性は支持されたと主張している。

LPCの意味

フィードラーのモデルにおいて、リーダーのLPC得点は中核的概念の一つである。これまで高LPCは関係動機型、低LPCは課題動機型という解釈を主として用いてきた。実はこのLPC得点の意味については使用され始めて三〇年以上たつのに、いまだに議論が絶えないほどである。ここでそれらを整理しておこう。

LPC得点の意味の議論に入る前に、LPC尺度の信頼性と安定性について簡単にふれておきたい。ここで尺度の信頼性（「同一の対象に対して多数回独立に繰り返して測定したときの測定値間の一貫性の程度」『新版心理学事典』平凡社、一九八一）の指標を折半法によって求めると、諸研究で得られた指数の平均は・八八できわめて高いことが証明されている〔43〕。また再検査法による安定性の指数についてみると、これも二三編の報告の指数の中央値は・六七とかなり高いといえる〔43〕。もちろん、LPC尺度の信頼性や安定性に対する批判や議論もかなりあるが、この問題はフィードラー理論への批判をめぐる論争の項（一六四ページ）で改めて取り上げる。

さて、本項での中心的問題であるLPC得点の意味について考察しよう。LPC得点の解釈も（フィードラー自身の解釈を含めて）時代とともに変化してきている。なぜこのように解釈が混乱するかといえば、その理由のひとつとして、LPC得点が他の多くのパーソナリティ検査による得点とほとんど相関を示さない〔32〕ことがあげられる。ここではLPC得点の意味の変化をライス〔122〕に従って述べてみよう。

(1) **社会的距離**　フィードラーはこのＬＰＣ尺度を創始した頃、これを「心理的親密さの一般化された指標」と解釈していた〔31〕。高等学校バスケットボール・ティームあるいは大学生測量ティームに関するデータ（一二二ページ）が出始めていた頃、フィードラーは集団効果性の高いリーダーは自分自身と集団成員との間にある種の心理的壁をつくり得るのではないかと考察した。逆にAS_o（またはＬＰＣ）が高いということは、他者との間に社会的・心理的距離をおかない傾向を示すものと解釈された。

(2) **動機と欲求**　次にあらわれた解釈〔33〕で、高ＬＰＣの個人は対人関係がうまくゆくことに強い欲求をもち、低ＬＰＣの個人は課題遂行に強い欲求をもつというものである。この解釈を支持する筆者のデータ〔139〕をあげておこう。

本調査の対象者は、長崎県の炭鉱の採炭作業集団成員。係員とよばれるリーダーのもと約三〇名で一集団を編成。ここでは係員のＬＰＣと彼の行動（集団成員による評定）との関係を中心として考察する。図４・６の①〜⑨にみられるように、高ＬＰＣリーダーは低ＬＰＣリーダーに比べて、仕事の割り振りを変える場合には部下とよく相談をし、自分の意見を押し通したりせず、部下の意見・希望・提案をよく聴き、部下からは気軽に話せると思われている。つまり高ＬＰＣリーダーの方がよりＭ的（五〇ページ）で、より配慮的行動を多く示しているといえる。

また図４・６の⑩〜⑱に示されるように、低ＬＰＣリーダーは高ＬＰＣリーダーに比べて、部下がまずい仕事をやったらそれを批判し、その日の作業予定量をしばしば口に出し、決められた時間まで

図4・6　わが国の炭鉱採炭作業集団における監督者のＬＰＣと彼の行動（部下による記述）との関係

（白樫，1966〔139〕，Fig. 1 および Fig. 2 より）

① あなたの係員は，あなた方に相談することなく有付（仕事の割り振り）を変えることがありますか。

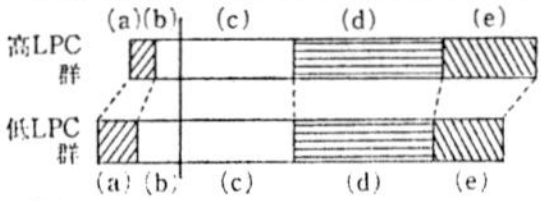

選択肢
- a）いつもそうだ
- b）かなりしばしばそんなことがある　$X^2=5.313$
- c）ときにはそんなこともある　df=1
- d）めったにそんなことはない　.025>P>.02
- e）全くそんなことはない

② あなたの係員は，自分の意見があなた方の意見とくいちがう場合，どこまでも自分の意見をおしとおそうとしますか。

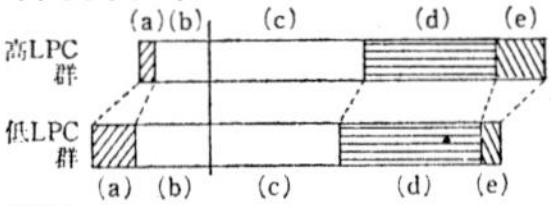

選択肢
- a）いつもそうだ　$X^2=7.477$
- b）かなりしばしばそんなことがある　df=1
- c）ときにはそんなことがある　P<.01
- d）そんなことはめったにない
- e）全くそんなことはない

③ あなたの係員は，あなた方が意見や希望，提案等をもちこめばうるさがらずにきいてくれると思いますか。

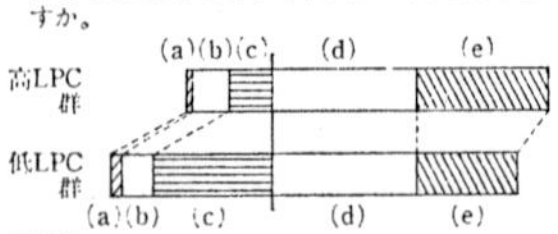

選択肢
- a）全くきいてくれないだろう
- b）めったにきいてくれないだろう　$X^2=3.069$
- c）ときにはきいてくれるだろう　df=1
- d）たいていの場合きいてくれるだろう　.10>P>.05
- e）いつもきいてくれるだろう

④ あなたの係員は，作業上の重要な事についてはあなた方の意見をきこうとしますか。

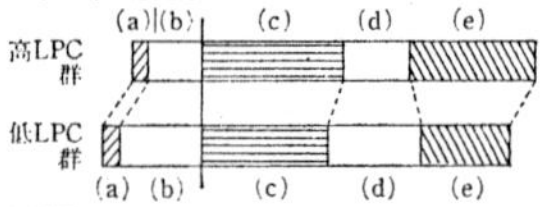

選択肢
- a）全くきかない
- b）めったにきかない　$X^2=3.318$
- c）ときにはきくこともある　df=1
- d）かなりしばしばきく　.10>P>.05
- e）いつもきく

⑤ あなたは仕事のことで，あなたの係員ときがるに話せますか。

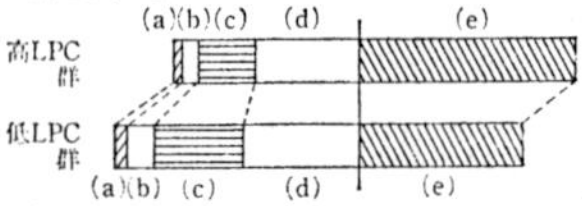

選択肢
- a）全くきがるに話せない　$X^2=7.523$
- b）めったにきがるに話せない　df=1
- c）ときにはきがるに話せる
- d）たいていの場合きがるに話せる　P<.01
- e）いつもきがるに話せる

⑥ 生産を上げるということで，あなたはあなたの係員の圧迫を感じることがありますか。

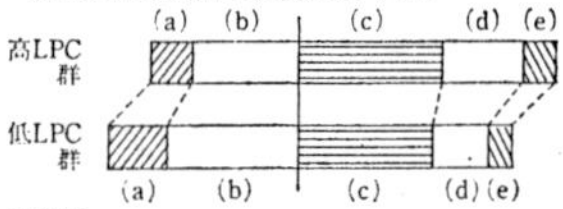

選択肢
- a）非常に感じる
- b）やや感じる　$X^2=5.327$
- c）どちらともいえない　df=1
- d）あまり感じない　.025>P>.02
- e）全く感じない

⑦ いざというとき，あなたの係員はあなたを助けてくれると思いますか。

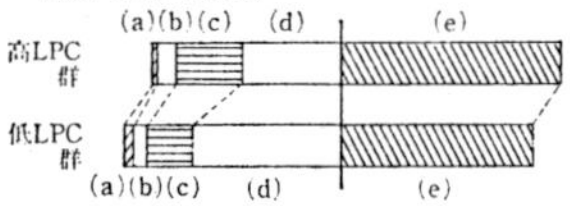

選択肢
- a）決して助けてくれないだろう
- b）めったに助けてくれないだろう　$X^2=1.910$
- c）ときには助けてくれるだろう　df=1
- d）たいていの場合助けてくれるだろう　.30>P>.20
- e）いつも助けてくれるだろう

⑧ あなたの係員は，あなた方が一緒に仲よく仕事ができるよう上手にやってくれていますか。

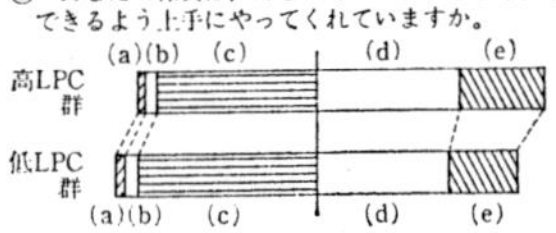

選択肢
- a）全くまずい
- b）どうもまずい　$X^2=2.104$
- c）まあまあというところ　df=1
- d）かなりうまくやっている　.20>P>.10
- e）非常にうまくやっている

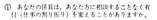

⑨ あなたの係員は，あなた方の気持を考えずに作業をさせることがありますか。

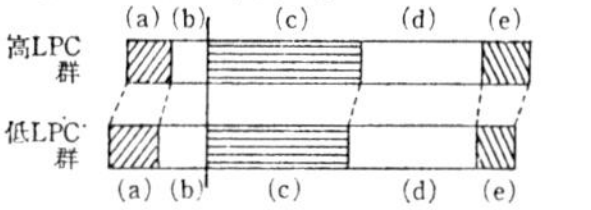

選択肢
a）いつもそうだ
b）かなりしばしばそうだ　$X^2=1.01$
c）ときにはそんなこともある　df=1
d）そんなことはめったにない　.50>P>.30
e）そんなことは全くない

⑩ あなたの係員は，あなた方がまずい仕事をやったとき，その仕事ぶりのまずさを批判しますか。

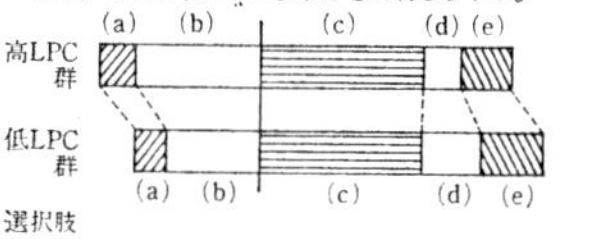

選択肢
a）全く批判しない
b）めったに批判しない　$X^2=3.362$
c）ときには批判することがある　df=1
d）かなりしばしば批判する　.10>P>.05
e）いつも批判する

⑪ あなたの係員はその日の見込（作業予定量）のことを口にしますか。

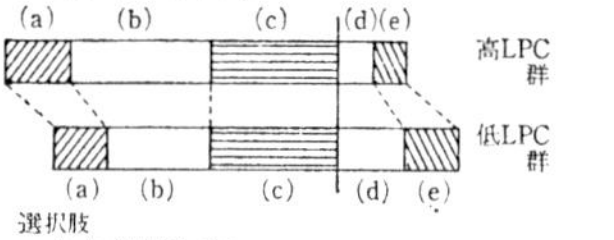

選択肢
a）全く口にしない
b）めったに口にしない　$X^2=9.623$
c）時には口にすることがある　df=1
d）かなりしばしば口にする　P<.01
e）いつも口にする

⑫ あなたの係員は，決められた時間までに見込（作業予定量）を積み出すよう，あなた方に要求しますか。

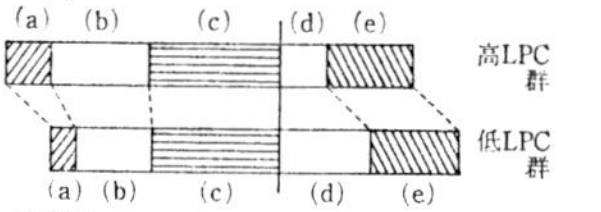

選択肢
a）全く要求しない
b）めったに要求しない　$X^2=5.901$
c）ときには要求することもある　df=1
d）かなりしばしば要求する　.02>P>.01
e）いつも要求する

⑬ あなたの係員は，作業上すでに決められたやり方に，あなた方が従うことを強調しますか。

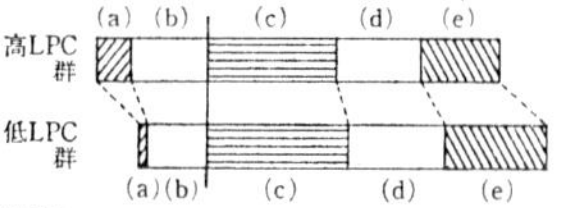

選択肢
a）全く強調しない
b）めったに強調しない　$X^2=7.272$
c）ときには強調することもある　df=1
d）かなりしばしば強調する　P<.01
e）いつも強調する

⑭ あなたの係員は，こまごましたことまで，あなた方に注意しますか。

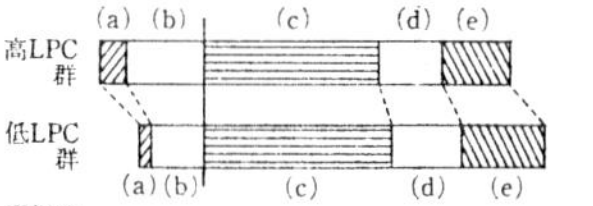

選択肢
a）全く注意しない
b）あまり注意しない　$X^2=6.541$
c）ときには注意することもある　df=1
d）かなりしばしば注意する　.02>P>.01
e）いつも注意する

⑮ あなたの係員は仕事に関して十分な権限を持っていると思いますか。

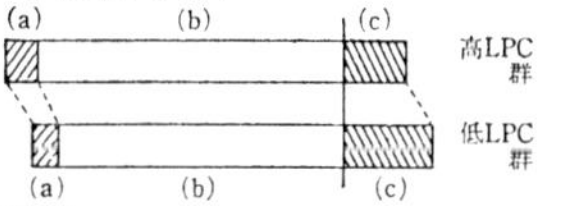

選択肢
a）弱すぎると思う　$X^2=3.245$
b）適当だと思う　df=1
c）必要以上に強すぎると思う　.10>P>.05

⑯ あなたの係員は規則をやかましくいいますか。

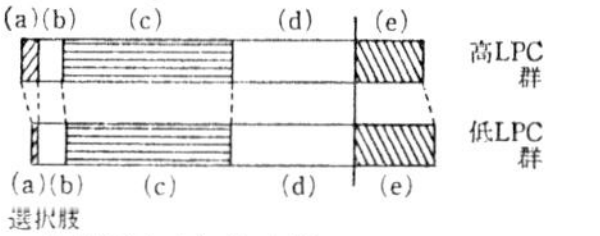

選択肢
a）全然やかましくいわない
b）あまりやかましくいわない　$X^2=0.820$
c）普通だ　df=1
d）かなりやかましくいう　.50>P>.30
e）非常にやかましくいう

⑰ あなたの係員は，作業上生じた問題について，新しいやり方を示しますか。

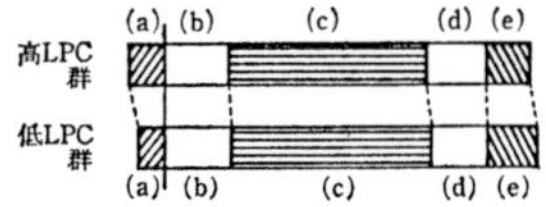

選択肢
a）全く示さない
b）めったに示さない
c）ときには示すこともある
d）かなりしばしば示す
e）いつも示す

$X^2=0.818$
df=1
.50>P>.30

⑱ あなたの係員は，あなた方を最大限に働かせようとしますか。

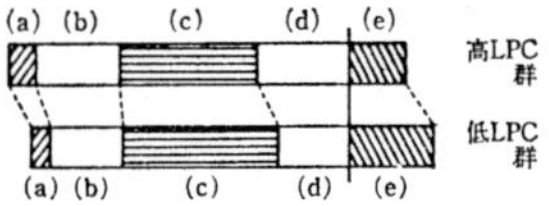

選択肢
a）そんなことは全くない
b）そんなことはめったにない
c）ときにはそんなことがある
d）かなりしばしばそんなことがある
e）いつもそうする

$X^2=3.160$
df=1
.10>P>.05

に作業予定量を出すよう部下に要求し、仕事の手順も決められた通りにやることを強調する。つまり低ＬＰＣリーダーの方がよりＰ的で、より構造づくり的行動を多く示しているといえる。

⑶ 認知的複雑さ　われわれは先に「分化の釣り合い」仮説（一四四ページ）について検討した。そのとき高ＬＰＣの人の対人認知は分化していると述べた。つまり「仕事仲間としては苦手」であるけれども、その人物の他のよい側面をとらえているわけである。だから高ＬＰＣの人の対人認知構造は複雑だといえる。

これに対して低ＬＰＣの人は「仕事仲間として苦手」であるということだけで全てを決めてかかり、もう他のポジティブな側面を見ようとしない。だから低ＬＰＣの人の対人認知構造は単純だといえる。

⑷ 動機づけの階層構造　フィードラーが一九七二年に新たに提起した解釈であり〔37〕、彼は現在もこれを保持している。この仮説を図４・７のように表示することができよう。

つまり、高ＬＰＣの人の一次的（基本的）動機はよい対人関係の維持であり、二次的（周辺的）動機が課題の遂行である。これに対して低ＬＰＣの人の一次的（基本的）動機は課題の遂行であり、二次的（周辺的）動機がよい

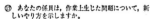

対人関係の維持である。

高ＬＰＣの人は、いよいよ究極的にどちらかという場面では対人関係がうまくいくという方向を選択するが、そうでない場面では意外と課題遂行に集中することもある。これに対して低ＬＰＣの人は、本質的には課題遂行に固執するが、場面によっては対人関係をかなりうまくやっていけるというわけである。

この解釈を支持すると思われる、ひとつのデータを示そう。これはサンプルとウィルソンが報告した実験室実験のデータ〔125〕を筆者が再分析したものである。被験者はアメリカ人大学生で、一学期間、同一成員で初級心理学実験のコースにおけるネズミの学習実験に参加した。一連の実習の開始直前に各集団に一名のリーダーが教師によって学生の中から指名された。

図４・７　ＬＰＣの動機づけの階層構造仮説
（Fiedler, F. E., 1972〔37〕の論述内容から筆者作図）

	２次的動機（周辺的動機）	１次的動機（中心的動機）
高ＬＰＣ	課題の遂行	対人関係の維持
低ＬＰＣ	対人関係の維持	課題の遂行

一週間に一つずつ実験課題を与えられるが、全期間中、他と違って特別にストレスを加える場面があった。この条件のとき、実験の手引書は与えられず、実験時間は短く、しかもこの時の報告書がこのコースの成績評価において最もウエイトが大きいと予告された。

この条件下で被験者たちはリーダーを中心にまず実験の「計画」について話し合い、その後計画に基づいて全員が作業を分担して実験を「実施」し、データを得た。そして最後に再び話し合いに基づいて全員で協

図４・８　リーダーのＬＰＣ，集団問題解決の位相およびリーダー行動との関係

（Sample, J. A. & Wilson, T. R., 1965〔125〕のデータの筆者による再分析，Fiedler, F. E. & Chemers, M. M., 1974〔45〕, Fig. 6-2 より）

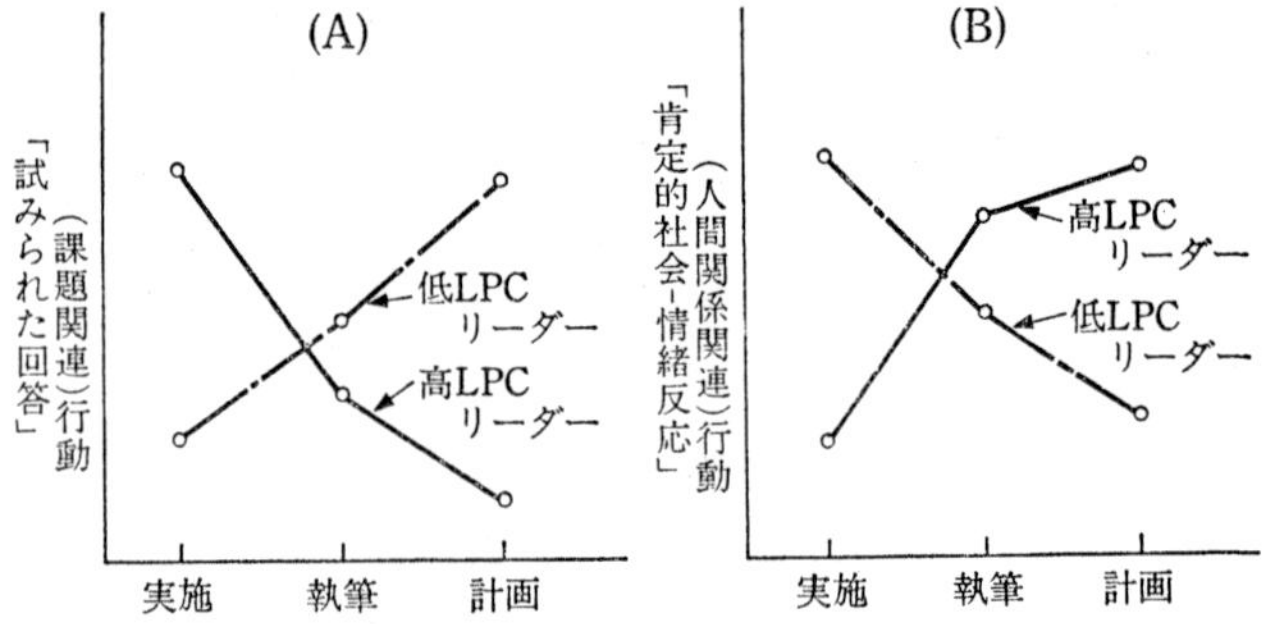

力して報告書を「執筆」した。この各段階におけるリーダーの行動は一方透視鏡を経て、隣室にいる観察者によって観察された。

観察に際してはベールスのカテゴリー〔5〕が用いられた。そのうちここでは「試みられた回答」（示唆、意見、オリエンテーションを与える反応）と「肯定的社会‐情緒的反応」（連帯性・緊張緩和を示し、同意する）とを取り上げる。前者はＰ的行動（五〇ページ）、構造づくり行動（七三ページ）に対応し、後者はＭ的行動、配慮づくり行動にそれぞれ対応するであろう。結果は図４・８に示される。

すなわち低ＬＰＣリーダーは実施の段階では課題行動が比較的少ないが、執筆・計画の段階となるにつれ、この行動が急激に増える。高ＬＰＣリーダーはこれと全く逆の傾向を示す。また、高ＬＰＣリーダーは実施の段階では人間関係関連の行動が少ないが、執筆・計画の段階となるにつれ、この行動が急速に増える。低ＬＰＣリーダーはこれと全く逆の傾向を示す。

筆者の解釈によれば、「実施」の段階ではリーダーおよび成員にとってそれぞれの役割や仕事の分担もすでに決っており、作業の手順も明確になっている。フィードラーのことばによれば課題はきわめて構造化されていることになる。これに対して「計画」の段階ではリーダーを含めて集団全体が仕事の取り組みにまだ不明確なところが多く、どう仕事を進めていくべきか悩んでいる状態である。フィードラーの用語に従えば課題はきわめて構造化されていないことになる。「執筆」の段階は、課題の構造化という点では実施と計画の中間的段階と考えられる。つまり図4・8(A)(B)とも）の横軸は、左端が最も構造化された課題状況（したがってリーダーの状況統制力は大）であり、右端が最も構造化されていない課題状況（したがってリーダーの状況統制力は小）と考えることができる。

こうなると、高LPCリーダーは状況統制力が高い場面では比較的、対人関係を保持する行動はあまり多く示さず、状況統制力が落ちるにつれ、対人関係行動を急激に増やす。また高LPCリーダーは状況統制力が高い場面では意外に課題関連行動を多く示すが、状況統制力が低下するにつれ、課題関連行動を急激に減少させる。これに対し低LPCリーダーは状況統制力が高い場面では比較的、課題関連行動をあまり示さないが、状況統制力が落ちるにつれ、課題関連行動を急激に増やす。また低LPCリーダーは状況統制力が高い場面では意外に対人関係関連行動を多く示すが、状況統制力が低下するにつれ、対人関係関連行動を急速に減少させる。

図4・7と照合させながら考察してみよう。高LPCリーダーは状況統制力が高い場面では確信をもち、余裕がある。したがって必ずしも基本的動機の追求をせず、むしろ二次的動機である課題の遂

行を重視しようとする。しかし状況統制力が低下してくると前のような余裕はなくなり、ただひたすら、その人の基本的動機である対人関係調整に苦心する。これに対し低LPCリーダーは状況統制力が高い場面では余裕があり、むしろ二次的動機である人間関係の欲求を充足させようとする。しかし状況統制力が低下すると、もはやそのようなのん気なことを言っておれず、課題遂行に専念する。

次のように考えることもできよう。高LPCの人は、状況を十分コントロールできる条件ではそうでもないが、状況のコントロールがきわめてむずかしい条件では、自分の一番得意とする対人関係調整という技法でなんとかその場を逃げきろうとする。また低LPCの人は、そのような不利な状況で課題の遂行という一番得意な手でその場になんとか対処しようとするともいえよう。さらにいえば、リーダーは状況統制力が不利になって初めて伝家の宝刀（高LPCの人にあっては対人関係の調整、低LPCの人にあっては課題の遂行）を抜くとでも表現できよう。

図4・8に示す筆者の再分析は、フィードラーの論文や著作にたびたび引用され、LPCの「動機づけ階層構造」仮説の妥当性を支持するデータとして使用されている〔35〕〔37〕〔41〕〔43〕〔45〕。

先に述べた筆者の実験室実験（一四四ページ）においても、これとよく類似したデータが得られている。実験手続などはあえてここで繰り返すことはしない。二種類の課題がすべて終了した時点で、成員は各自の集団のリーダーのP的、M的行動（五〇ページ）を評定した（したがって本実験では課題別のリーダー行動は測定されていない）。

図4・9(A)(B)とも）の横軸はリーダーの状況統制力の程度を示し、左側に近いほど状況統制力は高

図4・9　リーダーのＬＰＣ，集団条件およびリーダー行動との関係
（白樫，1968〔140〕，Fig. 2 および Fig. 3 より）

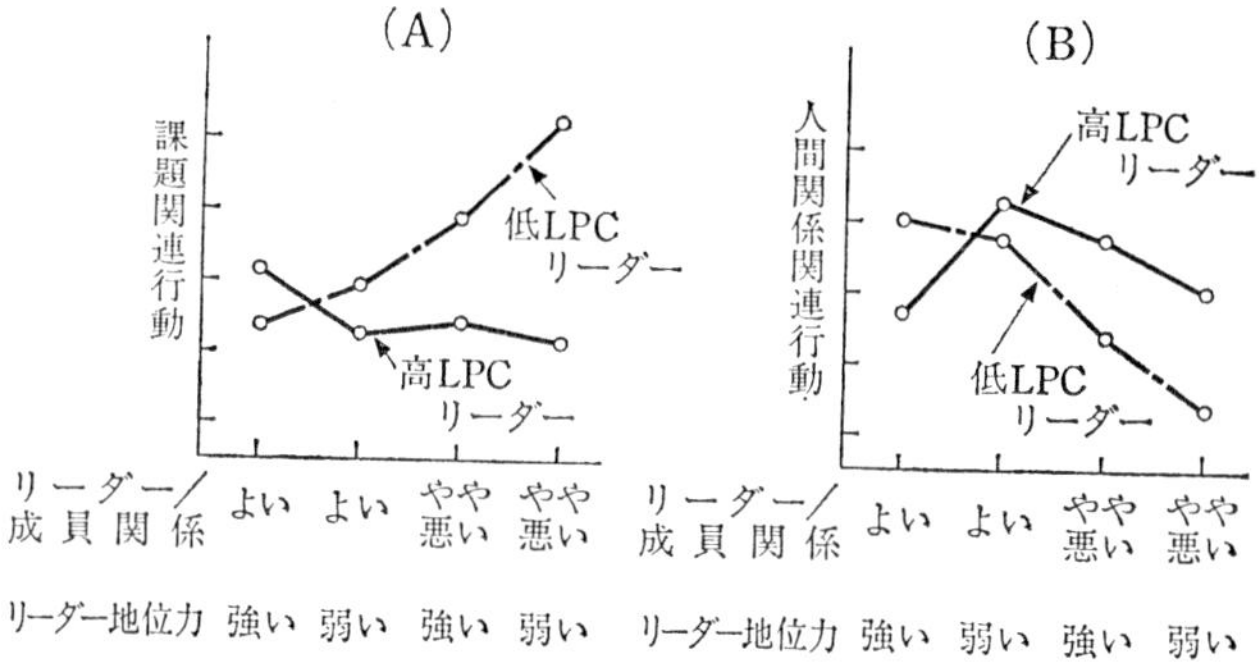

く、右側にいくほど状況統制力が低いことを示す。この図に示すとおり、低ＬＰＣリーダーは状況統制力が低くなるにつれ、しだいに人間関係行動が減少し、課題関連行動が増えることがわかる。高ＬＰＣリーダーの行動は低ＬＰＣリーダーほど顕著ではないが、潜在的には課題、人間関係の両次元とも低ＬＰＣリーダーとは逆の傾向を示している（本実験の報告書を書き終えた頃、筆者はこの図が意味することを十分考察することができなかった。昭和四四〔一九六九〕年秋から冬にかけて日本に滞在したカートライト博士〔当時ミシガン大学教授〕は九州大学教育学部でグループ・ダイナミックスのセミナーを担当されたが、そのセミナーで筆者がこの実験について報告した際、同博士からこの図４・９の示す意味に関して貴重な示唆を与えられた。あとで考えてみると、サンプルとウィルソンのデータを再分析〔一五六ページ図４・８〕しようと思い立ったのも、この体験が影響を与えているようである）。

これらのデータはいずれも（他にもかなりある。詳しくは筆者の論文〔112〕〔145〕を参照されたい）ＬＰＣの意味に関する「動機づけ階層構造」仮説の妥当性を支持するように考えられる。

ところがライス〔122〕は、LPC得点の構成概念の妥当性に関する詳細な文献展望の中で以上の考え方に疑問を提起している。すなわち彼によれば、リーダーのLPCとその行動（自己評定、成員評定、観察者評定のすべて）との関係について、①多くの研究は主効果のみを見いだしている――すなわち、高LPCの人は状況の違いにかかわらず関係志向的行動が多く、低LPCの人は一般に課題志向的行動が多い。②リーダーのLPCと集団－課題状況との交互作用がリーダー行動にとって統計的に有意であるという結果（たとえば一五六ページ図4・8および一五九ページ図4・9）のパターンについて、フィードラーが主張するほどには諸研究間に一貫性がないという。

そこで筆者はライス〔122〕の展望に引用されているいくつかの報告書のデータを再分析しようと試みた（さいわい昭和五三〔一九七八〕年八月から一年間、筆者は西南学院大学学術研究所の在外研究を与えられ、カリフォルニア大学ロサンゼルス校〔UCLA〕滞在ののち、昭和五四〔一九七九〕年一月から八月までシアトルのワシントン大学心理学部フィードラー教授の組織研究室で客員研究員として研究することを許された。このため通常では入手できにくい、タイプ刷りの研究論文などを利用することができた）。そのうちのひとつのデータ〔44〕を取り上げてみよう。

この実験はもともと条件即応モデルの構成のために用いられたものである（一三五ページ表4・7のオクタント3、7のところに含まれるミューズ＝フィードラーの研究である）。

被験者はアメリカの陸海軍予備将校訓練隊（ROTCおよびN－ROTC）の学生であった。集団構成、制服の着用、および（集団討議場面に予告なしで登場する）将校の存在などの諸要因によって、被験者に課せられる「ストレス」の大きさを操作した。

(1)　低ストレス条件――一集団の被験者三人はいずれも陸軍の予備将校訓練隊（ROTC）の学生で、私服のまま実験に参加することが許された。三人のうち階級の最高位のものが実験者によってリーダーに指名された。実験中、将校が立ち会うことはなかった。

(2)　外的ストレス条件――一集団の三人の被験者はいずれも陸軍の予備将校訓練隊（ROTC）の学生。制服を着て実験に参加。三人のうち階級の最高位のものがリーダーに指名された。実験期間中、予告なしに将校が室内に立ち入り、ただ黙って彼らの行動を観察する。

(3)　内的ストレス条件――二人の陸軍予備将校訓練隊（ROTC）学生と一人の海軍予備将校訓練隊（N-ROTC）の学生で集団を編成。制服着用。二人の陸軍の学生のうち、階級の「低い」ものがリーダーに指名される。将校が入室することはない。

原著論文の考察と異なり、筆者〔150〕は各集団のリーダーの状況統制力は低ストレス条件で最も高く、次いで外的ストレス条件、そして内的ストレス条件においてリーダーの状況統制力は最も低いと考察した。なぜなら、内的ストレス条件では、陸軍と海軍の双方の学生がおり、しかも二人の陸軍のうち階級の低いほうがリーダーに指名されているから、彼は他者をコントロールすることが最も困難であったと思われる（各被験者の体験したストレスの大きさとは直接対応しないかもしれない）。

本実験では二種類の課題が用いられた。「提案課題」とよばれたのは、ROTCプログラムの給与の配分に関する新しい提案を集団でつくることであった。これは被験者に直接関係する身近な課題で

図4・10　リーダーのＬＰＣ，課題，ストレスおよびリーダー行動との関係
（筆者による Fiedler, F. E. & Barron, N. M., 1967〔44〕の
データの再分析，Shirakashi, S., 1980〔150〕, Fig. 3 より）

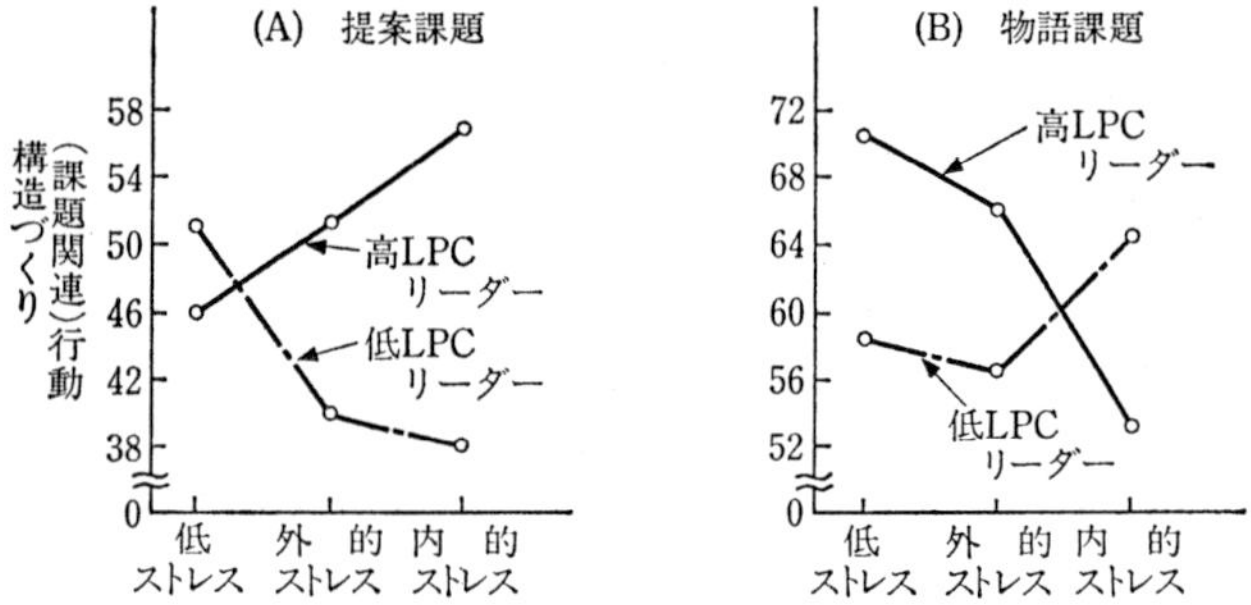

ある。もうひとつの課題は「物語課題」とよばれるもので、国家が直面している防衛上の問題を八〜九歳の児童に理解させるために、やさしくて面白い物語を集団でつくることであった。

集団討議のすべての過程は録音され、その後文章化された（筆者がシアトルのワシントン大学組織研究室に客員研究員として滞在中、使用していた机のそばの棚に、条件即応モデル関係の高等学校バスケットボール・ティームの調査以来のすべてのデータとともに、この記録ファイルが保存されていた）。

この集団相互作用過程の記録から、フィードラー＝バロン〔44〕はリーダー行動を抽出して分析した。そのデータを筆者はさらに分析して図4・10のような、興味ある結果を見いだした。ここでは構造づくり（課題関連）行動の結果のみが示される。すなわち物語課題（リーダーおよび成員に比較的なじみのうすい課題。図4・10の(B)）では図4・9の(A)（一五九ページ）と全く同じで、低ＬＰＣリーダーは状況統制力が低下するにつれ課題関連行動が増え、高ＬＰＣリーダーは状況統制力が低下するにつれ逆に課題関連行動が減少する。しかし提案課題（リーダーおよび集団

に比較的身近な課題。図4・10の(A)ではこれと全く逆の傾向が見いだされた。原著論文によればストレス（3水準）、リーダーLPC（2水準）、および課題（2水準）の二次の交互作用は一％レベルで統計的に有意である。

図4・8の(A)は全体的な相互関係の一部分でしかなかったと思われる。つまり図4・10の(A)の部分と(B)の部分とが合わせられて初めて、全体のパターンとしてあらわれてきたのではないか。もし二種類の課題のうち、提案課題はリーダーにとって経験のある課題、また物語課題はリーダーにとって未経験の課題とすれば、この図4・10の(A)と(B)の二つをそのまま横に連結して、リーダーが成員を最もコントロールしやすい状況（図4・10の(A)の左端）から、リーダーが成員を最もコントロールしにくい状況（図4・10の(B)の右端）まで六つの条件が並列的に並んでいるとも考えられる。

もしリーダーLPCとリーダー行動との関係を分析した多くの研究が図4・10の(A)(B)の左右両端の部分の状況のみでデータを収集していたとしたら、そこには主効果（低LPCリーダーは課題関連行動が多く、高LPCリーダーはそれが少ない）のみが見いだされて、本来存在するはずの交互作用（リーダーLPCとなんらかの状況要因の組み合わせの効果）が見えなくなるのではなかろうか。ライスの展望〔122〕で交互作用を見いだした研究が少ないというのも、まさにこのようなことによるのではなかろうか。

筆者〔150〕はこれと類似のデータをエアー〔4〕、ボン＝フィードラー〔16〕などの報告についても見いだしている。これらわずかのデータ（しかも対人関係行動の側面についてはまだなおこのような交互作用があるか否かも不明）で多くの研究がリーダー行動に及ぼすリーダーLPCの主効果のみを見いだしているというライス〔122〕の展望に十分反論することはできないが、この領域でのひとつの問題提起としたい。

条件即応モデルに対する批判

フィードラーのリーダーシップ効果性の条件即応モデルに関しては、これまで実にさまざまな視点から厳しい批判が加えられてきている。そのすべてを網羅することは本書の紙幅の制限、あるいは筆者の展望技術などの条件からしても不可能である。これに関連して筆者は既に他に報告ずみ〔147〕でもある。ここではごく重要なポイントに絞って考察しよう。

(1) **LPC尺度に関する疑問**　(a) 構成概念妥当性を欠いているのではないか。ライス〔122〕の展望にもみられるように、LPC得点の解釈は時代とともに変わっていった。これは研究の当初、その心理学的概念が確立し、そののち測定技法が開発され、妥当性検証に続くという、知能検査およびパーソナリティ検査作成で通常踏まれるステップが、LPC尺度については、むしろ逆に測定尺度の開発からスタートしたため、その構成概念にいまだに混乱があるのではないか。フィードラー〔37〕の動機づけ階層構造仮説も実証データによって十分支持されているとはいいがたい〔122〕〔127〕。

(b) 内容的妥当性を欠いているのではないか。フィードラーほか〔46〕によればLPC尺度は「一緒に働くことを最も苦手と感じる相手」を仕事とは直接関係しない次元でどのように認知するかを測定すると主張しているが、フィードラー〔33〕で用いられたLPC尺度の中には「効率的―非効率的」というような明らかに仕事に関連した項目が含まれている。このことは因子分析によっても明確に示唆されている〔58〕〔137〕〔175〕。

(c)　併存的妥当性を欠いているのではないか。たとえばある知能検査を一定人数の被験者に試行し、同時に彼らのその学期の算数の成績のデータ（基準変数）を得て、両者の一致度を測定して、その知能検査の併存的妥当性を知ることができる。ところが、リーダーLPCと集団業績との相関に関するデータは、その多くが統計的有意水準に達していない。表4・11（一四八ページ）に示される四七個の相関係数のうち、五％レベルに達するのはわずかに五個に過ぎないではないか。表4・11に示される多くの相関係数（全研究を例にとると）をオクタントごとに通覧すると、一番大きいものでもオクタント1でマイナス・五九（これを二乗すると・三五。つまりオクタント1において、リーダーLPCによって集団効果性のグループ間差異の三五％しか説明できない。残りの六五％は他の要因によって規定される）に過ぎない。フィードラー〔33〕のオリジナル・データについても各オクタントの中央値は、絶対値の最大のものでもオクタント2の・五八（これを二乗すると・三四）に過ぎない。つまり、リーダーLPCによって規定される集団効果性は予想されるほど大きくはない〔2〕〔3〕〔97〕〔136〕。

(d)　予測的妥当性を欠いているのではないか。リーダーLPCから集団業績を予測するということが一連の研究の中心問題であるが、逆に集団業績からリーダーLPCが規定されることがあるのではないか。カッツほか（〔127〕から引用）は、集団の業績に関する情報を与える前後に学生集団のリーダーのLPCを測定したところ、高い業績の集団のリーダーは事前よりも事後のほうがLPC得点が高く、低い業績の集団のリーダーは逆にLPC得点を低下させるという結果を見いだした。リーダーLPC得点は集団業績の原因ではなく、その結果の可能性があるのではないか。

(2) **集団‐課題状況の区分に関する疑問**

(a) リーダー／成員関係、課題の構造、リーダー地位力の三要因だけでは不十分ではないか。フィードラー〔33〕は、集団‐課題状況の区分に当たり、この三つの要因以外にもリーダーの状況統制力（リーダーにとっての状況の有利さ）に影響を与える要因がありうると示唆しているが、最近〔43〕でも依然としてこの三つの要因のみを使用している。この三つの要因だけでは不十分ではないか。リーダーシップ研究のすぐれた展望〔83〕では、非常に数多くの仲介要因（モダレーター）の機能が指摘されている。またリーダー／成員関係：課題の構造：リーダー地位力の三要因の重みづけが4：2：1ということを客観的に証明するデータはない〔72〕〔128〕。

(b) 各要因の測定・操作の妥当性に疑問が残る。リーダー／成員関係は多くの場合、集団雰囲気に対するリーダーの評定（一二六ページ図4・1）によって測定されているが、これはリーダーに対する成員の認知によって左右される可能性があるのではないか。課題の構造は集団作業実行の教示におけるひとつの側面に過ぎないのではないか。リーダー地位力はリーダー／成員関係と重複する部分があるのではないか〔2〕。

(c) リーダーの状況統制力次元は果たして一次元か。フィードラー〔33〕のモデルにおけるリーダーLPCと集団効果性のオクタントごとの中央値（一三九ページ表4・8、一三八ページ図4・3）の変化をみると、オクタント3と4の間で符号がマイナスからプラスに突如として変わる。またオクタント7から8にかけてもプラスからマイナスに変わる。このことから、リーダーの状況統制力（図4・3のグラフの横軸）は果たして一次元であるといえるであろうか〔136〕。

このほかにもイギリスのホスキング〔71〕が最近も実に手厳しい、包括的な批判を展開している。これらの諸批判に対してフィードラー〔40〕〔42〕〔43〕はこれまでにもいろいろ反論してきている。その内容はある程度予想されるであろう（たとえばLPCの動機づけ階層構造仮説やリーダーの状況統制力構成三要因の重みづけなどに関連して、一三一、一三二、一五八ページ参照）。

また、ごく最近、フィードラーのモデル構成に用いられたオリジナル・データ（一三四ページ表4・7）および妥当性検証実験の諸データ（一四八ページ表4・11）にストルーブほか〔158〕〔159〕がさらに統計的処理を加え、総合したところ、いずれもこのモデルの妥当性が立証されたという。しかしこの結論に対する批判〔164〕もある。

フィードラー理論に関する論争は果てしがないようである。フィードラーのモデルが一九六四年に公表されて以来既に二〇年が経過しようとしている。フィードラー教授自身、初めてこのモデルを発表した頃、それがこれほど長い年月にわたって大きな影響をこの分野でもち続けるとは思ってもみなかったという（昭和五四〔一九七九〕年春学期ワシントン大学の大学院リーダーシップ演習におけるフィードラー教授のことば）。フィードラー理論に対する批判のあるものについては同教授自身、これまで反論してきたし、また反論できるとする。しかし研究の現段階では残されたままの疑問も数多いことは、同教授みずから認めている。

このように発表以来長い年月を経たモデルではあるけれども、現在でも依然としてリーダーシップ研究分野において中心的位置を占めているといわれる〔95〕。

2　リーダーの行動と仕事の内容

上司のリーダーシップ行動と部下の態度・業績との関係に関する従来の諸研究間の不一致の問題をなんとか克服しようとしてエバンス〔27〕〔28〕は、「動機づけの通路－目標モデル」を提唱した。主要な変数間の関係は図4・11に示される。

図の中の(a)は上司のリーダーシップ行動でこれまでしばしば述べてきた配慮、構造づくり行動次元（七二ページ）である。(b)はたとえば、職場で必要なとき他者を援助すること（通路）が上司から高い評価を得ること（目標）にどの程度役に立つと思うかに関する部下の主観的評価をあらわす。(c)はたとえば、上司から高い評価を得ること（目標）がその部下にとってどれほど重要視されるかを意味する。(d)はたとえば、必要なとき職場で他者を援助しようという行動（通路）を実行する動機づけである。(e)はたとえば、他者を援助するといった行動をどの程度実行するか（「全くしない」から「いつもする」まで）、(f)は他者を援助することが現実に上司からの高い評価を得ることに果たしてどの程度役に立つか、(g)は現実に得られた上司からの高い評価、そして、(h)は上司に対する満足度を示す。さらに、(i)として能力や課題の要因も関連してくる。

職場においては目標として上司からの高い評価のほか、技術や能力の改善、同僚からの尊敬、仕事の安定、よい仕事の成就、給与などがあげられるであろう。また通路としては高い業績、よい品質、作業方法の改善、自己の技術・能力の開発などが考えられよう。さらに職務満足としては監督者・仕事・同僚・昇進・給与などに対する満足度が考えられよう。

以上の考え方をもとにハウス〔73〕はリーダー効果性の「通路—目標理論」を展開し、多くの研究を刺激した。この概念はその後ハウス＝デスラー〔74〕によってやや修正された。ここではその修正された理論に沿って考えてゆこう。その理論は次の二組の仮説からなる。

(1)　課題が構造化されていない（課題の内容、目標、手続などが標準化・客観化されておらず不明確である）とき、リーダーの構造づくり行動と部下の満足度や通路—目標関係の認知された明確さなどとの間にプラスの相関があるだろう。つまり課題が構造化されていないとき、上司が構造づくり行動を強くとればそれに応じて部下はより満足し、通路—目標の関係もより明確に認知されるであろう。そしてそのような課題状況では、上司が構造づくり行動を積極的に示さなくなると、部下はより不満を感じ、（部下から

図4・11　動機づけの通路—目標モデル

(Evans, M. G., 1970〔27〕, Fig. 1 より)

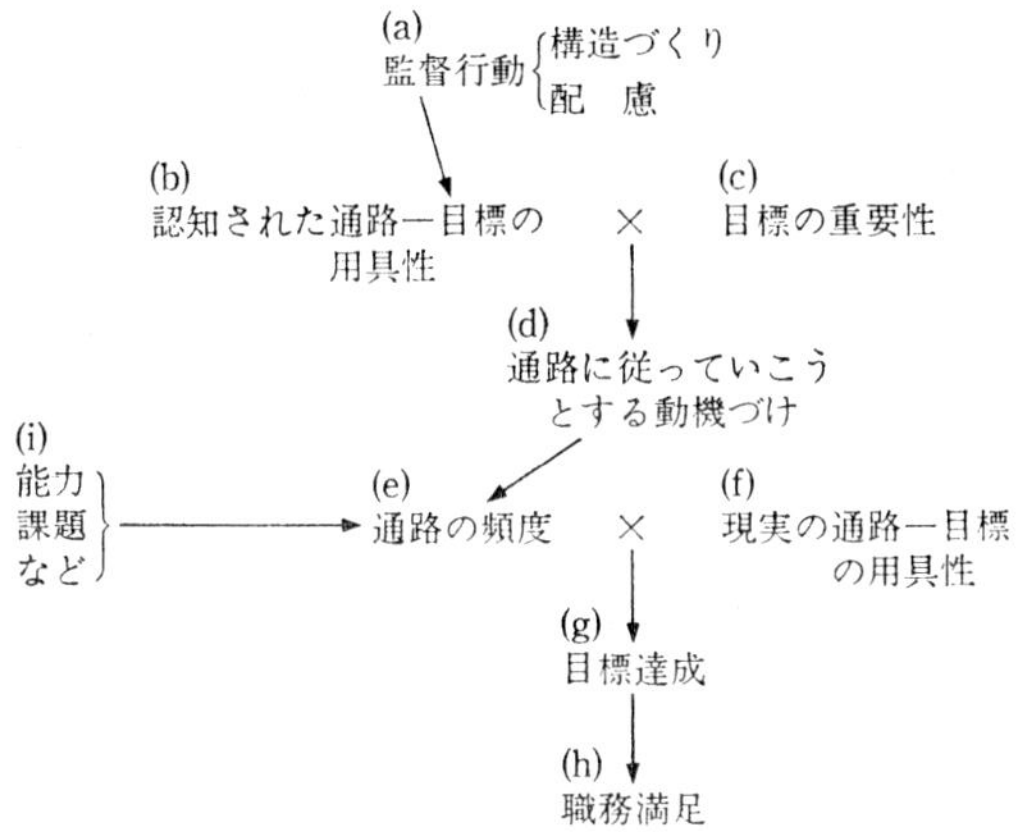

(注)　本文の説明の便宜のため，(a)〜(i)の記号を筆者が加筆。

図4・12　課題の構造別の上司のリーダーシップ構造づくり行動と部下の満足度との相関（通路—目標理論の仮説1）

(House, R. J. & Dessler, G., 1974〔74〕の本文の記載内容をもとに筆者作図)

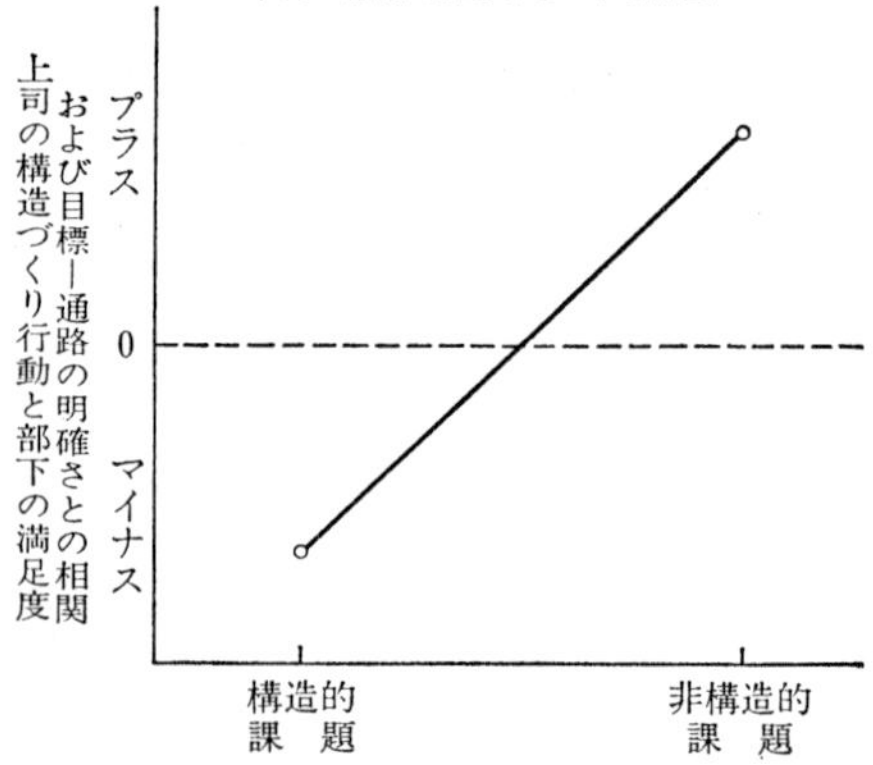

みて）通路—目標関係の認知もより不明確になるであろう。

逆に課題が構造化されている（課題の内容、目標、手続などが標準化・規格化されており明確である）とき、リーダーの構造づくり行動と部下の態度との間にはマイナスの相関があるだろう。つまり課題が構造化されているとき、上司が構造づくり行動を強くとればそれに応じて部下はより不満になり、通路—目標の関係の認知もより不明確になるであろう。そしてそのような状況では、上司が構造づくり行動を積極的に示さない方がむしろ部下は満足するであろう（図4・12参照）。

リーダー行動がある状況で効果的か否かは、その作業環境においてほかでは見いだすことができない種類のものをリーダー行動がもたらし得るか否かによるであろう（補償的機能とでも呼ぶことができよう）。課題の遂行方法がわからない、仕事の手順が不明瞭であるという場合こそ、リーダーの仕事中心的、構造づくり的機能は効果を発揮するであろう。逆に課題が決まりきって、部下にも方法などが十分認識されている場合には、リーダーが仕事に関してこまごまと指示をすれば、部下はかえって不満に思うであろう。

(2)　課題が構造化されている（課題の内容、目標、手続などが標準化・規格化されており明確である）場合、上司の配慮行動と部下の満足度、目標―通路関係の認知の明確さとの間にプラスの相関があらわれるであろう。すなわち課題の内容が決まりきった繰り返しの多いものである場合、部下はより満足し、目標―通路の関係についてもよりはっきりと認知することができるであろう。しかし課題が構造化されていない（課題の内容、目標、手続などが標準化・規格化されておらず不明確である）場合、上司が対人関係に配慮を加えても部下はむしろ不満を感じるであろう。

ここでも前に述べたとおり、上司のリーダーシップ行動が有効であるか否かは、その状況において本当にその種の行動が必要とされているか否かによるといえる。すなわち、決まりきった繰り返しの多い単調な仕事の場合、部下はそのままでは仕事にチャレンジしようという気持も起らず、不満をもつだけであろう。このようなとき上司が配慮行動を示せば、部下は救われた気になるであろう。これに対して仕

図4・13　課題の構造別の上司のリーダーシップ配慮行動と部下の満足度との相関（通路―目標理論の仮説2）

(House, R. J. & Dessler, G., 1974〔74〕の本文の記載内容をもとに筆者作図)

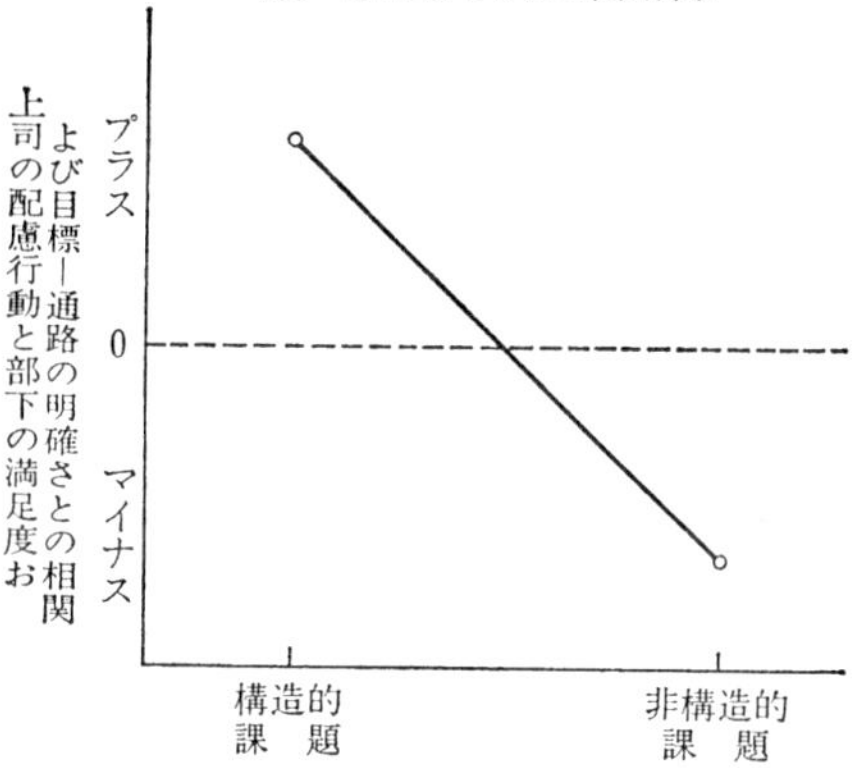

図4・14　ハウスのリーダーシップの通路—目標理論の概念的図式
(House, R. J. & Dessler, G., 1974〔74〕の本文の記載内容から筆者作図)

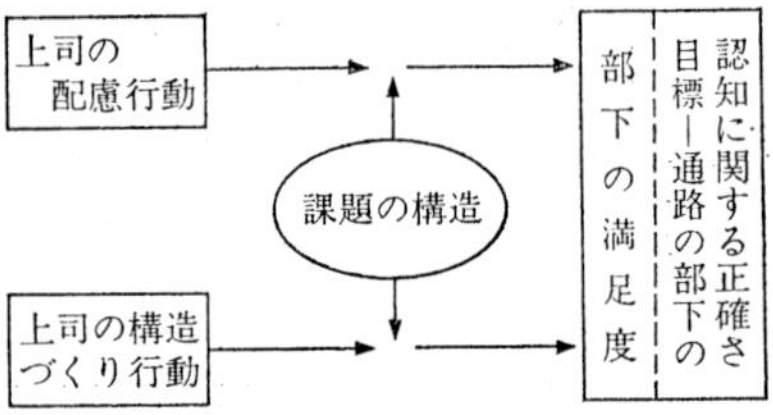

事のやり方も不明確で、あいまいな場合、上司が仕事と直接関係しない配慮行動をいくら示しても（それは部下の期待するものとは全く異なるので）、部下の不満はつのるばかりであろう（図4・13）。

以上のことをごく簡略化すると、図4・14のようになるであろう。すなわち上司の配慮・構造づくり行動と部下の満足度等との相関関係は、課題の構造要因によって仲介（モダレート）されるであろう。

この仮説の妥当性を検証するために、ハウス＝デスラー〔74〕がアメリカのエレクトロニクス関係の中規模の二つの会社で行なった調査結果を検討してみよう。調査対象はA社で二〇六名、B社で九六名（管理者からホワイト・カラー事務・専門職員、ブルーカラー作業員までを含む）。

上司の用具的リーダーシップ行動次元は、「何をどのようにやるかを上司が決定する」「業績について明確な基準をもっている」「成員が標準的な規則・規制に従うことを要求する」などの項目で測定された。また上司の支持的リーダーシップ行動は、「成員が愉快になるようなちょっとしたことをする」「成員を平等に取り扱う」「（上司は）友好的で近づきやすい」等の項目で測定された。

課題の構造は「仕事にどのくらい繰り返しが多いか」「仕事のやり方にどのくらいバラエティがあるか」「一日に行なう仕事は相互にどのくらい類似しているか」などの項目で測定された。

内発的満足度は、自律的活動、個人的成長、挑戦的で意味ある仕事などの機会をどのくらいもつことができると思っているかによって測定。また外発的満足度は、給与、昇進、承認、安定などに対してどの程度適切であると認知しているかによって測定。

図4・15　課題の構造化ごとのリーダーの用具的行動と部下の態度との関係（通路―目標理論の仮説1の検証データ）
(House, R. J. & Dessler, G., 1974〔74〕, Table 11 記載の〔会社A〕のデータから筆者が抜粋して作図)

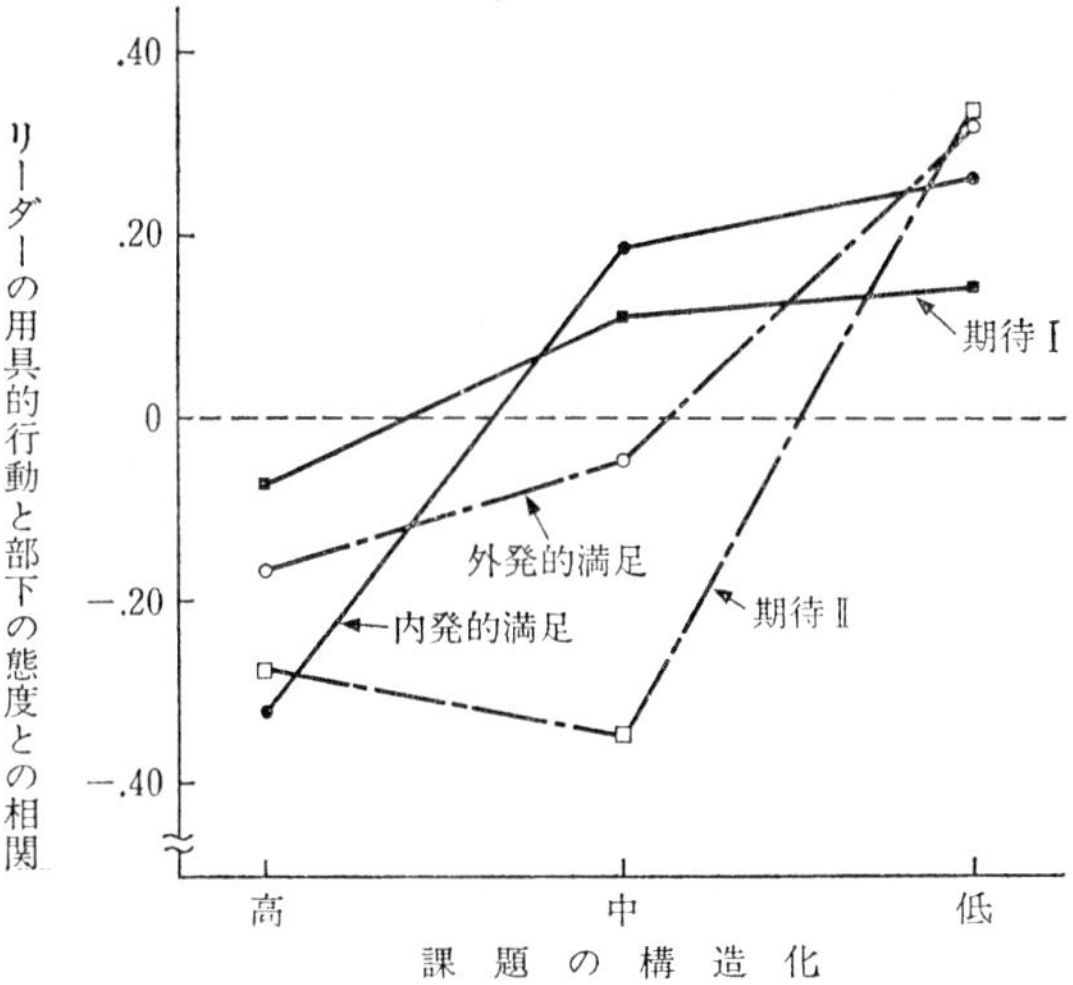

通路―目標Ⅰ（期待Ⅰ）は、「できるかぎり一生懸命やれば、自分の仕事も時間的要請にマッチできる」「できるかぎりのエネルギーをつぎこめば製品の品質をよくすることができる」「自分にできることをすべてやれば製品の品質をよくすることができる」などの項目で測定された。通路―目標Ⅱ（期待Ⅱ）は、「製品の品質をよくすれば会社はそのことを認めてくれる」「時間に間に合うよう仕事を完了すれば会社はそのことを認めてくれる」「時間に間に合うように仕事をすれば仕事の安定が保障される」などの項目で測定される。

図4・16　課題の構造化ごとのリーダーの支持的行動と部下の態度との関係（通路―目標理論の仮説2の検証データ）

(House, R. J. & Dessler, G., 1974〔74〕, Table 12 記載の〔会社B〕のデータから筆者が抜粋して作図)

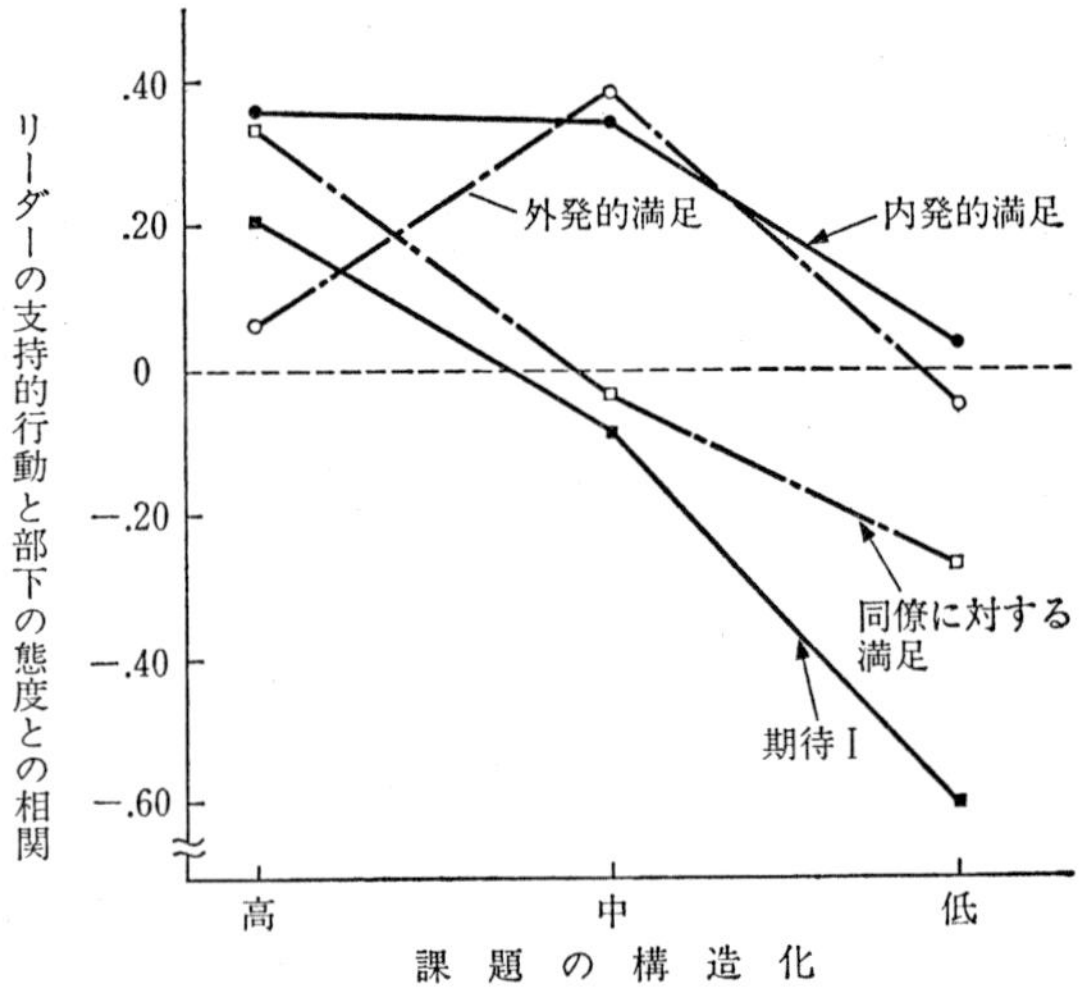

さて主要な結果は図4・15および図4・16に示される。第1仮説の検討から始めよう。図4・12と比較すればよくわかるように、この結果はモデルとよく一致している。すなわち課題が構造化している（課題の構造化が高い）とき、リーダーが仕事中心的になるほど部下は不満になり、部下の期待は不明確となる（通路―目標の関係の認知が不明確となる）。逆に課題が構造化していない（課題の構造化が低い）とき、リーダーが仕事中心的行動を強くとるほど部下は満足し、部下の期待は明確となる。会社Bの場合もこれとほぼ同じ傾向が見いだされた。仮説1は支持されたといえよう。

第2仮説について、図4・16の実証データと図4・13のモデルを比較してみよう。データの全体的傾向はグラフが右下がりとなってモデルとよく類似している。しかしこのグラフの両端の二つの相関係数の間に統計的有意差が認められるのは、わずかに期待Iについてのみである。これは会社Bのデータであるが、会社Aのデータの場合、課題の構造化の程度が低いとき（課題が構造化されていないとき）、二つの変数間の相関は一般にゼロに近づいてしまう。したがって仮説２については仮説の妥当性が検証されたとは断定できない（しかし図４・16に示されるようにデータの全体的パターンからみて、仮説２も潜在的には支持されたと原著者は考察している）。

図４・17　課題の性質ごとのリーダーの用具的行動と部下の転職希望との相関（通路—目標理論の仮説１の検証データ）

(Johns, G., 1978〔79〕, Table 1 記載のデータから筆者が抜粋して作図)

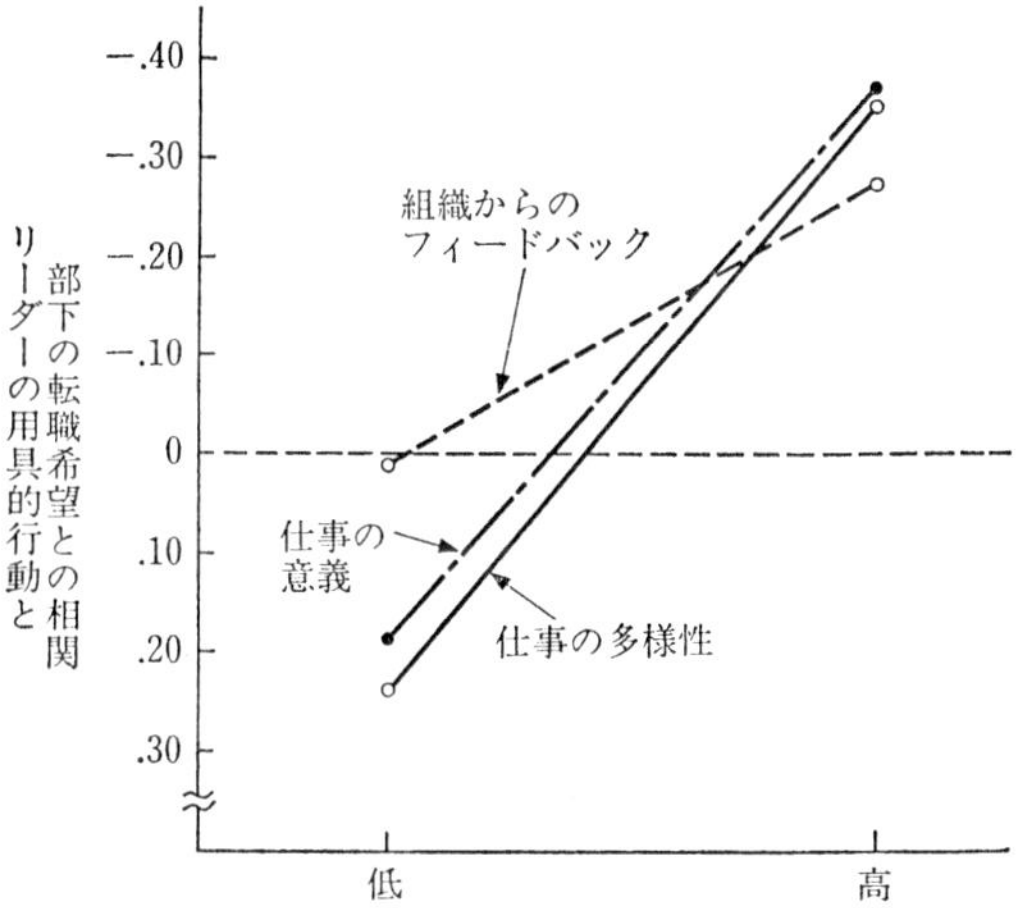

シュリシェイムほか〔130〕は、アメリカ・オハイオ州立大学の設備保守関係の職員二三〇名を対象として面接および質問紙調査によって、この通路—目標理論を検討している。その結果によると、オハイオ州立大学のリーダーシップ行動記述質問票第12形式（ＬＢＤＱ－Ⅻ、七三ページ表３・４参照）から選ばれた質問項目を用いた場合、仮説は支持されたが、オハイオ州立大学のほかのリーダーシップ測定票(Supervisory Behavior Description Questionnaire. ＳＢＤＱ〔129〕) から選ばれた質問項

図4・18　課題の性質ごとのリーダーの配慮行動と部下の転職希望との相関（通路―目標理論の仮説2の検証データ）

（Johns, G., 1978〔79〕, Table 2 記載のデータから筆者が抜粋して作図）

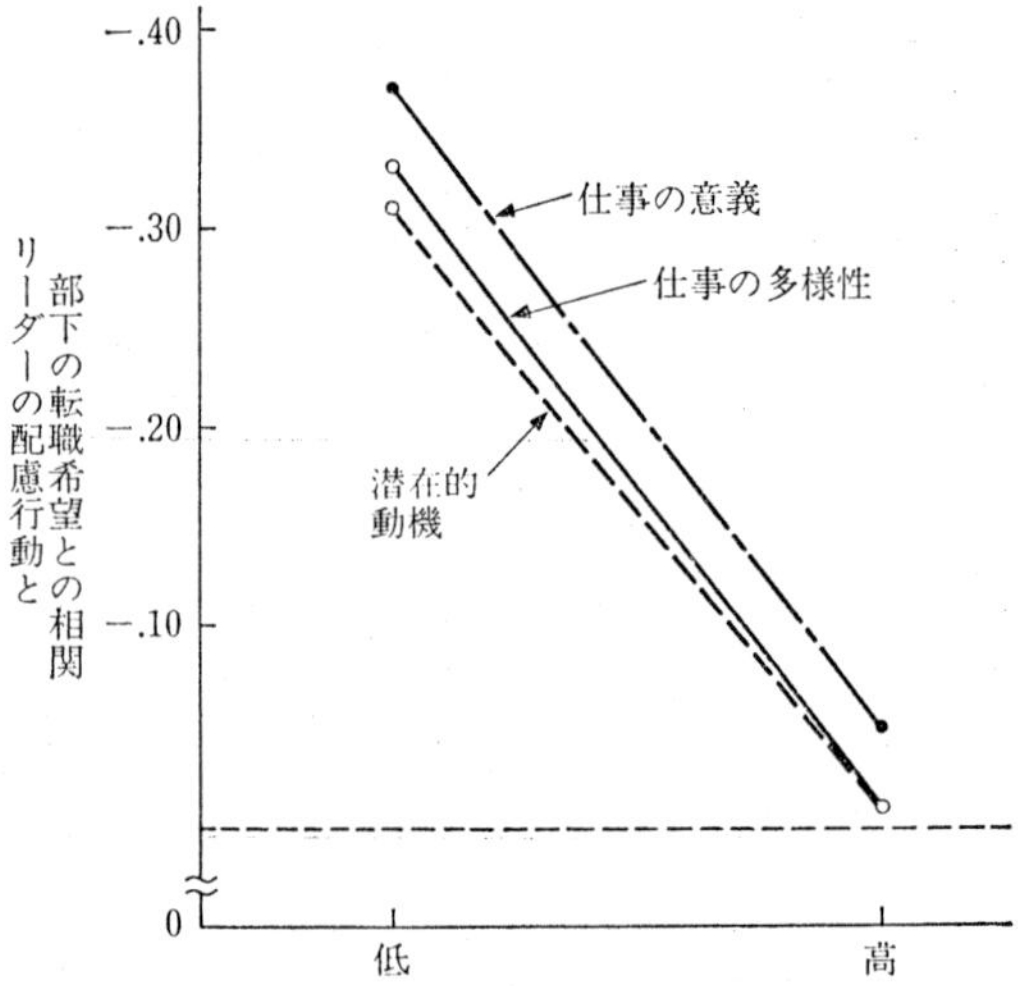

目を用いた場合、仮説は支持されなかった。

原著者はこのように述べているが、筆者の考察によれば、仮説1については、課題構造の高-低両条件間に（リーダーの用具的行動と部下の満足度との）相関について統計的有意差がなく、また仮説2については確かに課題構造の高-低二つの条件間に相関の有意差はあるけれども、課題の構造化が低いときの相関はゼロに近いところにとどまる。したがって、LBDQ-XII尺度を用いた場合でも、本調査の結果は、通路―目標仮説の妥当性を部分的に支持していると解釈した方が安全ではなかろうか。

カナダの製紙工場の一般従業員二三二名を対象とした調査結果〔79〕をみよう。結果は、図4・17および図4・18に示される。ここでは部下の態度として転職希望を取り上げたので、これまでの図との照合が便利であるようにするため、縦軸のプラス・マイナスの取り方を変えていることに注意されたい。

さて図4・17からみると仮説1は支持されたとみなされる。

図4・19　課題の構造ごとのリーダーの構造づくり行動と部下の態度との相関（通路―目標理論の仮説1の検証データ）
(Stinson, J. E. & Johnson, T. W., 1975〔154〕, Table 2 から筆者が抜粋して作図)

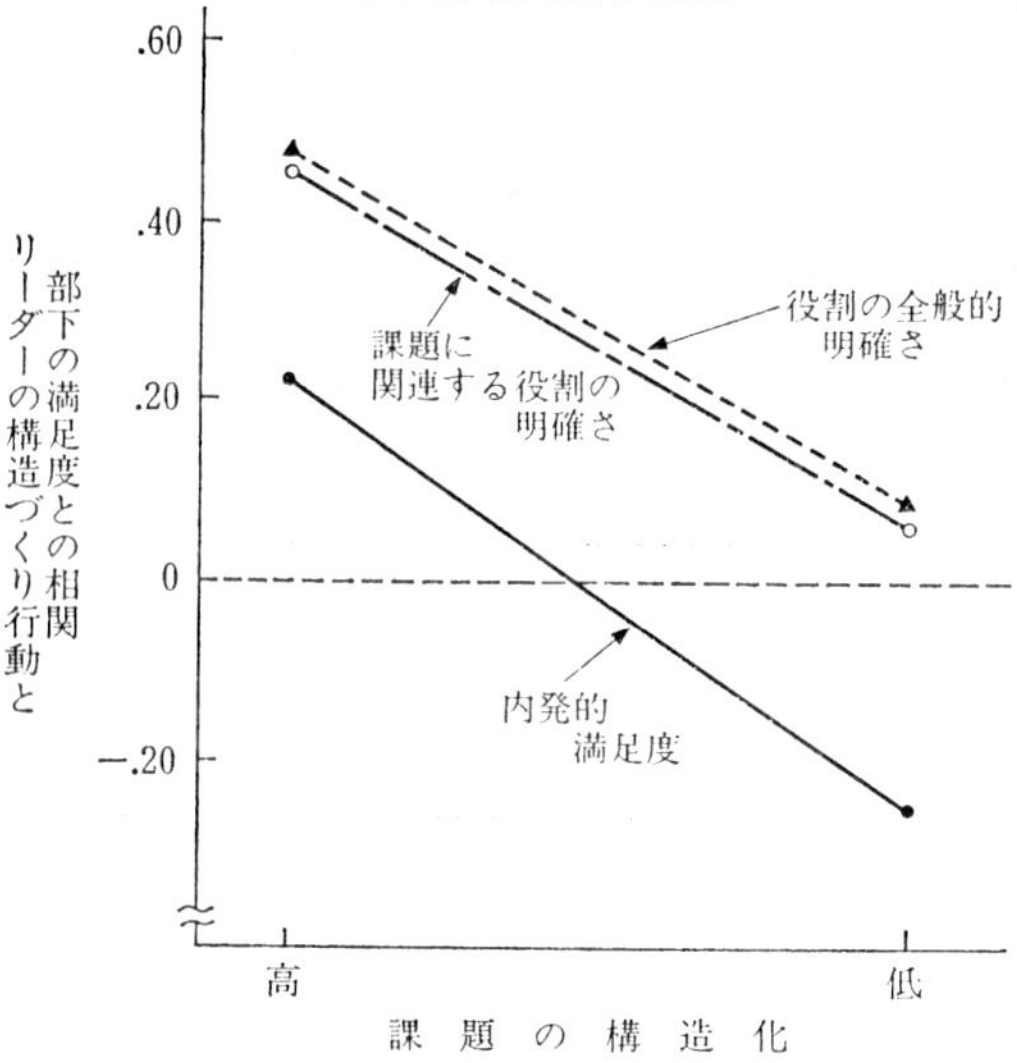

たとえば仕事の多様性が多く（高く）、変化の多い仕事の場合は上司が用具的（構造づくり的、課題志向的）リーダーシップ行動を多く示すほど、部下の転職希望は少なくなる。ところが仕事の多様性が少なく（低く）、繰り返しの多い仕事の場合は上司が用具的行動を多く示すほど部下の転職希望は増える。

図4・18の全体的パターンは確かに右下がりとなって、図4・13に示す（仮説2の）モデルと合致しているように思われる。これは前のシュリシェイムほか〔130〕の第2仮説の検証データと全く同じ傾向である（たとえば仕事の多様性が高いとき、相関がマイナスにならず、

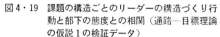

図4・20　課題の構造ごとのリーダーの配慮行動と部下の態度との相関（通路—目標理論の仮説2の検証データ）
(Stinson, J. E. & Johnson, T. W., 1975〔154〕, Table 3 から筆者が抜粋して作図)

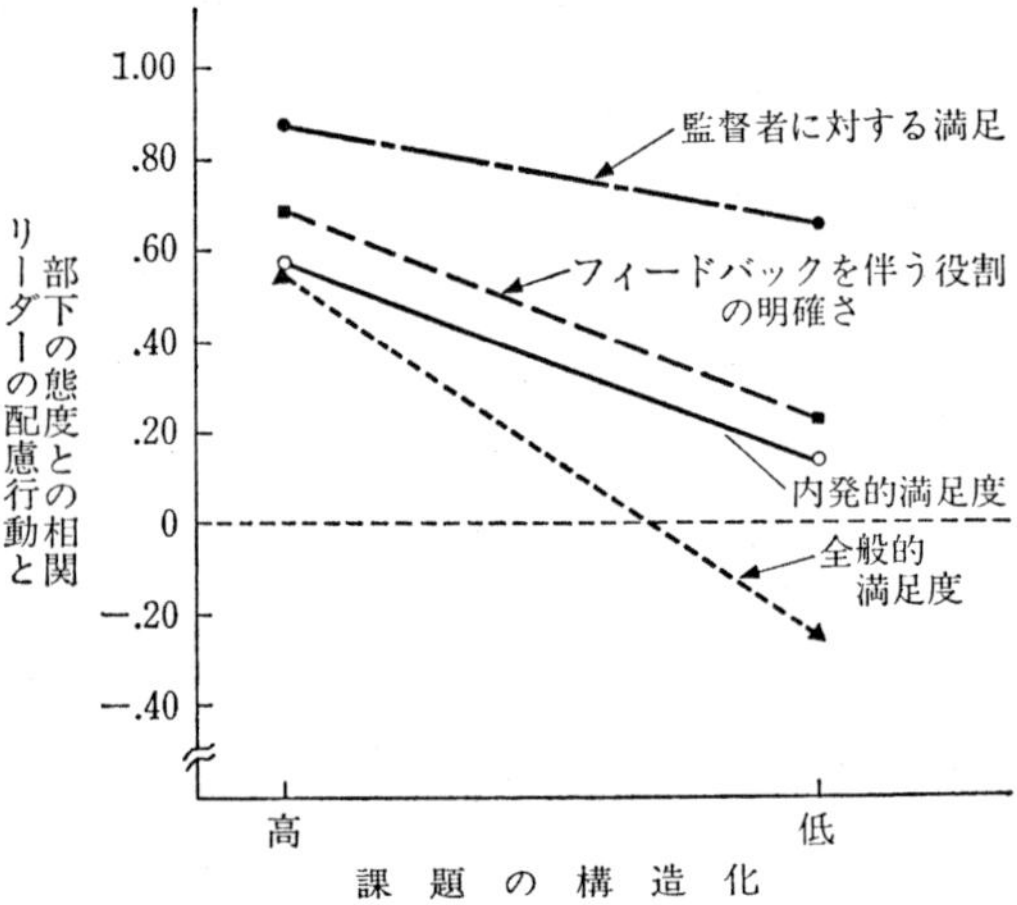

ほとんどゼロのレベルでとまっている)。

本調査の結果については原著者は通路—目標理論を十分支持したと考察しているが、厳密に考えればこの結論はやや甘いといわなければならない。

ダウニイほか〔25〕〔134〕はアメリカのある特殊鋼工場で六八名の管理者と六八名の一般従業員とを対象に、一年間の間隔をおいて同様の調査を行なった。その結果によると、通路—目標理論が示唆するような変数間の関係はそのままの形ではあらわれなかった。将来の研究においては課題の構造以外の諸要因を仲介要因（モダレーター）として取り扱う必要性が示唆された。

スティンソン＝ジョンソン〔154〕はアメリカ海軍（被調査者は海軍中尉から中佐までの軍人、一般勤務者、プロジェクト・マネージャー、合計九〇名）で調査を行ない、図4・19、図4・20に示す結果を得ている。仮説1（図4・11参照）について、本調査の結果はモデルと全く逆の傾向を示している。しかし仮説2

（図4・12）について、この調査結果はモデルと全く一致している。したがって、このことから上司の配慮行動については通路―目標理論の仮説は支持されたが、上司の構造づくり行動についてはその仮説が支持されなかったと結論されている。このデータ全体を通して、理論の妥当性は部分的に支持されたといえよう。

アメリカのあるエレクトロニクス機器の持株会社におけるデスラー＝バレンツィ〔24〕の調査においても同様な結果が得られている。この調査では二六名の監督者（非構造的な課題）と四七名の作業員（構造的な課題）の二群の結果が比較された。上司の配慮行動については仮説通りの結果が得られたが、上司の構造づくり行動については結果は仮説と異なっていた。

通路―目標理論に関する諸研究を展望してミッチェル〔106〕はこの理論の基本的命題は多くの研究によって支持されたと指摘しているが、これまで見てきたように、厳密な意味でこのモデルが十分に支持されているとは考えにくい。この理論モデルが将来の研究において価値をもつためには、リーダーシップ行動の測定尺度の問題、集団成員のパーソナリティ要因の問題なども含めて再検討する必要があろう。

3　意思決定のあり方

意思決定とは問題解決の状況において、実行可能なアクション・コースの選択肢の中から最適解と

表4・12　意思決定の諸方法
(Vroom, V. H. & Yetton, P. W., 1973〔169〕, Table 2.1 から抜粋)

AⅠ	あなた（管理・監督者）はその時点であなたが入手できる情報を利用して，あなた自身で問題を解決する（あるいは意思決定を行なう）。
AⅡ	あなたはあなたの部下から必要な情報を得て，その後問題に対する解決をあなた自身で決定する。あなたはどんな問題のために部下から情報を得ようとしているかについて部下に説明することもあれば，また説明しないこともある。この意思決定における部下の役割は明らかに，あなたに必要な情報を与えることであって，意思決定にかかわる可能な選択肢を考え出したり，評価したりすることではない。
CⅠ	あなたはその問題を関係する部下と個人的にお互いに共有し合い，彼らのアイディアや示唆を得る。しかし，それをあくまで個人的に行なうのであって，部下をグループとしてそのようにするわけではない。その後「あなた」が意思決定を行なう。それは部下の影響を受ける場合もあれば受けない場合もある。
CⅡ	あなたはグループとしてのあなたの部下と問題を共有する。彼らのアイディアや示唆を得る。そしてその後「あなた」が意思決定を行なう。それは部下の影響を受ける場合もあれば受けない場合もある。
GⅡ	あなたはグループとしてのあなたの部下と問題を共有する。みんな一緒になっていくつもの可能な選択肢を考え出し，それらを評価し，ひとつの解決へと合意（同意）が成立する。あなたの役割は議長のそれによく似ている。あなたは「あなたの」解決案をグループが採るようグループに影響を与えようとはしない。あなたは集団全体の支持が得られる，いかなる解決案をも，それを喜んで受け入れ，実行する。

（注）　原表から，集団課題の場合のみを取り出した。

思われるものを選択することであって（『新版心理学事典』平凡社、一九八一）、リーダーシップとたいへん関連が深い。われわれはさきにリーダー行動の民主型、専制型について検討した（八六ページ）。ここで改めて、組織における意思決定のあり方を考察してみよう。

ブルーム＝イェットン〔169〕は、組織における有効な意思決定のあり方は管理者が直面している課題状況によって異なるという立場から、次の図4・21（一八三ページ）に示す「規範的モデル」を提唱した。このモデルでは五種類の意思決定の方法が取り扱われるので、まずこれから説明しよう（表4・

表4・13　意思決定のタイプとリーダーシップ・パターンとの対応

(Vroom, V. H. & Yetton, P. W., 1973〔169〕, Table 2.2 より抜粋)

ブルーム＝イェットン（1973）	リカート（1967）	レヴィン＝リピット＝ホワイト（1939）
AI	独善的専制型（システム1）　温情的専制型（システム2）	専制的リーダーシップ
AII		
CI	相談型（システム3）	
CII		
GII	集団参画型（システム4）	民主的リーダーシップ

12)。意思決定の各タイプと他の研究者の概念とを対比させてみると（表4・13。リカートについては一〇四ページを、またレヴィンほかについては八六ページを参照）、それぞれの特徴がはっきりする。

すなわちブルームらのAIは、管理・監督者が全く部下から情報を求めることすらしない、完全な専制的決定のあり方である。AIIは部下から情報を得るが決定はすべて管理・監督者が行なうタイプである。CIは管理・監督者が部下と個人的に話し合って、決定は管理・監督者が行なうタイプ、CIIはCIと違ってグループとしての部下と交渉をするが、ただし決定は管理・監督者が行なう。そしてGIIは完全な集団参画型の決定で、リーダーと部下集団（あるいは成員相互の）完全な合意に基づく意思決定スタイルである。

さらにこのモデルでは、課題状況の分類が次の表4・14に示すような八個の質問項目に対する（管理・監督者の）反応に基づいてなされる。ある意思決定に関する問題に直面した管理・監督者は図4・21に沿って、その課題状況を分類するわけである。

たとえば、ある会社の業務課長が従業員の技術能力アップのため、新しいプログラムを導入しようとしている場面を例にあげて

表4・14　課題状況分類のための測定項目

(Vroom, V. H. & Yetton, P. W., 1973〔169〕, Fig. 3.2 より)

A．もし決定が受け入れられたとした場合，どのアクション・コースをとるかによって効果に差があらわれるか。
B．わたくし（管理・監督者）は質のよい決定を行なうために（必要とされる）十分な情報をもっているか。
C．結果として質のよい決定につながるような十分な付加的情報をあなたの部下はもっているか。
D．どのような情報が必要で，誰がそれをもち，どのようにしてそれを収集するかということをわたくしは正確に知っているであろうか。 ＊　必要な付加的情報はあなたの部下（全員）の中に見いだされるか。 †　意思決定を行なうに先立って，集団外部の付加的情報を収集することが可能であろうか。
E．決定が部下から受け入れられるか否かがそれを効果的に実行するためにきわめて重要であるか。
F．もしわたくし自身で決定を行なったとしたら，それがわたくしの部下によって受け入れられるということは確実であろうか。
G．部下は決定に際してその基礎として確かに組織のことを考慮に入れるであろうか。
H．選択肢の好みについて成員間に葛藤が存在するか。

みよう。このためには、社内で適切な講師を求めて勤務時間内に研修コースを開設する、社外の機関（大学その他の研究機関）に社員を派遣する、関連するテキストや資料を会社の費用で購入し、社員に無料で貸し出すなど、いくつかの方法があるとする。

この状況で課長は図4・21に沿って課題状況を分類する。まず項目A（方法によって効果に差があるか）で「いいえ」であれば、項目E（課長の決定を部下が受け入れるか否かが重要であるか）の判定に移る。ここでも「いいえ」であれば、その課題状況は①となる。表4・15をみると、課題のタイプ①ではAIからGIIまで五種類の決定方法がすべてあげられている。つまり、この場合ではどの決定方法も実行可能であるということを意味している。

図4・21　課題のタイプと実行可能な意思決定の方法
(Vroom, V. H. & Yetton, P. W., 1973〔169〕, Fig. 3.1 より)

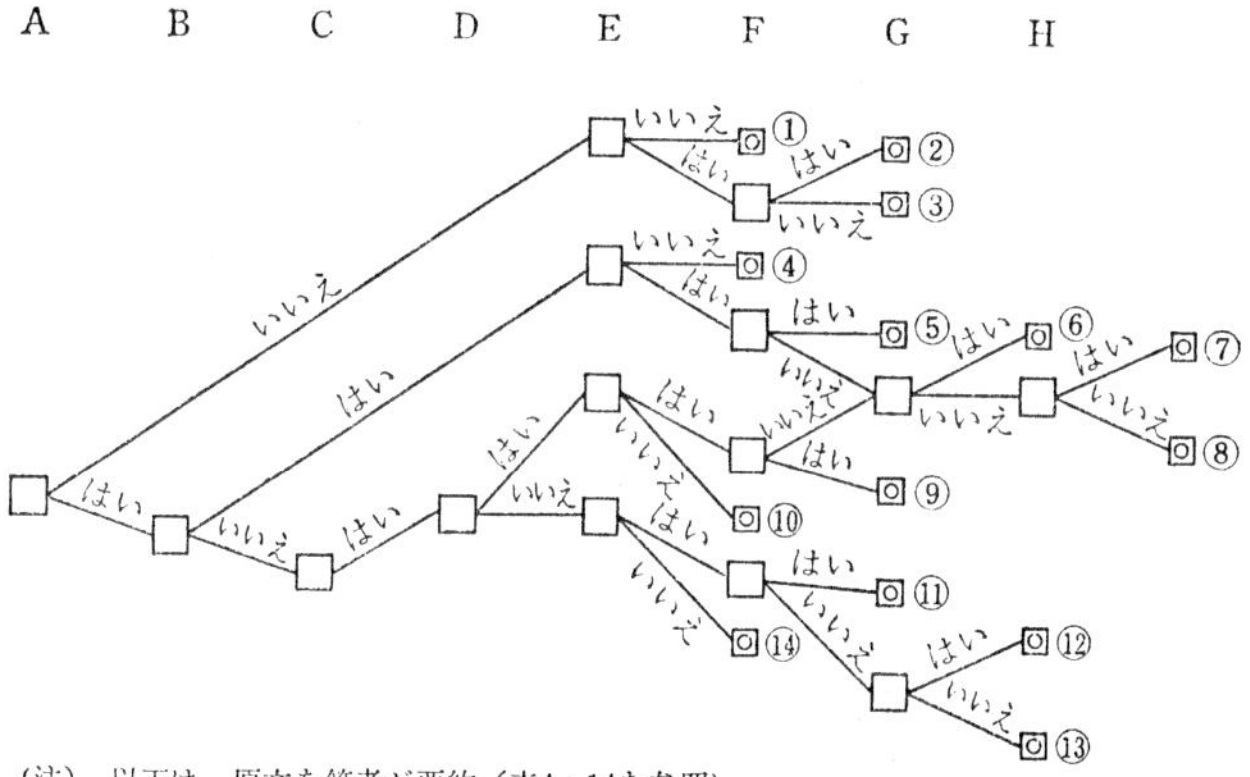

(注)　以下は，原文を筆者が要約（表4・14を参照)。
A　選択肢によって効果に差があるか。　B　必要な情報をリーダーはもっているか。　C　部下は必要な情報をもっているか。　D　どんな情報がどこにあるかをリーダーは知っているか。　E　決定が部下から受け入れられるか否かが重要か。　F　リーダーが決定した場合，確かに部下から受け入れられるか。　G　部下は組織全体のことを考えているか。　H　決定に際して部下の間に葛藤があるか。

表4・15　課題のタイプと実行可能な意思決定の方法
(Vroom, V. H. & Yetton, P. W., 1973〔169〕, Table 3.1 より)

課題のタイプ	実行可能な意思決定の方法
①	AⅠ, AⅡ, CⅠ, CⅡ, GⅡ
②	AⅠ, AⅡ, CⅠ, CⅡ, GⅡ
③	GⅡ
④	AⅠ, AⅡ, CⅠ, CⅡ, GⅡ
⑤	AⅠ, AⅡ, CⅠ, CⅡ, GⅡ
⑥	GⅡ
⑦	CⅡ
⑧	CⅠ, CⅡ
⑨	AⅡ, CⅠ, CⅡ, GⅡ
⑩	AⅡ, CⅠ, CⅡ, GⅡ
⑪	CⅡ, GⅡ
⑫	GⅡ
⑬	CⅡ
⑭	CⅡ, GⅡ

これに対して、項目A（方法によって効果に差があるか）で「いいえ」、項目E（課長の決定を部下が受け入れるか否かが重要か）で「はい」、項目F（課長が決定を下した場合、部下から確かに受け入れられるか）で「いいえ」となった場合、課題

図4・22　意思決定の規範モデル
(Vroom, V. H. & Yetton, P. W., 1973〔169〕, Fig. 3.2 より)

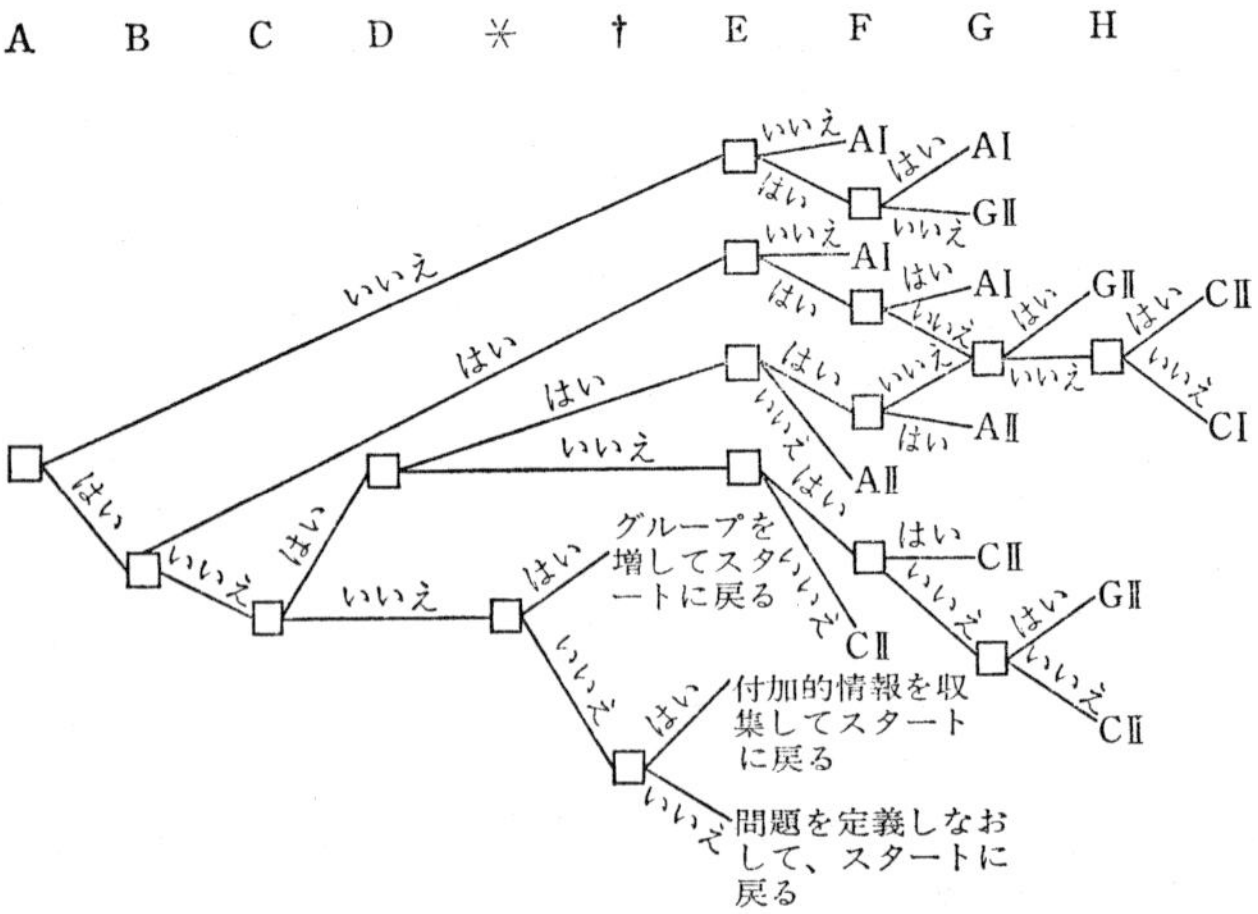

(注)　以下は，原文を筆者が要約（表4・14参照)。
A　選択肢によって効果に差があるか。　B　必要な情報をリーダーはもっているか。　C　部下は必要な情報をもっているか。　D　どんな情報がどこにあるかをリーダーは知っているか。　＊　必要な情報が部下（全体）の中にあるか。　†　集団外部から情報を得ることが可能か。　E　決定が部下から受け入れられるか否かが重要か。　F　リーダーが決定した場合，確かに部下から受け入れられるか。　G　部下は組織全体のことを考えているか。　H　決定に際して部下の間に葛藤があるか。

タイプは③となるので、GII（集団参画的決定）のみが実行可能となる。

さらにブルーム＝イェットンは、ある課題タイプの中で、ひとつ以上の決定法が実行可能であるとき、その中からひとつを選ぶという方法を示唆している（一八八ページの注参照）。

このモデルの特徴は、どんな課題状況においてどんな意思決定のあり方がふさわしいかを示唆しているところにある。ある課題状況では専制的意思決定も許容されるし、またある課題状況では集団参画的意思決定のみがふさわしいというわけである。

しかも課題状況の判定・分類を管理・監督者、リーダー自身、図4・

図4・23　意思決定の規範モデルの妥当性検証データ

(Vroom, V. H. & Jago, A. G., 1978〔167〕, Table 3 記載のデータから筆者作図)

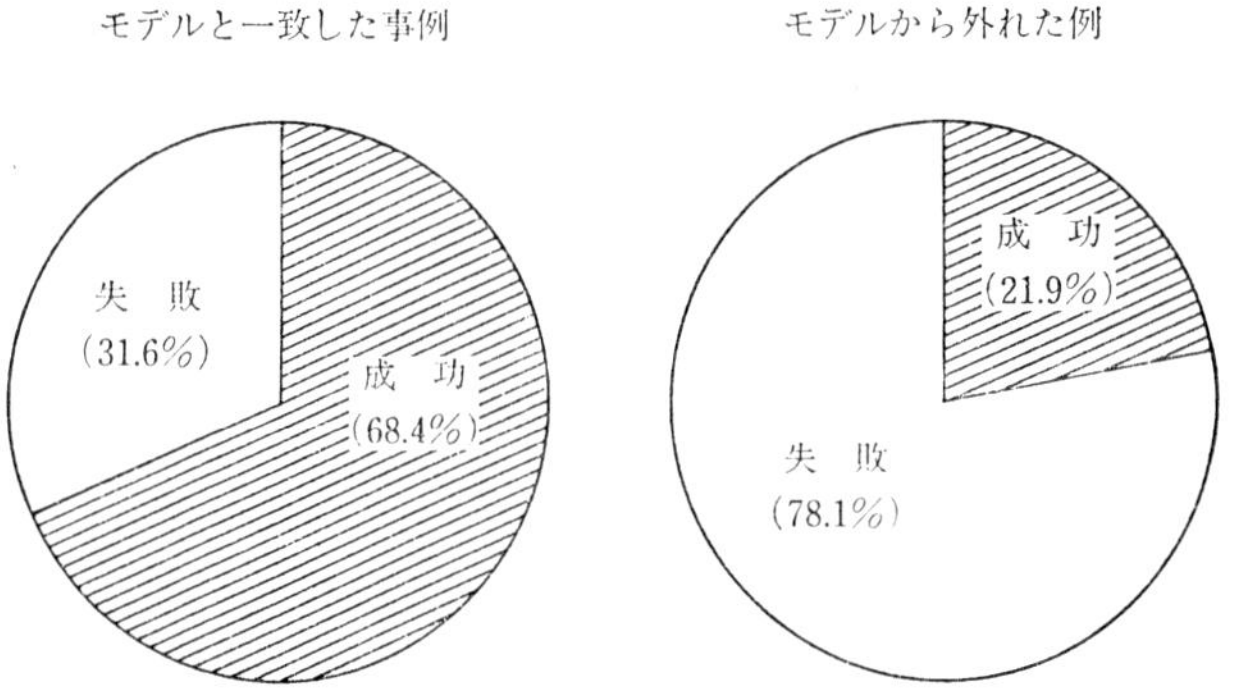

21（あるいは図4・22）に沿って割合容易にできる。

果たしてこの理論モデルはどの程度妥当なものであろうか。ブルーム＝ジャーゴ〔167〕によって九六名のアメリカ人管理者（その大多数は中間管理層。勤務先は製造業、旅行業、銀行が多く、少数の公務員、軍隊を含む）が対象とされ、管理者開発研修の一部としてデータ収集が行なわれた。調査対象者に、自分が過去に下した決定の中から、組織という観点からみて成功したと思われる事例と失敗したと思われる事例を各自ひとつずつ選び出すことを求める。

次に、それぞれの事例でそのとき自分はどのような形で意思決定を行なったか（一八〇ページ表4・12のAIからGIIまで）、またそれぞれの課題状況は図4・21（一八三ページ）に沿って判定すると、どのタイプの課題に該当するかを判定させた。そして、この両者を組み合わせたとき、その意思決定スタイルが果たして表4・15（一八三ページ）に示すモデルに合致しているか否かを検討した。

結果は図4・23に示される。つまり、モデルと一致する

図4・24　ブルーム＝イェットンの意思決定に関する規範的モデルの概念的表示

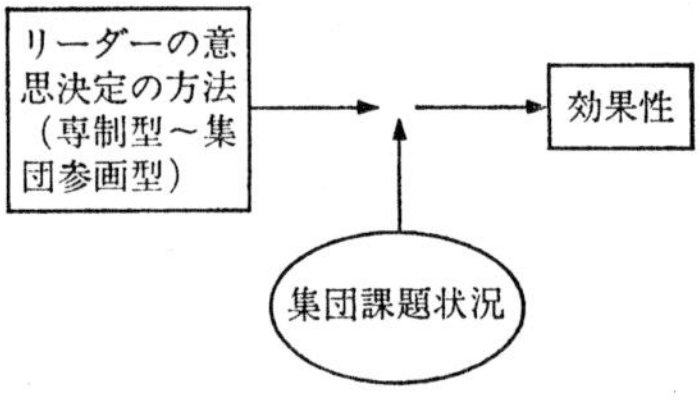

形で意思決定が行なわれた場合、その六八・四％が成功したのに対し、モデルから外れた形で意思決定が行なわれた場合、実にその七八・一％が失敗に終わっているのである。この結果は意思決定の規範モデルの妥当性を支持するといえる。このモデルを図４・24のように表現することもできよう。

ただブルームらのこのモデルの検証データでは意思決定パターンが自己評定によって測定されている。果たして上司の自己評定と部下による評定とがどの程度一致するのか気になるところである。ジャーゴ＝ブルーム〔77〕のデータによると、図４・25に示されるように、やはり若干のズレが認められる。つまり上司自身はCII（グループとしての部下と相談する）あるいはGII（集団参画型で決定する）で決定することが多いと考えているのに対し、その状況にある部下はAII（上司は部下から情報を得て上司が決定する）、あるいはCI（部下と個人的に相談する）で上司が決定することが多いと評定している。上司は集団参画的に決定したと自己認知しているが部下は（上司の決定が）専制的（あるいは相談的）であると評定しているわけである（しかしジャーゴらはこのズレがきわめて大きくて、モデルの妥当性に疑問をもたらす程のものではないとしている）。

われわれはここまでのところでリーダーのリーダーシップ行動（P的―M的、配慮的―構造づくり的、民主的―専制的）および意思決定（専制型―集団参画型）やリーダーの個性（LPC）、リーダーの知能、

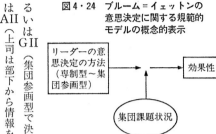

図4・25　上司の意思決定方式に関する自己評定と部下評定とのずれ
(Jago, A. G. & Vroom, V. H., 1975〔77〕, Table 1 から筆者が抜粋して作図)

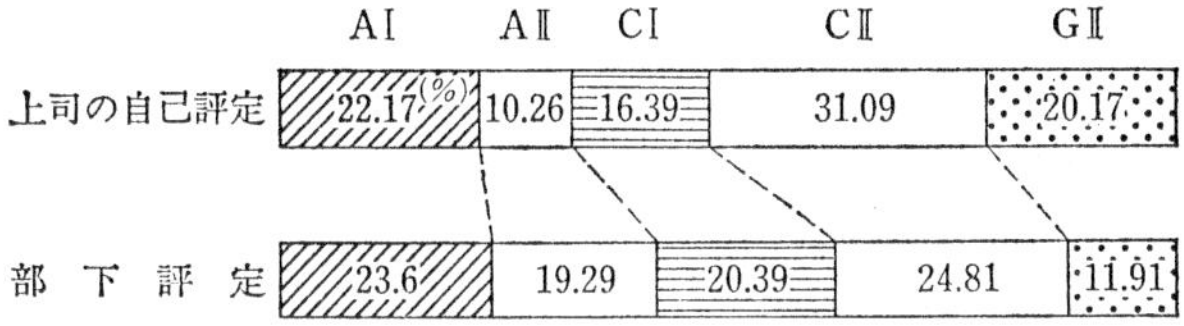

(注)　AⅠ～GⅡの符号の意味については，表4・12 (180ページ) を参照。

経験などが集団効果性にいかなる影響を与えるかは、種々の集団－課題状況によって異なるということを実にさまざまなデータによってみてきた。このようにリーダーシップ変数と集団効果性変数との間の関係がなんらかの状況諸変数によって仲介（モダレート）されるという研究の視点を、「リーダーシップの条件適合理論」（contingency theories）とまとめてよぶ〔86〕ことができよう（フィードラーの条件即応モデル〔contingency model〕はここでいう条件適合理論の代表的なものである）。

これに対してマグレガーのY理論〔96〕のようなものを、「リーダーシップの非条件適合理論」とよぶことができよう。条件適合理論に属する数多くのモデルがこれまで提唱されてきたが、そのひとつひとつについてみると、いずれもいろんな弱点を抱えているといわなければならない。

コールマン〔86〕は条件適合理論の重要性を踏まえながらも、なおかつ状況諸変数操作のレベルの問題、時間の問題（上司のリーダーシップ変数の変化が部下の業績・態度変数の変化に影響をあらわすまでの時間の問題、たとえば一一二ページを参照）、状況諸変数そのものの測定など、重要な問題点を指摘している。条件適合理論の重要性を認識しながらも、われわれはこれらの問題点をなんとか克服して、より完全な理論モデルへ近づく努力をしなければならない。

（注）ブルーム＝イェットン・モデル　図4・21（一八三ページ）に沿って課題のタイプを分類し、表4・15（同ページ）に照らしてもし二つ以上の実行可能な方法が見いだされた場合、どうするか。これについて、ブルームら[169]はその一つの方法として人、時間あたりのコストという概念をもちこむ。それによると、たとえば課題のタイプ①または②で五種類すべての方法が実行可能であるが、そのうち、AIが最少のコストですむとしている。さらに、十分な情報がないため、図4・21では課題の分類ができない場合、付加的に二つの補助項目を加えることも試みられている（一八四ページ図4・22参照）。

第5章 リーダーシップ訓練

1 経験と訓練

経験

われわれは経験豊富なリーダーの業績は、経験の乏しいリーダーのそれよりも優れているはずだと暗黙のうちに仮定している。特にわが国の組織においては生涯雇用が一般的であるから、勤続年数の長い人から順番に管理職に登用されるというシステムがかなり慣習化していると考えられよう。しかし経験豊富な（勤続年数の長い）リーダーの業績は本当に優れているのであろうか。

われわれはすでに第2章第2節（三六ページ）でリーダーの経験の問題を考察してきた。改めてこの問題を取り上げてみよう。フィードラー〔34〕は監督者の経験年数と集団・組織の業績との相関に関す

表5・1　管理・監督者の経験年数と集団業績との相関に関する諸研究結果の要約

(Fiedler, F. E., 1970〔34〕, Table 5 より)

標　本（研究者，発表年）	相関係数	N
ベルギー海軍（フィードラー，1966）	.10(a)	24
海軍大学校（フィードラー＝チェマーズ，1968）	−.21(a)	16
郵便局副局長（ニーリィ＝フィードラー）	−.53(a)	19
郵便局郵便部長（ニーリィ＝フィードラー）	−.13	20
郵便局郵便副部長（ニーリィ＝フィードラー）	−.12	19
郵便局第二線監督者（ニーリィ＝フィードラー）	.24	23
郵便局第一線監督者（ニーリィ＝フィードラー）	−.13	180
化学研究ティーム監督者（ハント，1967）	.12	18
工場技能工（ハント，1967）	−.28	11
食肉販売マーケット・マネージャー（ハント，1967）	.09	21
食糧品販売マーケット・マネージャー（ハント，1967）	.33	24
重機製造工場第一線監督者（ハント，1967）	−.18	10
中　央　値	−.12	385

（注）　aは中央値のみを示す。

る諸研究を展望して、表5・1のように要約している。一番相関が高い場合でもプラス・三三、最も低いものはマイナス・五三。全体の傾向を把握するために中央値を求めるとマイナス・一二となる。つまり管理・監督者の経験年数と集団業績とはほとんど相関がないということになる。

この表で報告されている研究の具体例をひとつ見てみよう。ベルギー海軍を対象として行なわれた実験室実験〔34〕である。三人からなる集団で、そのうちの一名がリーダーとして実験者から指名された。実験集団の半数では、将校（海軍大学校卒業後平均九・八年）が、また残りの半数では、新兵（軍隊勤務六週間未満）がそれぞれリーダーに指名された。

各実験集団には、①兵員募集広告文の作成（若い人々がベルギー海軍に応募してくれるように呼びかけるための文章）、②異なる一〇（または一二）個の港をまわる最短ルートの発見、③自動ピストルの分解・組立法を言語を使わずに成員に教えること、という三種類の課題が与えられた。

図5・1に示されるように、いずれの課題についても両群の集団業績で差が認められない。ピストル組立課題くらいは将校の指導する集団と新兵のそれとの間に差がありそうにも思われるが、このデータによれば二群間に全く差がない。

図5・1　リーダーの経験と集団の業績
（ベルギー海軍の実験）
(Fiedler, F. E., 1970〔34〕, Table 1 のデータから筆者作図)

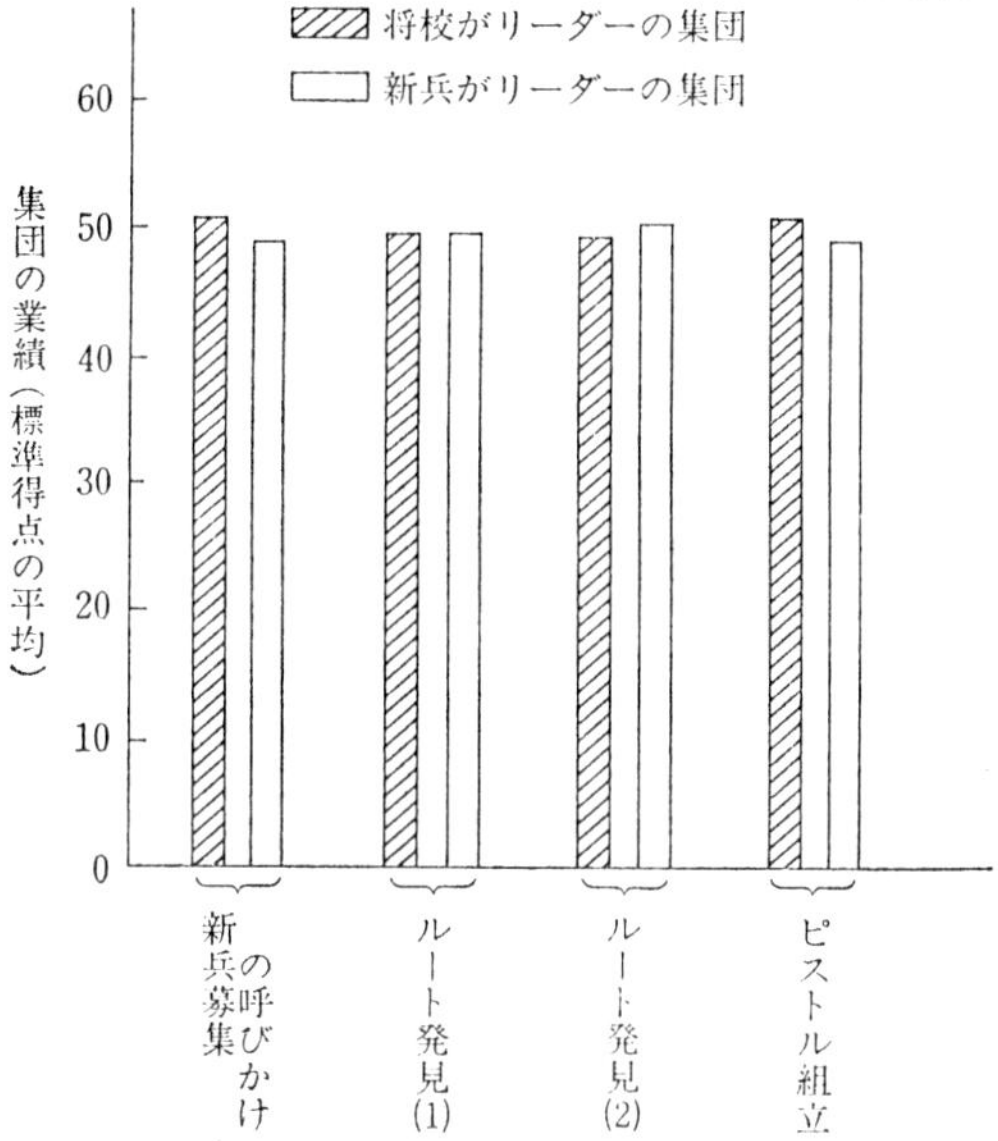

フィードラー＝チェマーズがアメリカの海軍を用いて行なった実験〔45〕でも、将校（海軍少佐ないし海軍大尉、五年ないし一五年勤続）、新兵（六週間の基礎訓練を終了したばかり）の二種類のリーダーに導かれる集団間に、三種類の実験課題のいずれについても差が認められない。

次に、フィードラーほかが行なったアメリカの陸軍歩兵分隊のリーダーに

図5・2　陸軍歩兵部隊におけるリーダーのＬＰＣ，経験，業績の関係

(Fiedler, F. E., 1978〔43〕, Fig. 6 より)

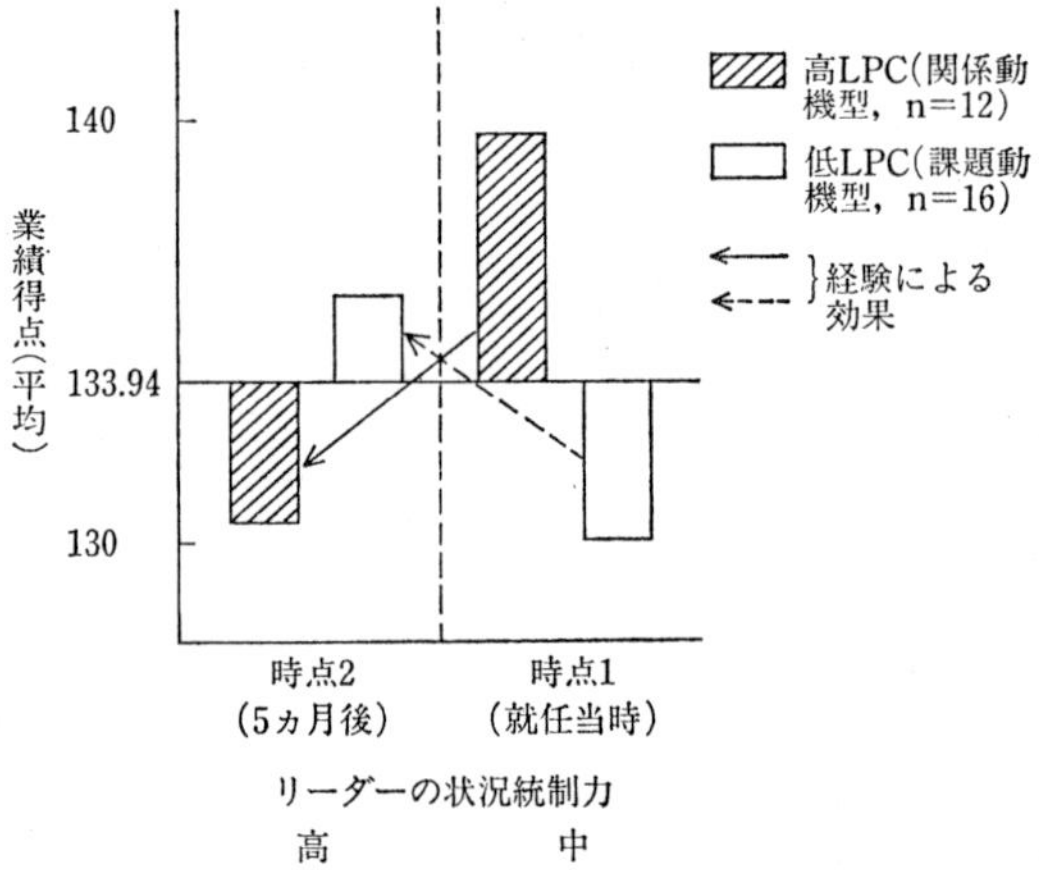

（注）のちの説明のために，時点１，２の位置を原図とは逆におきかえた。

対する調査から見てみよう（フィードラー〔43〕から引用）。リーダーに就任した直後と五ヵ月後の二回にわたって、リーダーの業績が測定された。

結果は図5・2に示されるとおり、リーダーのＬＰＣと経験の二つの要因から組織の業績が規定されることがわかる。つまり経験の浅い場合は低ＬＰＣ（課題動機型）リーダーよりも高ＬＰＣ（関係動機型）リーダーのほうが効果的であるが、経験の長い場合は逆に、高ＬＰＣリーダーよりも低ＬＰＣリーダーのほうがより効果的である。言い換えれば、低ＬＰＣ（課題動機型）リーダーは経験を増すにつれしだいに業績が向上するが、高ＬＰＣ（関係動機型）リーダーは経験年数が長くなるにつれ、むしろ業績が下がる——この調査が行なわれた組織という環境において——というわけである。

こうなるとこれまでのように、リーダーの経験と組織の業績との関係を単純に組み合わせて分析し

図5・3　消費者協同組合総支配人のＬＰＣ，経験，組織の業績の関係
(Fiedler, F. E., 1972〔36〕, Fig. 2 より)

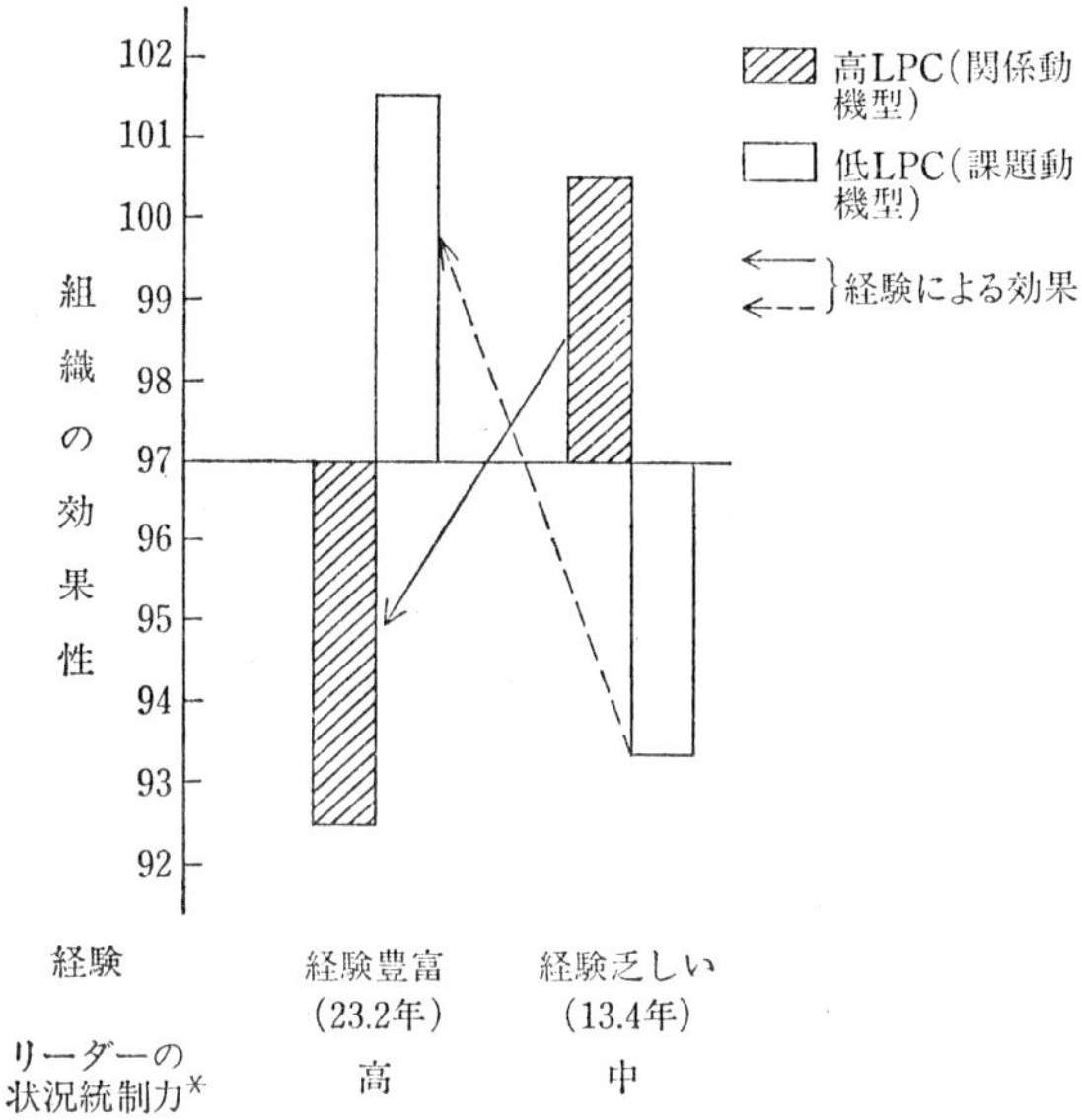

（注）　*　原文の記述とはやや異なる。

ても、実りある結果は得られないということが分かってくる。

産業組織における調査からも、これと同様な結果が得られている。調査対象はアメリカの消費者協同組合の総支配人で、彼らのＬＰＣ、経験年数、各組織の業績との関係が分析された〔36〕。図５・３に示されるとおり、これは前と全く同じ傾向である。つまり低ＬＰＣ（課題動機型）リーダーにとって経験はプラスの効果をもつが、高ＬＰＣ（関係動機型）リーダーにとって経験はマイナスの効果を与える——この調査対象の消費者協同組合の現状において——。

学校の校長について見てみよう〔36〕。これはカナダの小学校と中学校において行なわれた調査である。小学校は比較的小規模（教員数六〜一二名）で、組織の構造は単純であっ

図5・4　小学校・中学校校長のLPC，経験，学校の業績の関係

(Fiedler, F. E., 1972〔36〕, Fig. 3 より)

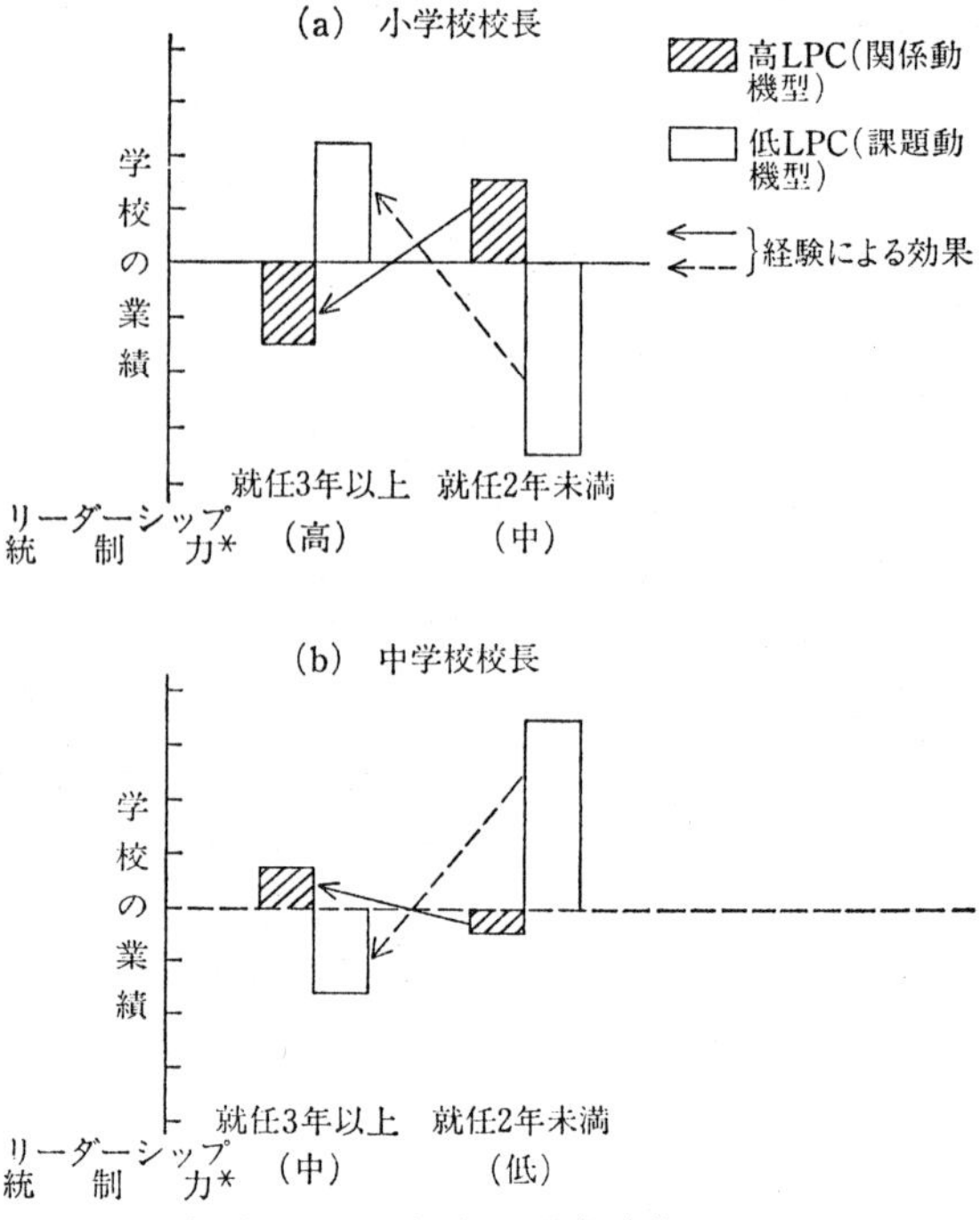

(注)　*　筆者が加筆。また図中の矢印も筆者の加筆。

た。中学校はこれに比べて規模が大きく(教員数二五〜四〇名)、いくつもの下位集団(学年別、教科別など)をもつ複雑な組織構造になっていた。小学校の校長の業績は学校管理の監督官の評価によって、また中学校の校長のそれは中学三年生と五年生の生徒のアチーブメント・テストの平均点によって測定された。

図5・4に示されるとおり、小学校と中学校では結果が全く逆になっている。すなわち小学校校長の場合、低ＬＰＣ(課題動機型)校長にとって経験はプラスの効果をもつが　高ＬＰＣ(関係動機型)校長にとって経験はむしろマイナスの効果を生む。

図5・5　リーダーのＬＰＣ，経験（状況統制力），組織の業績に関する諸研究結果の要約の概念的表示

（筆者による作図）

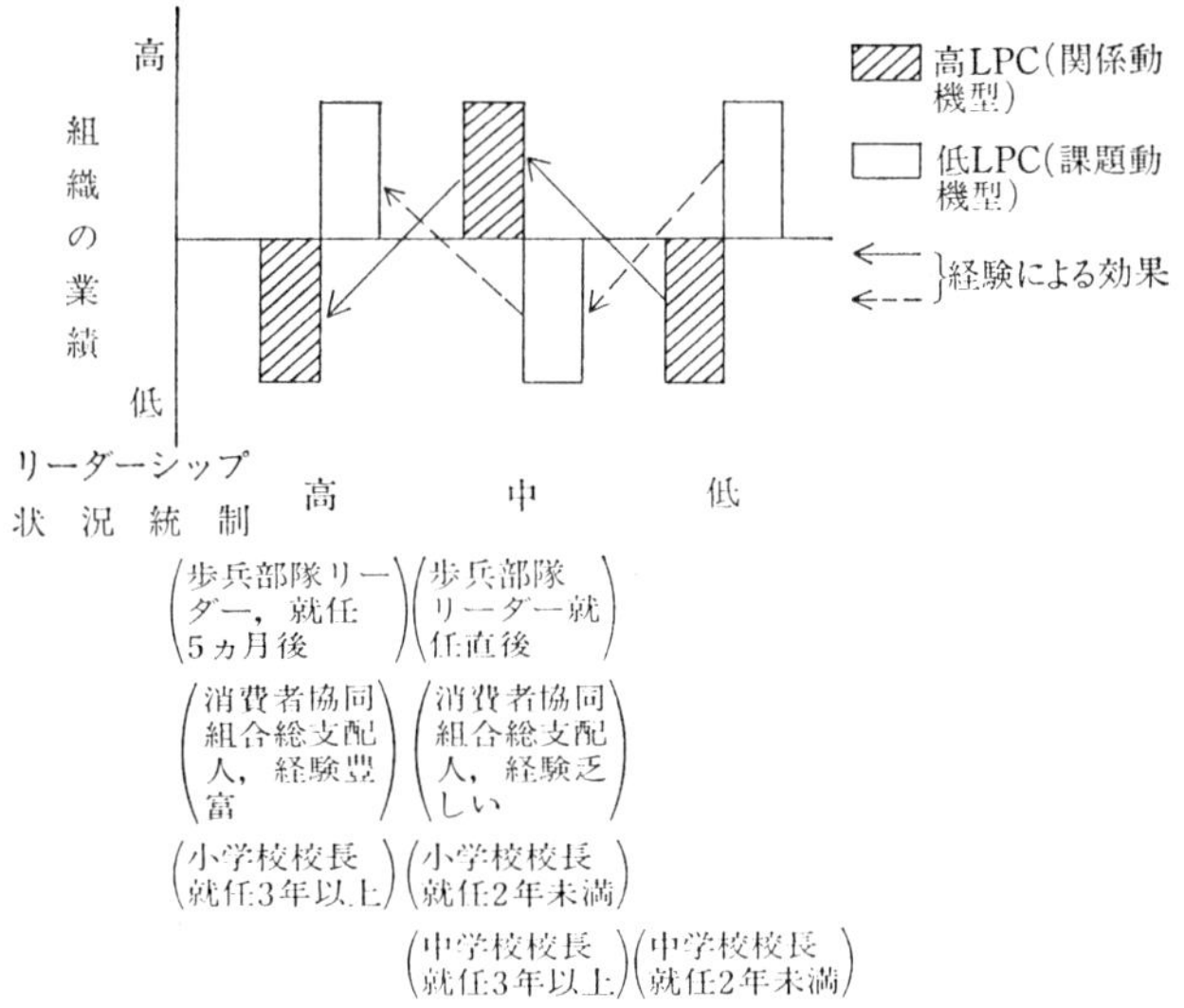

ところが中学校校長の場合はこれと全く逆で、経験の長さは高ＬＰＣ（関係動機型）校長にとってプラス、低ＬＰＣ（課題動機型）校長にとってマイナスの効果をもつ。小学校校長のデータは、図５・２（一九二ページ）および図５・３（一九三ページ）の結果と全く一致するが、中学校校長のデータはこれらと異なる。

　これら諸研究結果を図５・５のようにひとつにまとめることができよう。つまり経験がどれほど役に立つか否かは、リーダーのＬＰＣおよびリーダーがどのような状況におかれているか（リーダーの状況統制力がどの程度あるか）の二つの要因によって規定されるということがわかる。したがって、リーダーのＬＰＣや状況統制力の情報を欠いたまま、単に経験と業

図5・6　職場の状況とリーダーＬＰＣ別にみたリーダーシップ訓練と業績との相関
(Fiedler, F. E., 1972〔38〕, Table 1 記載のデータから筆者が訓練関係のデータのみを抜粋して作図)

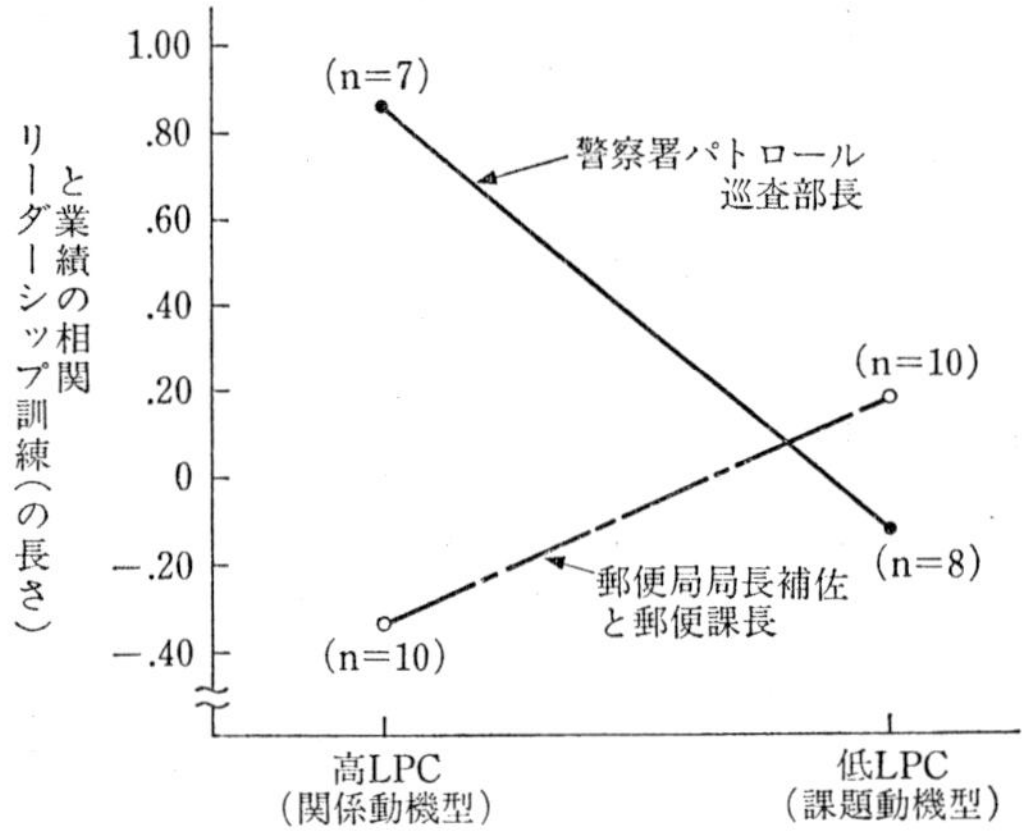

績との相関を求めても、表5・1（一九〇ページ）に示すとおり、意味ある結果は得られないのである。

しかも図5・5を注意深くみると、これが意味するところは、第4章第1節で述べたフィードラーのリーダーシップ効果性の条件即応モデル（一四〇ページ図4・4参照）と完全に一致していることがわかるであろう。これらの事実から、リーダーの経験の問題を条件即応モデルの観点から考察することの意義が理解できる。

訓練

リーダーシップ訓練についてもわれわれは、リーダーが訓練を重ねるほど、その業績は上がるはずだと暗黙裏に想定している。しかしこのことは現実のデータによっては必ずしも確かめられていない。

まず図5・6[38]を検討してみよう。いずれも調査対象であるリーダーの訓練（時間数）と業績（上司からの評定）との相関に関するデータである。アメリカの警察署パトロール巡査部長の場合、高ＬＰ

C（関係動機型）リーダーについては訓練の長さと業績との間にプラスの相関があるが、低LPC（課題動機型）リーダーについては訓練と業績はマイナスの相関をもつ。ところがアメリカの郵便局局長補佐と郵便課長の場合、これと全く逆のパターンとなる。経験についても訓練と同じく、単純に業績と結びつけて考えるわけにはいかない。

図5・7　リーダーの訓練が集団業績に与える効果に関する実験室実験結果
(Chemers, M. M., Rice, R. W., Sundstrom, E. & Butler, W., 1975〔20〕, Fig. 2 より)

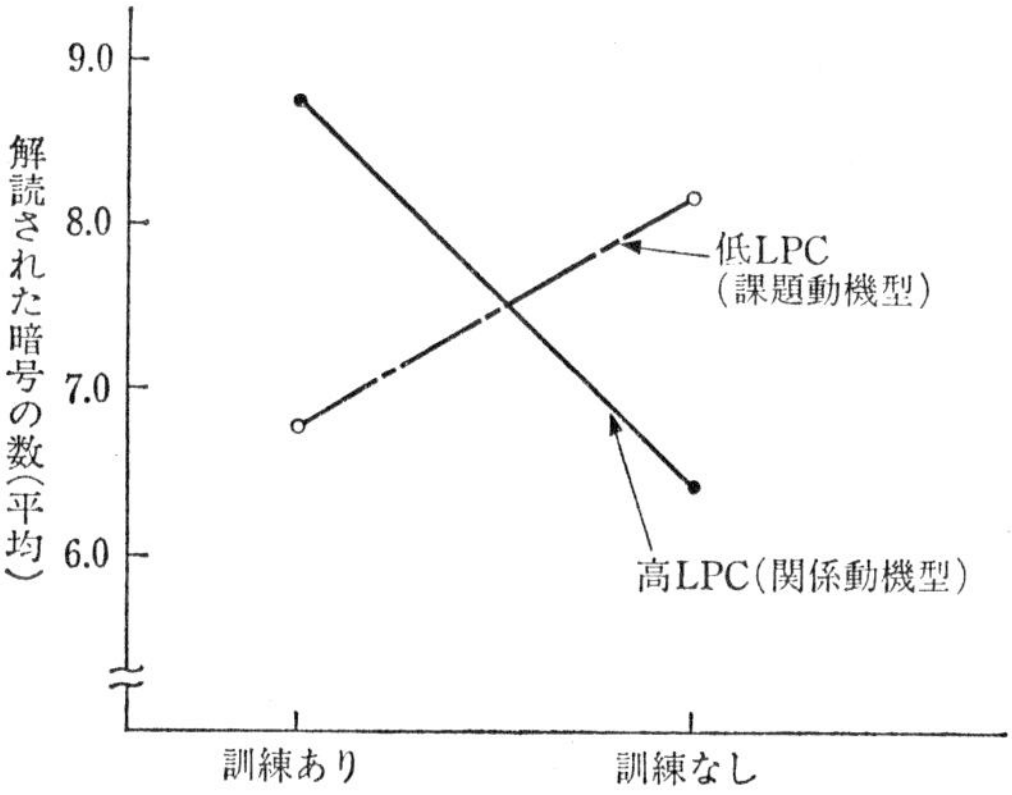

もうひとつ実験室実験の結果〔20〕を取り上げよう。実験集団はアメリカ人の陸軍予備将校訓練隊（ROTC）隊員二名と一般学生一名とから構成され、ROTCの二名の中の一名がリーダーとして実験者から指名された。実験集団に与えられた課題は暗号解読であった。実験集団の半数においては、本課題遂行以前にリーダーだけ三〇分間類似の課題について訓練を受けた。残りの半分では、このような訓練は与えられなかった。

図5・7に示されるように、高LPC（関係動機型）リーダーの場合は訓練がプラスの効果をもたらしているが、低LPC（課題動機型）リーダーの場合は逆に訓練なしの条件のほうがよい業績をあげている

表5・2　各条件ごとのリーダーの訓練・経験と業績との相関の中央値

(Fiedler, F. E., 1973〔39〕, Table 2 より)

状　　況	LPC得点	
	高	低
訓練されたリーダーにとっては高統制	−.21*	.28**
訓練されたリーダーにとっては中統制	.84**	−.14
訓練されたリーダーにとっては低統制	−.74**	.60

（注）　*　$p<.05$,　**　$p<.01$

原表では状況の欄は「リーダーにとって非常に有利（やや有利，不利）」という表現が用いられている。

（この結果は図5・6〔一九六ページ〕の巡査部長のデータと一致している）。このことから訓練についてもその効果を考える際には、リーダーのLPCおよびリーダーがおかれている状況をよく見極める必要があることが理解できよう。

さて、この訓練と経験の問題を、条件即応モデルの観点から総合的に考察することはできないものだろうか。フィードラー〔39〕は訓練・経験の効果に関する諸研究のデータを、表5・2のように要約している。つまり高統制と低統制の状況においては、低LPC（課題動機型）リーダーにとって訓練や経験はプラスの効果をもたらすが、高LPC（関係動機型）リーダーにとって訓練や経験は逆にマイナスの効果をもつ。しかし中統制の状況においては、高LPC（関係動機型）リーダーにとって訓練や経験はプラスの効果をもたらさず、低LPC（課題動機型）リーダーにとって訓練や経験はマイナスの効果をもつといえる。

以上のことを図5・8のように表現することもできよう。いま、ある高LPCリーダーが低統制の状況（③に該当）にいたとしよう。この状況でおそらく業績は上がっていないであろう。しかし適切な訓練や経験を経て、このリーダーの状況統制力が上がり、中統制の状況（②に相当）に移ったとすると、

図5・8　リーダーシップ効果性の条件即応モデルに基づく訓練・経験効果に関する仮説の概念的表示

（Fiedler, F. E., 1972〔38〕, Fig. 1 より）

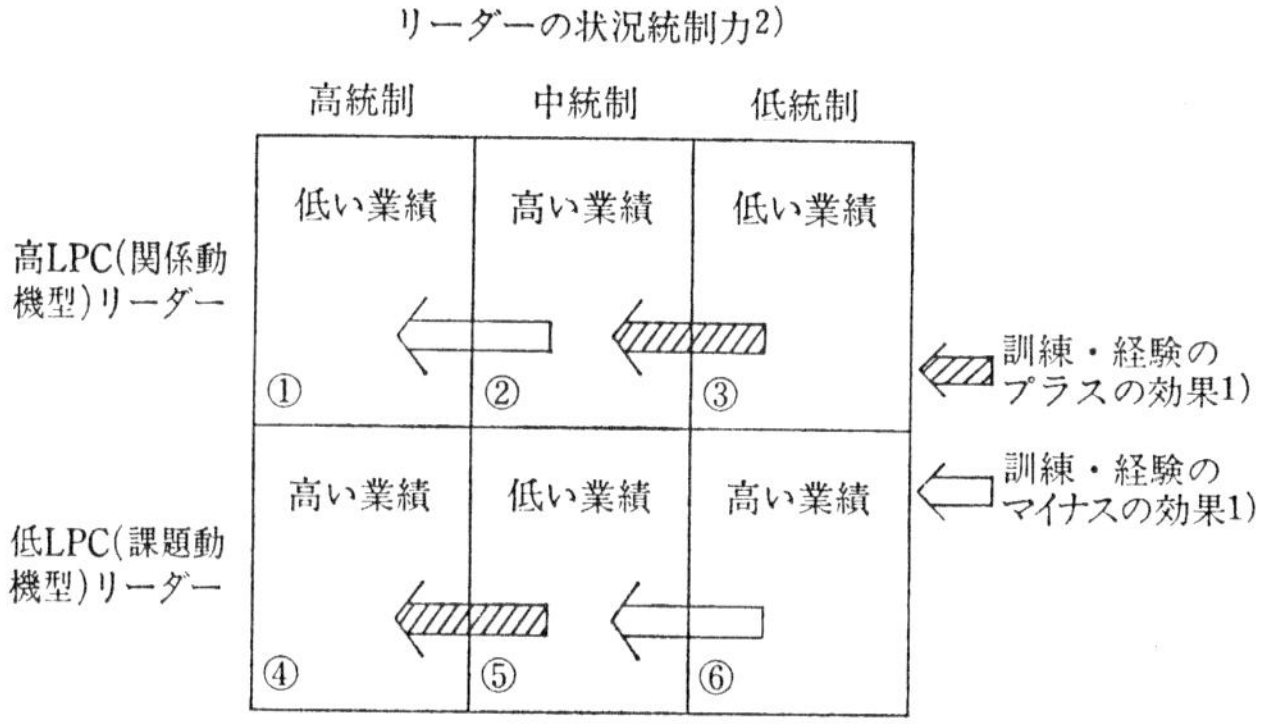

（注）　各条件の区分を明確にするため，①～⑥を筆者が加筆。
1）　原図では，プラス・マイナスの効果の区別なし。
2）　原図では，「状況の有利さ」（リーダーにとって非常に有利，やや有利，不利）と表記されている。

おそらくこのリーダーの業績は上がるであろう。すなわち、高ＬＰＣリーダーにとって、③から②への変化を導くものとしての訓練や経験は積極的な意味をもつといえる。

しかし低統制の状況にある低ＬＰＣリーダー（⑥に相当）はおそらく現状のままで高い業績を上げているであろう。このようなとき、このリーダーがさらに訓練や経験を積んで、状況統制力を高め、中統制の状況（⑤に相当）に移ったとする。そうすると今度は、おそらく業績が前より低下するであろう。すなわち低ＬＰＣリーダーにとって、⑥から⑤への変化を導くものとしての訓練や経験はむしろ逆の効果をもたらすといえる。

こう考えると、訓練や経験の効果に関する一見矛盾した結果を統一的に理解できるであろう。

2　リーダー・マッチ——新しいリーダーシップ訓練

以上のような考察に基づいて、フィードラーほか〔46〕は全く新しいリーダーシップ訓練を創案した。これは「リーダー・マッチ」とよばれるが、その基本的考え方は、次のようなステップからなっている。

(1)　管理・監督者は自己のLPC得点を測定する。

(2)　自己の集団‐課題状況を測定し、自己の状況統制力（高・中・低）を知る。

(3)　以上の二要因を組み合わせて、条件即応モデルが示唆する、高い業績を上げる可能性があるか否かを判定する。

(4)　もし高い業績を上げる条件にマッチしていれば現状のままで続行する。

(5)　もし、LPCと統制力の組み合わせで、低い効果性が予想されるような場合には、どのように状況統制力を変えれば効果性が上がるかを考察する。

(6)　そのためには状況諸要因をどのように変化させればよいか、現実の自己の状況に即して考察する。

以上のすべてのステップを実行するため、フィードラーほか〔46〕はリーダー・マッチの自己学習書を作成し、現実にアメリカや香港で利用されている。日本語版も既に出版されている。

リーダー・マッチのテキストには数多くの練習問題、簡単な解説そしてLPC尺度のほか、リーダー／成員関係、課題の構造、リーダー地位力などのリーダー状況統制力を測定する各尺度が含まれる。すべてを読み通すには数時間を要するが、一日にまとめて読もうとせず、二〜三日間をかけて、じっくり取り組むほうがよいといわれる。また単独でもできるが、何人か一緒に集まって一斉に取りかかるほうが動機づけも高まって、読破する確率が高いようである。アメリカでは対象者を一室に集めてリーダー・マッチを読ませるのに先立って、フィードラーのリーダーシップ効果性の条件即応モデル理論の解説の映画（上映時間十数分間）を見せることが多い。

リーダーLPC尺度は本書の冒頭（一ページ）に示した。LPCと行動との関係に関する説明に続いて、LPCの意味に関する練習問題がある。すぐ次のページに正解、誤答が示され、誤答の場合は読み直すべき箇所が指定されている。こうして先ず自己のLPC得点を知り、自己が高LPC（関係動機型）か低LPC（課題動機型）かを知る。さらにLPC得点の意味についてもよく理解する。

リーダー／成員関係は図5・9のような尺度によって、リーダーが自己評定を行なう（現実の自己と部下集団との関係について評定を行なう）。この評定値が高いほど、リーダー／成員関係はよい（と少なくともリーダー自身が認知している）ことを意味する。

課題の構造は図5・10に示す尺度によって測定される。これもリーダー自身が自己の課題について分析するわけである。この得点が高いほど課題は構造化されている（標準化・規格化され、目標、手続、内容が明確）とリーダーが認知していることを意味する。ただし課題構造化の程度は、リーダーの訓

図5・9　リーダー／成員関係測定尺度
(Fiedler, F. E., Chemers, M. M. & Mahar, L., 1977〔46〕, 邦訳41ページより)

各項目の適当と思われる数字を○印で囲んで下さい。

	(文章に)全く同意	同意	どちらでもよい	反対	全く反対
1　わたくしの部下はお互いにうまくやっていくことができない	1	2	3	4	5
2　わたくしの部下は頼れるし，信頼できる	5	4	3	2	1
3　わたくしの部下の間には親密な雰囲気があるようだ	5	4	3	2	1
⋮			⋮		
10　わたくしと部下との関係はよい	5	4	3	2	1

リーダー／成員関係得点 [　　　]

(注)　全文は文献〔46〕を参照のこと。

図5・10　課題構造度測定尺度（第1部）
(Fiedler, F. E., Chemers, M. M. & Mahar, L., 1977〔46〕, 邦訳55ページより)

各項目の適当と思われる数字を○印で囲んで下さい。

目標は明確に記述，理解されているか	通常ある	時にはある	めったにない
1　最終的な製品，サービスに対する青写真，構図，モデル，あるいは具体的な記述はあるか	2	1	0
2　最終的な製品，サービス，あるいは仕事の進め方について，説明や助言をしてくれる人はいるか	2	1	0
⋮		⋮	
10　リーダーや集団は今後の改善のために役立つように，その課題（仕事）がどのくらいうまく完成したかを知ることができるか	2	1	0

修正前　課題構造度得点 [　　　]

(注)　全文は文献〔46〕を参照のこと。

図5・11　課題構造度測定尺度（第2部）
(Fiedler, F. E., Chemers, M. M. & Mahar, L., 1977〔46〕，邦訳74ページより）

課題構造度測定尺度（第1部）の小計の得点が6点以下の場合は，次の質問によって調整する必要はない（この場合，第1部の小計の得点を，そのまま修正後課題構造度得点欄に記入する)*

各項目の適当と思われる数字を◯印で囲んで下さい。

(a)　あなたはこの地位あるいは同様の地位にいる他の人たちと比べ，どの程度の訓練を受けているか

3	2	1	0
全く訓練を受けていない	少々の訓練は受けている	普通程度の訓練は受けている	非常に多くの訓練を受けている

(b)　あなたはこの地位あるいは同様の地位にいる他の人たちと比べ，どの程度の経験を積んでいるか

6	4	2	0
全く経験はない	少々の経験はある	普通程度の経験はある	非常に多くの経験がある

第1部の小計	
第2部の得点	−
修正後課題構造度得点	

（注）　*　原図に筆者がやや加筆。

練や経験によって左右されるであろうから、それを考慮して得点を調整する必要がある。このため（図5・10で課題構造度得点が6点以下の場合を除き）図5・11へ記入する。これによって訓練や経験の少ない人は、課題構造度得点をそれに応じて下げるという操作を行なう（(a)(b)の二つの合計点の分だけ、修正前課題構造度得点から差し引く）。こうして得られたのが修正後課題構造度得点である。なお修正前課題構造度得点が6点以下の場合は、修正の必要がなく、それをそのまま修正後の課題構造度得点とする。

地位力は図5・12の尺度によって測定される。得点が高いほどリーダーの地位力は高い。

リーダーの状況統制力は以上の、①リ

図5・12　地位力測定尺度
(Fiedler, F. E., Chemers, M. M. & Mahar, L., 1977〔46〕, 邦訳79ページより)

各項目の適当と思われる数字を○印で囲んでください。

1　あなたは直接あるいは推薦を通して，あなたの部下に賞や罰を与えることができるか

2	1	0
直接行使できる推薦もできるが影響力も非常に強い	推薦はできるがその通りの結果になるとは限られない	できない

2　あなたは直接あるいは推薦を通して，あなたの部下の昇進・昇格・採用・解雇などに影響を与えることができるか

2	1	0
直接できる推薦もできる影響力も非常に強い	推薦はできるがその通りの結果になるとは限らない	できない

⋮

5　あなたは組織から公式の肩書き（部長，係長，現場監督者，QCサークル・リーダーなど）を与えられているか

2	0
は　い	い　い　え

地位力得点 ［　　］

（注）　翻訳のことばは邦訳版とはわずかに異なる。全文は文献〔46〕を参照のこと。

ーダー／成員関係得点（20点満点）、②課題構造度得点（修正後。10点満点）、③地位力（5点満点）の三つの得点を合計する。条件即応モデルのリーダー状況統制力の三つの構成要素の重みづけの比が4：2：1になっていること（一三一ページ参照）を思い出してほしい。リーダー／成員関係得点、課題構造度得点、地位力得点の三つの得点の合計が状況統制力得点である。フィードラーほか〔46〕の基準は次の表5・3の通りである。

筆者がこの尺度を用いてわが国のある官庁の課長について状況統制力を測定したところ、その得点分布は表5・4のとおりであった（平均四六・九六、標準偏差六・〇七）。フィードラーほか

〔46〕の基準と照合すると、わが国のこの役所の課長の状況統制力はそれほど低くない（わが国の別の官庁の一般職員〔勤続五〜六年〕の場合、状況統制力は平均三九・三五、標準偏差六・七五であった）。いずれの場合も、わが国の標本では状況統制力の三つの構成要因のうち、リーダー／成員関係得点がアメリカよりやや高い（それだけわが国のほうが上司／部下の人間関係が重要だということを示唆しているのかもしれない）。わが国のリーダーの状況統制力については、もっと多くのデータを収集して、わが国の基準を設定する必要がある。

表5・3　リーダーの状況統制力判定基準
(Fiedler, F. E., Chemers, M. M. & Mahar. L., 1977〔46〕, 邦訳94ページより)

得　点	51—70	31—50	10—30
状況統制力	高統制	中統制	低統制

表5・4　わが国の某官庁の新任課長についてのリーダーシップ状況統制力得点の分布

得　点	人　数
28—30	1
31—33	0
34—36	2
37—39	2
40—42	4
43—45	14
46—48	14
49—51	8
52—54	6
55—57	4
58—60	1
61—63	1

$n=57$
$\bar{x}=46.96$
SD＝6.07

LPCと状況統制力の適合

さて、自己のLPC得点および状況統制力がわかればこの二つを組み合わせて、それが条件即応モデルの示唆する高い効果性のパターンと一致するか否かを検討しなければならない。前にも示してあるが、ここでもう一度そのモデルを図5・13に掲げる。

低LPC（課題動機型）のリーダーが低統制（図中の③）または高統制（同①）の状況にあるとき、

図5・13　リーダーシップ効果性の条件即応モデルの概念的表示
(Fiedler, F. E., 1978〔43〕, Fig. 5 を参照して筆者がやや加筆)

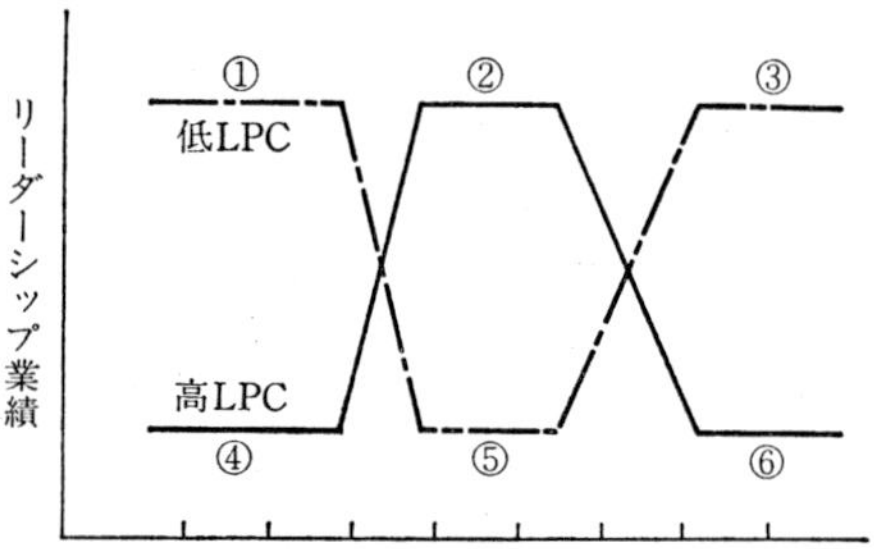

	1	2	3	4	5	6	7	8
リーダー／成員関係	+	+	+	+	−	−	−	−
課題の構造	+	+	−	−	+	+	−	−
地位力	+	−	+	−	+	−	+	−
リーダーシップ状況統制力	高統制			中統制				低統制

あるいは高LPC（関係動機型）のリーダーが中統制（同②）の状況にあるときは、そのままの条件でおそらく業績は高いであろう。したがって、リーダーとしてはいま特に状況に手を加える必要はない。

しかし高LPCリーダーが低統制（図中⑥）または高統制（同④）の状況にあるとき、あるいは低LPCリーダーが中統制（同⑤）の状況にあるときは、そのままではおそらく業績は低いであろう。このようなときは状況統制力を変化させて、高い業績が導かれるようにもっていく必要がある。高LPCリーダーが⑥から②へ、また低LPCリーダーが⑤から①へと移動するためには、状況統制力をいまよりも高めてやればよい。逆に高LPCリーダーが④から②へと移動するためには、逆に状況統制力を下げる必要がある。⑤の条件にある低LPCリーダーは、①および③の二つの道が許容されるようにも思われるが、この場合は状況統制力を高めて、①の条件へもっていくほうがよい。

ではどうすれば状況統制力を高めたり、低めたりすることができるか。フィードラーほか〔46〕はさ

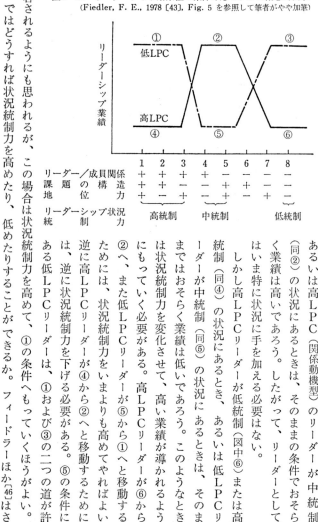

表5・5 リーダーの状況統制力を高めるための方法例

(Fiedler, F. E., Chemers, M. M. & Mahar, L., 1977〔46〕, を参照して筆者が要約)

a リーダー／成員関係
1) 部下との勤務時間外の活動（慰安旅行，ピクニック，ソフトボールなど）を企画する。
2) 部下の個人的な相談にのるための時間，不平不満を聞くための時間などをとる。
3) 上役からの情報をつとめて部下に知らせる。

b 課題構造度
1) リーダー自身仕事に関する社内外の研修を受け，専門技術を身につける。
2) 仕事の手続，ガイドライン，完成品のアウトラインなどを詳しく定める。
3) 仕事に関する活動を細かく記録にとどめる。
4) ベテランを配属してもらい，仕事上の相談にいつでものってもらえるようにする。

c 地 位 力
1) 上役に依頼して，部下の休暇などの決定を自分だけで決裁できるようにしてもらう。
2) 組織内の情報はできる限り自分のところを通すようにしてもらう。
3) なるべく部下の援助を受けなくても仕事に関連して自分1人でやれるようにする。

表5・6 リーダーの状況統制力を低めるための方法例

(Fiedler, F. E., Chemers, M. M. & Mahar, L., 1977〔46〕, を参照して筆者が要約)

a リーダー／成員関係
1) 部下との非公式な時間（昼食，レジャーなど）を少なくする。
2) 厄介で扱いにくいと一般に思われている人々を部下にもってくる。

b 課題構造度
1) 配置転換を度々申し出る。
2) 上司に頼んでもっと幅の広い仕事を担当させてもらう。
3) 集団単位で仕事をする際，なるべく意見や経験を異にする人々に入ってもらう（仕事の内容は複雑で，あいまいになる）。

c 地 位 力
1) 部下に権限を委譲し，意思決定への参加を認める。
2) リーダーの地位やそれに伴いがちの飾りをできるかぎり捨てて，部下とも仲間の1人として付き合う。
3) 部下が自分を中継しないまま，その上司に直接接触することを認める。

まざまな方法があることを示唆しているが、その中のいくつかを例として表5・5および表5・6に示す。このようにして、みずからの努力によって、状況統制力を自己のLPCからみて最も効果を発揮しやすい方向に変化させていくことが要請される。

以上が、フィードラーほか〔46〕のリーダー・マッチの概略である。これまで行なわれてきたリーダーシップ訓練は感受性訓練（Tグループ〔17〕）をはじめPM式リーダーシップ訓練〔60〕〔99〕、マネジエリアル・グリッド〔14〕〔15〕など、いずれもある目標とするリーダー行動のパターンがあり、集団討議、そのフィードバックなどを通して参加者の行動をすこしでもその目標に近づけるよう学習させるものといえよう。フィードラーほか〔46〕のリーダー・マッチはこれに対して、その人のもともとのリーダーシップ・スタイル（課題動機型か関係動機型か）の効果を最もよく生かすような集団－課題状況を、リーダー自身つくり出すことができるように導くところにその特徴がある。

3　リーダー・マッチの妥当性

リーダー・マッチは果たして、リーダーシップ効果性の向上にとって有効な訓練法といえるであろうか。フィードラー＝マハー〔48〕はリーダー・マッチの妥当性を検討した、一二の研究のいずれにおいても、統計的有意水準でその妥当性が検証されたと報告している。その中から公衆衛生機関で働く奉仕グループのマネージャーについての研究〔48〕を取り上げよう。

図5・14　リーダー・マッチ訓練の妥当性検証実験データ
(Fiedler, F. E. & Mahar, L., 1979〔48〕, Table 1 記載の第2研究の第2期データより筆者が抜粋して作図)

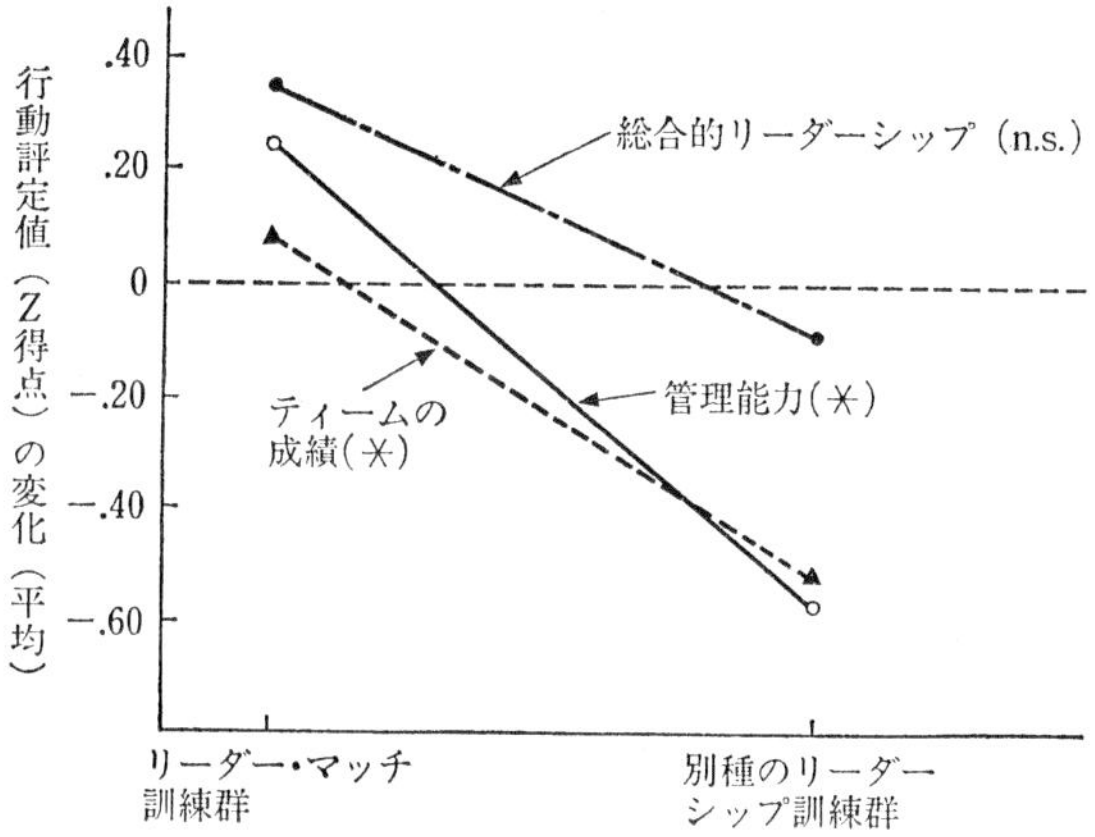

（注）　*　$p<.05$（片側，2つの群の間の平均の有意差）。

調査対象は中南米諸国の小さな村の診療所で奉仕活動に従事しているアメリカ人ティーン・エイジャー二、三人からなるグループのマネージャーで、彼らの多くはアメリカ人大学生で、かつて奉仕活動ティームのメンバーとしてこの仕事に参加した経験を全員もっていた。独立した二つの研究が行なわれたが、ここでは第二研究の結果を中心に紹介する。

マネージャーの半数は全員一カ所に集まり、研究スタッフ立ち会いのもと、リーダー・マッチを読了した（リーダー・マッチ訓練群）。残りの半数のマネージャーにはほぼ同じ時間を費やして別種のリーダーシップ訓練（管理原則の自己点検訓練）が与えられた。訓練前と訓練後（六カ月後）の二回にわたって、訓練参加者の行動評定が各郡（行政地区）の行政担当責任者によって評定された。評定項目の次元は次の図5・14に示される。

この図に示されるとおり、リーダー・マッチ訓練群は六カ月の間に行動評定値が向上しているけれども、別種のリーダーシップ訓練を受けた群はこの間に行動評定値がむしろ低下している。

このほかにも、郡政府の中間管理者、警察署巡査部長、役所の第一線・第二線監督者などを対象としてリーダー・マッチ妥当性の検証実験が行なわれた。ここで紹介したデータを含めてすべてを総合すると、リーダー・マッチを受けた群はコントロール群よりもいずれの場合も三カ月ないし六カ月後の業績が優れていた。両群の比較が可能な、業績評定項目数ののべ八〇%は予測された方向にあり、しかもそのうちの三三%は統計的な有意水準に達した〔43〕。

さらに、アメリカ陸軍士官学校、海軍予備将校訓練隊における実験でもそのすべてにおいてリーダー・マッチ訓練群はコントロール群よりも行動評価の結果が優れていた。これらを総合してフィードラー〔43〕はリーダー・マッチの妥当性は支持されたと主張している。

しかしホスキング＝シュリシェイム〔72〕は次のような点から、リーダー・マッチを厳しく批判している。

(1)　リーダー・マッチの理論的基礎となっている条件即応モデルそのものがもつ問題点（LPC得点の意味、状況統制力構成の三要因の重みづけの問題、仲介要因として、三要因以外が作用する可能性など）

(2)　リーダー・マッチで新たに用いられるようになった尺度の信頼性と妥当性の問題（LPC、リーダー／成員関係、課題の構造、地位力などの測定尺度が従来の研究で用いられてきたものと異なっているにもかかわらず、その信頼性、妥当性が明示されていない）

(3)　リーダー・マッチにおいてはすべての変数の測定が、質問項目へのリーダー自身の記入によっ

て測定される。変数間に相互作用があるのではないかという疑問

(4)　リーダーシップ要因が集団業績に対して与える効果を重要視し過ぎているのではないかという疑問

このほかに筆者は、状況統制力を変更するに当り、全体として統制力を強めるか、弱めるかだけが考察されていて、リーダー／成員関係、課題の構造、地位力のうち、どの要因を変化させ、どの要因を変化させないかということが全く無視されていることに疑問をもつ。将来の研究において、これら諸批判に応える必要がある。

第6章　職場の集団力学

1　対人場面の心理

これまで、上司・監督者のリーダーシップの問題をさまざまな角度から検討してきた。しかし職場や組織において彼らは一人で行動しているわけではなく、つねに部下集団との対人関係の中で行動し、活動しているわけである。そこで本書の最後の章において、リーダーを含めた職場集団の中で生起する対人関係のダイナミックスについて考察してみよう。

個人空間の侵入

まず、最も基本的な対人関係の心理として、傍らに他者がいることが自己にどんな影響を与えるかという問題から始めよう。われわれは個人空間とよばれる、ある私的領域をもっていて、そこに他者が侵入してくると、なんらかの心理的反応が引き起こされると考えられる。

例えば、男子用トイレでまさに排尿を始めようとする瞬間に、隣りに見知らぬ男が立ったら、われわれはなんらかの心理的影響を受けるであろう。まず、たいへん巧妙な実験室実験〔98〕を紹介しよう。

被験者はアメリカのある大学内の男子用トイレを使用した六〇名の男性。トイレ内に全く他者がいない条件（コントロール群）、一人の見知らぬ者との間の距離が中間的な条件（中間的距離群）、および他者との距離が近い条件（近い距離群）の三つの条件が操作された。このトイレには三つの小便器が並んでおり、一名のサクラが中央の便器の前に立ち、入口に近い便器の前には「掃除中につき使用禁止」の紙が貼られていた。このため被験者は一番奥の便器を使わざるを得なかった（近い距離群）。もう一つの条件群ではサクラが入口に一番近い便器の前に立ち、中央の便器前に「使用禁止」の貼り紙があった（中間的距離群）。最後にトイレ内に誰もいない条件では二つの便器に「使用禁止」の貼り紙があり、被験者は一番奥の便器を使用した（コントロール群）。

観察者は一番奥の小便器に最も近い、大便用の区画の中にいて、トイレの床に積まれた本の中に隠された展望鏡を通じて、被験者が便器の前に立ってから尿が出始めるまでの時間および排尿が終了するまでの時間をストップ・ウォッチによって測定した。ただし観察者は被験者の顔を見ることができないように展望鏡の高さが調整されていた。

図6・1に見られるとおり、トイレ内に全く他者がいない場合（コントロール条件）、排尿開始時間は最も早く、持続時間は最も長い。これに対し、自分のすぐ側に他者がいる場合（近い距離条件）、排尿

開始が遅れるばかりでなく、持続時間が短い。排尿という生理的行動についてすら、このような他者の存在の影響が認められる。

次に、もう少し社会的反応について考えてみよう。アメリカのある大学の図書館における実験〔51〕がである。六人が坐れる机で端に一人だけ坐っている人を被験者として、一人の見知らぬ人（サクラ）が被験者のすぐ横、一つおいて隣、正面のいずれかの席に坐わり、ノートを取り始める。五分後サクラは席を離れ、図書館員による面接という形で被験者の態度が測定された。ここでは、その状況が被験者にとってどれほど肯定的であったかを、「陽気な―陰気な」「楽しい―憂うつな」などのセマンティック・ディファレンシアル・テスト（七段階一二項目）で測定した結果を示す。

図6・1　傍らの他者との距離と排尿の開始・持続時間との関係
(Middlemist, R. D., Knowles, E. S. & Matter, C. F., 1976〔98〕, Fig. 1 より)

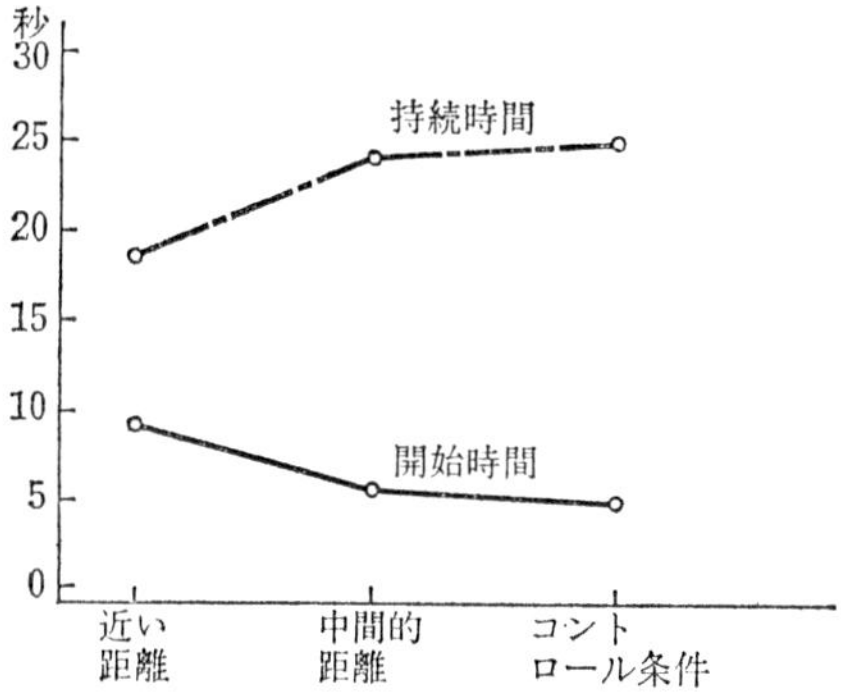

図6・2に示されるように、被験者の性別によって反応が異なる。男性の場合は見知らぬ人が正面の席に坐わると嫌な感じをもつが、女性の場合はむしろすぐ隣りの席に坐わられたとき最もネガティブな感情をもつ（「個人空間の侵入」の項の執筆に際しては、中村〔107〕を参照した）。

傍観者効果

さらに積極的な行動をとることが要請される援助行動

図6・2　見知らぬ人が占める位置と状況に対する感情との関係
(Fisher, J. D. & Byrne, D., 1975〔51〕, Table 1 記載のデータを筆者図示)

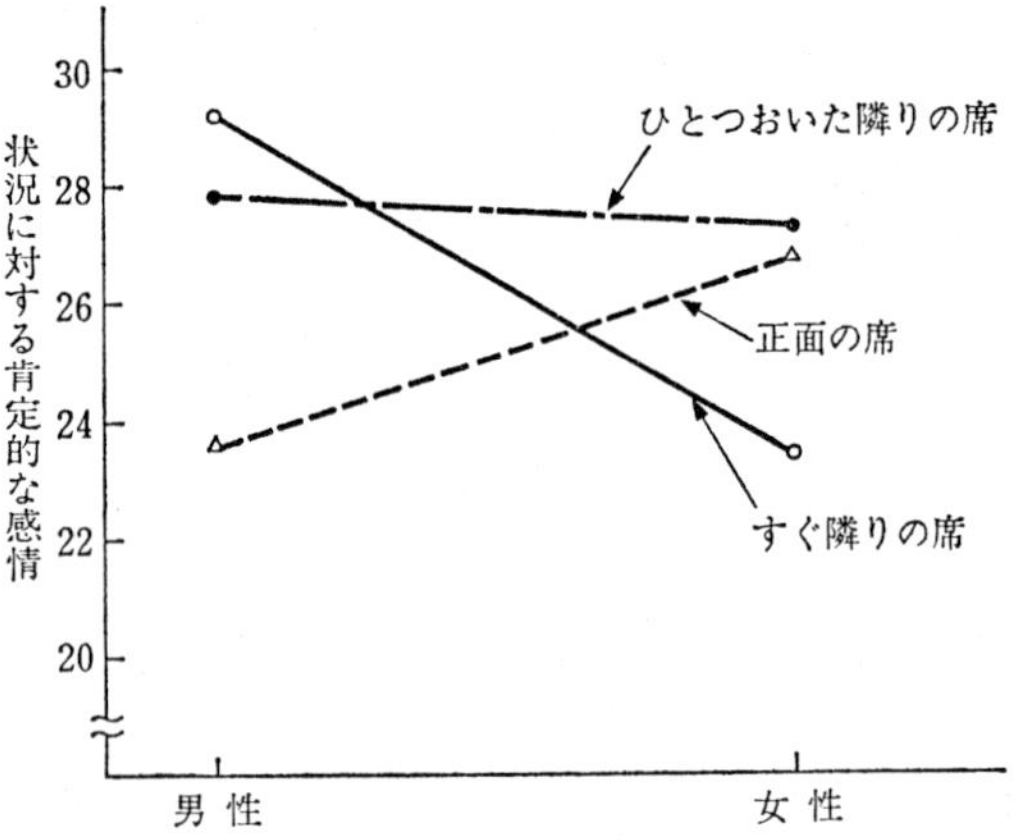

について考えてみよう。一九六四年四月のある真夜中、ニューヨークでキティ・ジェノビースという若い女性が自宅のアパート附近で暴漢に襲われ、実に三八名の目撃者がいたにもかかわらず唯一人として援助の手をさしのべなかったので（警察への通報を含めて）、ついに殺されてしまうという事件があった〔120〕。なぜこうなったのか。目撃者は自分一人ではない、自分一人が責任をとる必要はないとの傍観者的態度があらわれたためではないかという立場に立って、ダーリイ＝ラタネ〔23〕〔87〕は巧妙な実験室実験によってこのことを立証した。

また、一八九八年のトリップレットの実験以来、社会的促進（「他者の動作やそれに伴う物音が見えたり聞こえたりするといった状況のもとにおいて、ある個人の行動結果が促進的な――あるいは阻害的な――影響をこうむること」『新版心理学事典』平凡社、一九八一）について多くの研究報告がある。ザイアンス〔177〕はそれらを要約して、十分な学習された反応や本能的反応では社会的促進が多いが、新規の学習を要する反応については逆に社会的抑制（他者の存在が阻害的影響をもたらす）が働くと述べた。

ところが、もう五〇年以上も前にドイツのリンゲルマンが行なった綱引きの実験では、表6・1に示すように、一人のときよりも二人、三人、八人と綱を一緒に引く人数が増えるにつれて、個人の発揮する力の量が小さくなるということが見いだされている。綱引きといった課題は人間にとって十分に学習された種類の課題であろう。それなのにむしろ社会的抑制が見られたというわけである。ただし綱引きには（特に二人以上の人間が協力して綱を引くという場合）力を合わせるタイミングの問題がある。この難点を克服しようとしてラタネほか〔88〕は巧みな実験室実験を試みている。

表6・1　リンゲルマン効果
(Latané, B., Williams, K. & Harkins, S., 1979〔88〕より)

人　　数	1人当りの綱引きの力
1人	100(%)
2人	93
3人	85
4人	49

社会的手抜き

ラタネほか〔61〕は二人の被験者を図6・3のようについ立で遮って着席させる。被験者から四メートルの位置に騒音計を設置する。被験者の教示はあらかじめ録音されたテープにより、ヘッドフォーンを通じて与えられる。このテープはダブル・トラックで録音されており、被験者1（アカ）と被験者2（アオ）に対する教示の内容は互いに異なる（このことに被験者は気付いていない）。

まず被験者（アカ）に対して「アカのみ叫んでください一、二、三」という教示とともに約九五デシベルの強さに調整された騒音（数人の成人が両手を叩きながら叫ぶ）が三秒間被験者1（アカ）の耳に達する。このとき被験者2（アオ）にも同時に「アカのみ叫んでください」という教示がヘッドフォーン

図6・3　社会的手抜きの実験状況

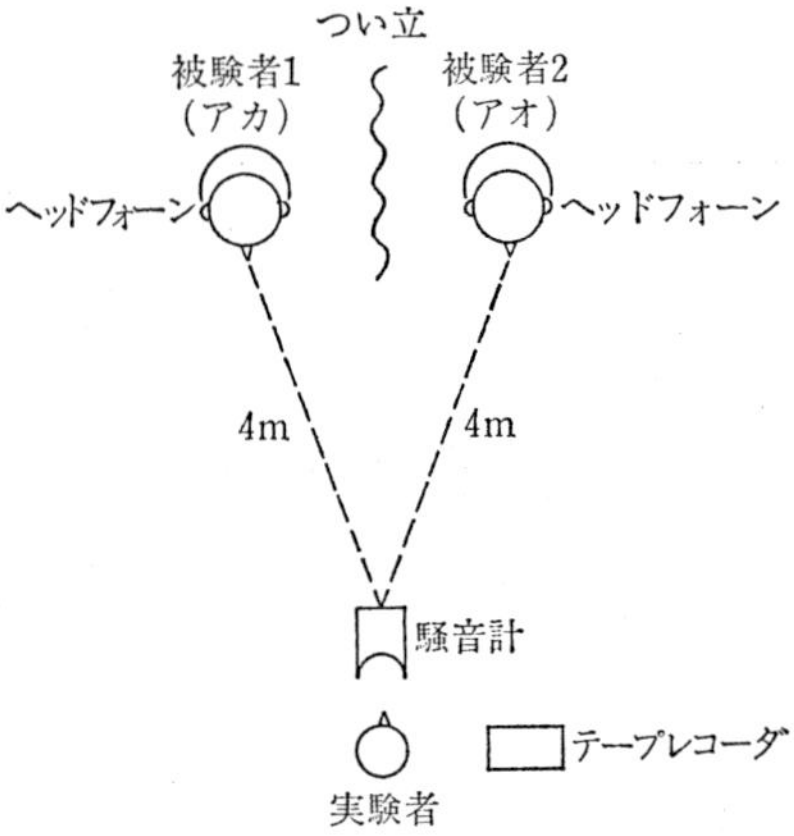

を通じて与えられる（したがって被験者〔アオ〕は黙っている）。これが被験者1（アカ）にとっての単独条件である。ここで被験者1（アカ）は力いっぱい叫ぶ。

次に被験者1（アカ）に対しては「アカ、アオ一緒に叫んでください」という教示があり、同時に被験者2（アオ）には「アカのみ叫んでください」と指示される。これが被験者1（アカ）にとっての擬似ペア条件（被験者〔アカ〕は「二人一緒に叫ぶ」のだと思っているが、本当は一人で叫んでいる条件）である。単独条件と擬似ペア条件のそれぞれにおける被験者の発する音量を、四メートル離れた位置にある騒音計で測定する（単位はデシベルC）。これを一定の式で換算し、音圧（どのくらいのエネルギーで音を発しているか）の指数とする。

被験者2（アオ）にも同様な指示を交互に与える。また叫ばせる場合と、両手で拍手をして大きな音を出させる場合とが、順序のバランスを保って組み合わされる。アメリカ人男子大学生を被験者とする実験結果は図6・4に示すとおり、擬似ペア条件において音圧が低下する。すなわち単独条件よりも擬似ペア条件において、人は頑張らなくなるわけである。ラタネほか〔88〕はこの現象を「社会的手抜き」と名付けた。

社会的手抜きは集団のネガティブな側面であって、なんとかこれを防止する必要があろう。ウィリアムズほか〔172〕は前に述べた実験とほぼ同じ実験条件で一部分だけ、すこし操作を加えて、社会的手抜きのマイナスの効果の抑制を試みている。それは擬似集団（ペアの場合と四人集団の場合がある）条件で被験者に「他者と一緒に叫んでいる場合でも（各自の胸にとめているマイクロフォンを通して）各自の音量が別々に測定される」と説明しておく。他の実験手続は前と同じ。

図6・4　社会的手抜き反応（アメリカ人男子大学生，拍手の場合）
(Gabrenya, W. Jr., Latané, B. & Wang, Y., 1981〔61〕より)

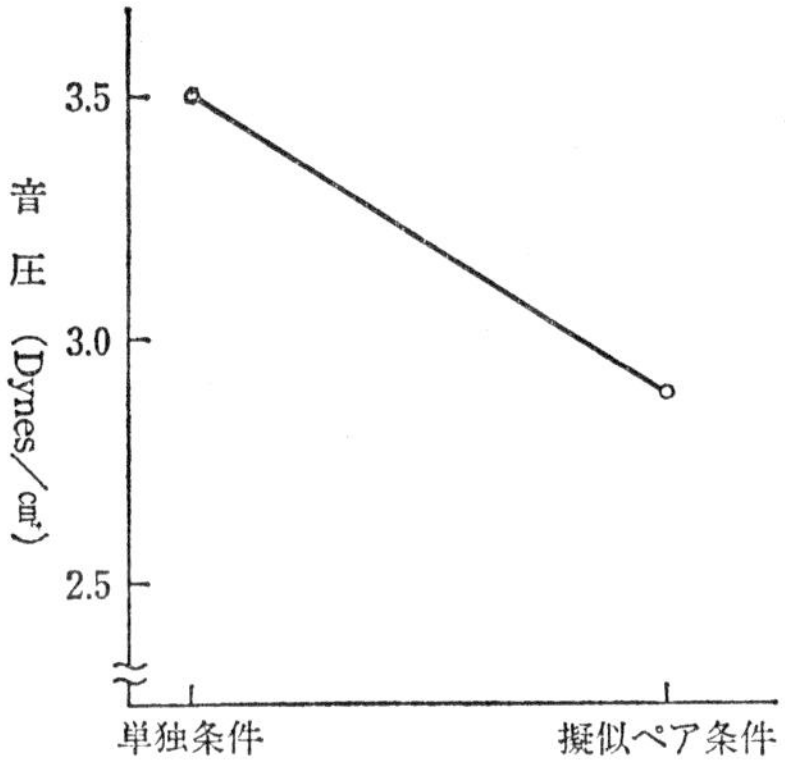

図6・5に示されるとおり、たとえ二人（あるいは四人）一緒のときでも被験者各自の貢献の程度を測定すると教示すれば、社会的手抜きをかなり食い止めることができることがわかる。

社会的手抜きはアメリカ人のみならず他の人種・民族にも見られるであろうか。ラタネほか〔61〕は中国（台湾）および香港出身の中国人でアメリカの大学院に留学中の学生を被験者として、最初に説明した実験（二一七ページ）と全く同じ手続で測定を試みた。図6・6に示されるとおり、中国人でアメリカの大学院に留学中の大学院生は、アメリカ人と全く逆で社会的手抜きを示すどころか、むしろ擬似集団条件でより大きな努力を示した。質問紙調査の結果からも、中国人の大

図６・５　社会的手抜きの防止に関する実験データ
（アメリカ人男子大学生の場合）
（Williams, K., Harkins, S. & Latané, B., 1981〔172〕, Fig. 2 より筆者が抜粋）

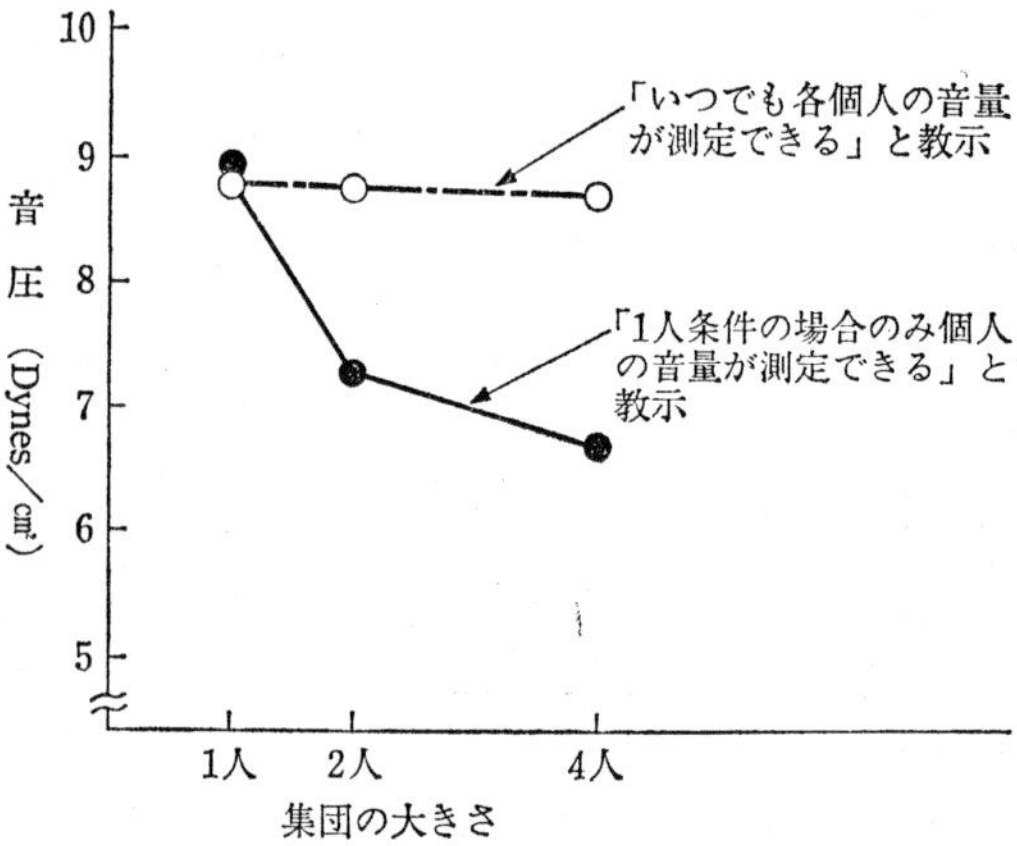

図６・６　社会的手抜きの比較文化研究データ（拍手の場合）
（Gabrenya, W. Jr., Latané, B. & Wang, Y., 1981〔61〕より）

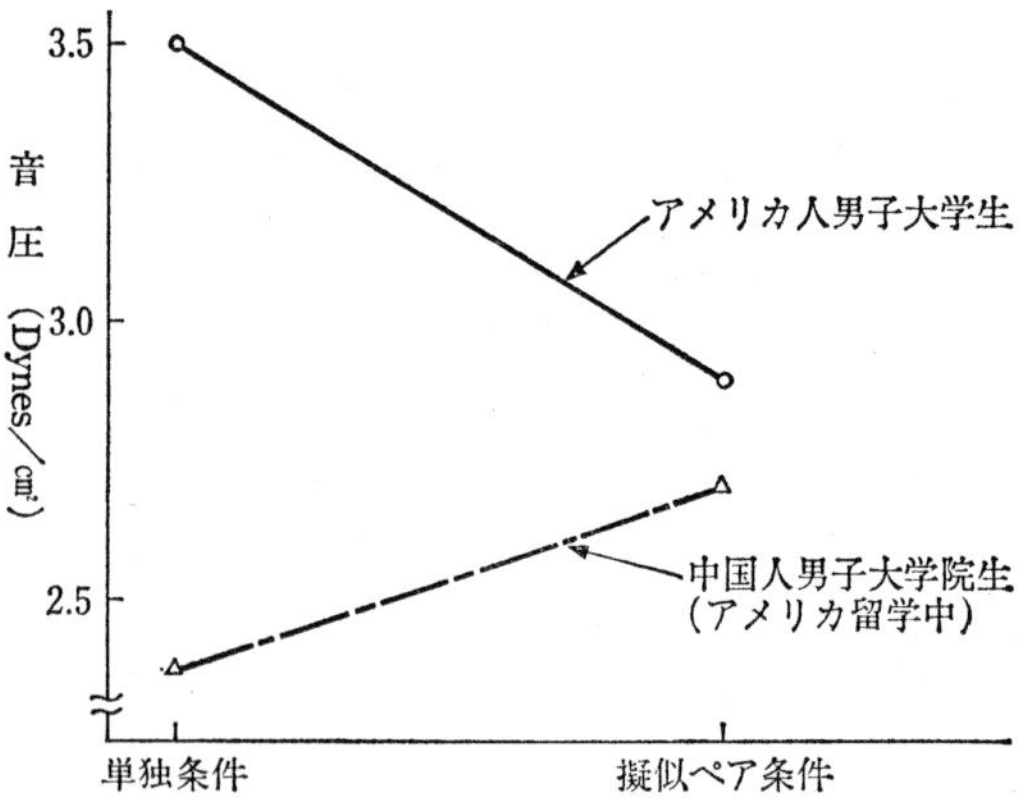

（注）　原図からアメリカ人男子大学院学生のデータを省略。

学院学生はアメリカ人学生よりも、より集団志向的であることがわかった。

では日本人の場合はどうであろうか。白樫＝ラタネ〔153〕は日本人男子大学生を被験者として〔61〕と同じ実験を行なった。ただし本実験では、一般学生、同一クラブ活動（柔道、合気道、卓球、バドミント

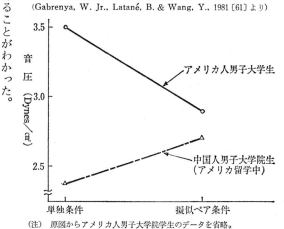

ン、弓道部など）に所属する学生の二群の被験者が用いられた。

「一般学生についてはアメリカ人と同じく社会的手抜きが見いだされるであろう」「しかし同一クラブに所属する二人の学生の間では社会的手抜きは見られないであろう」という実験仮説が立てられた。結果は図6・7に示されるとおり、一般学生についてもクラブ学生についても、社会的手抜きは見ら

図6・7　日本人男子大学生についての社会的手抜きに関する実験結果

（白樫，Latané, B., 1982〔153〕, Table 1 のデータを筆者作図）

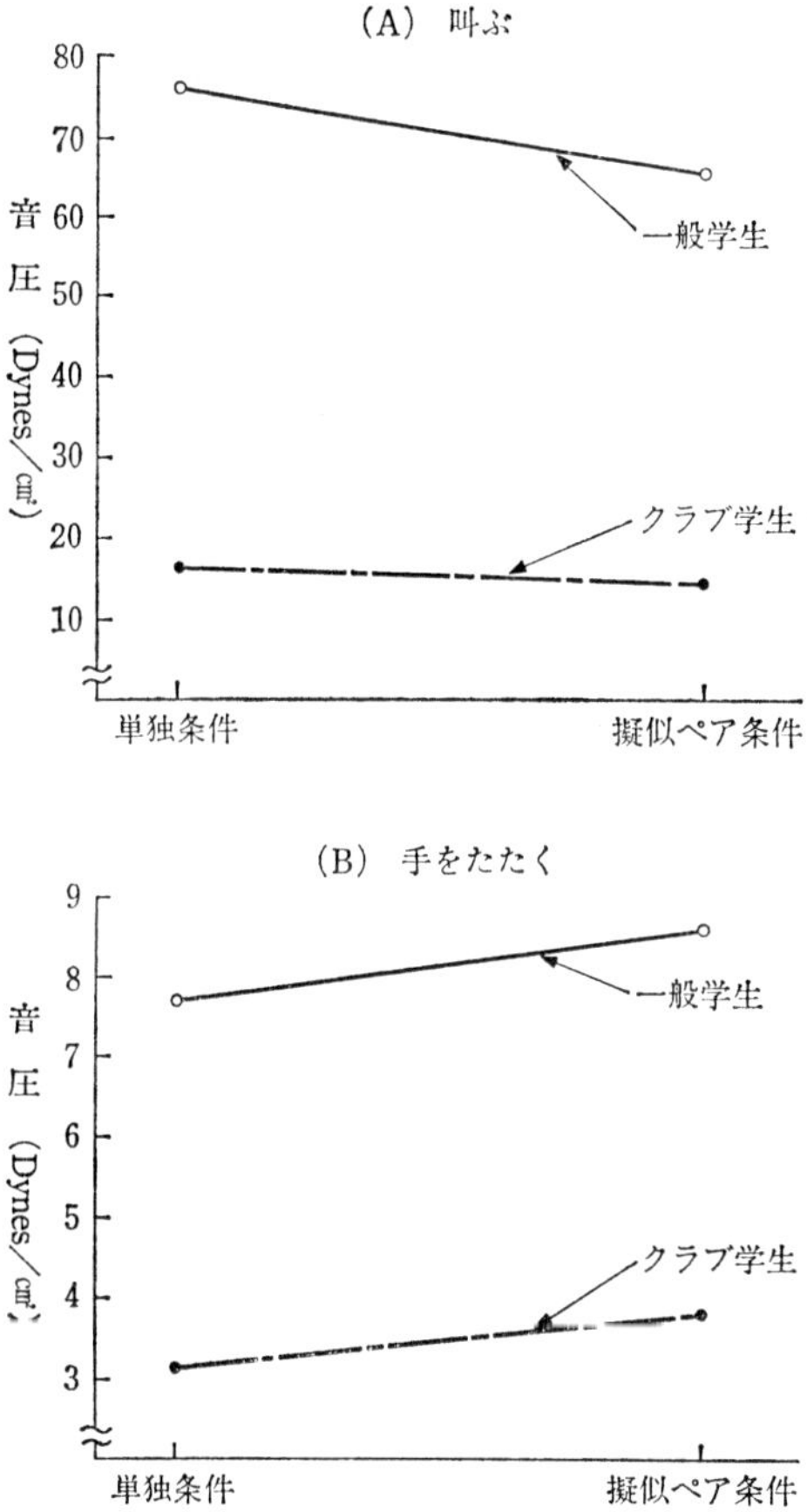

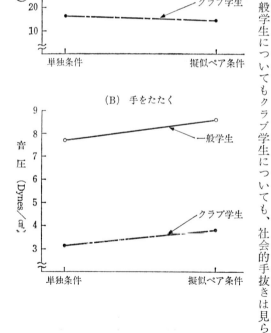

れなかった(叫ぶ場合も手をたたく場合も有意差なし)。ただ、一般にクラブ学生よりも一般学生の方が音圧が高かった(5％レベルで有意)。

この結果は初め実験者を戸惑わせた。クラブ活動はそのほとんどが体育会活動関係であり、日頃の練習などからみても、身体的にはおそらく大きな音を出すことができると考えられたからである。しかし間もなく実験結果の解釈があらわれた。そのキー・ポイントは一般学生にあった。一般学生の被験者は、筆者の授業を受講している学生の中から被験者として実験に参加してもよいと申し出た者から選んだ。その際、被験者として参加すればそれは授業への出席回数一回分の努力に相当すると告げられた。これが一般学生群の実験に対するモティベーションを高めたと解釈された。これに対してクラブ学生群はそのようなメリットがなかったため、実験参加のモティベーションは相対的に低かったと思われる。

ともかく本実験では、日本人男子大学生についてアメリカ人学生に見られるような社会的手抜きはあらわれなかった。ところが日本人の男女中学生を用いた川名ほか[81]の実験によると、この場合は男女ともアメリカ人大学生と同じく社会的手抜きがはっきりとあらわれた。

ここで述べたのは人間の社会的行動のある側面についての基礎的解明の努力であるが、われわれの職場にもこれと関連する諸原理がつねに作用しているわけである。

2　コミュニケーション

コミュニケーションとは「送り手と受け手との間の情報の交換であり、組織の参加者間の意味の推測である」〔115〕と定義できる。この場合、情報には単に事実ばかりでなく、感情や態度をも含む〔82〕。

コミュニケーションには次の四つの機能がある〔115〕。

(1)　コントロール（義務を明確に、権限と責任を確立する）

(2)　情報（意思決定のための基礎を与える）

(3)　動機づけ（組織目標のための協力と関与を引き出す）

(4)　感情（感情を表出する）

組織における諸問題のうち、現実に最も重要なものは、アメリカ、日本を問わず意思決定とコミュニケーションであるといわれる〔15〕。どのようにすればコミュニケーションを効果的にし、右の四つの機能を十分に生かすことができるであろうか。柳原〔173〕は次のような効果的コミュニケーションの五つの要素をあげている（文献〔173〕は普通の書店では入手しにくいかもしれない。その場合は、(株)プレスタイム内行動科学実践研究会〔〒107東京都港区南青山四丁目18―21。南青山スカイハイツ、電話(〇三)四〇一―七八六〇〕まで申し込まれるとよい。シリーズの第四巻まで既に発行されている）。

(a)　自己概念（自分が何者であり、どこに所属し、何ができ、何ができないか、何に価値をおいているか、何

を信じているかなどについてはっきりとした自己概念をもっている）

(b)　傾聴（相手のことばのみならず、その背後にある感情を含めて、相手を理解するために、身体的、知的、感情的全エネルギーを集中して努力する）

(c)　明確な表現（自分の言いたいことをはっきりとしたイメージで描き、しかもそれを明確な言葉で表現しなければならない）

(d)　自己開示（自分の考え、意見、感じなどを偽わらずに率直に打ち明ける）

これらをすべて完全に実現することは容易ではない。しかし不可能とあきらめてしまうのは早い。一九四六年、アメリカ・コネティカット州で行なわれたワーク・ショップ（研修会）で、レヴィンは全く新しい、対人関係行動変容のための技法開発のヒントを得た。このアイディアを発展させて、翌一九四七年、NTL（ナショナル・トレーニング・ラボラトリ）主催のTグループが開始された〔17〕。このTグループは確かに、ここであげられた効果的コミュニケーションのすべての要素を実現するための有効な方法といえよう。

白樫〔149〕は、小集団におけるコミュニケーションを通しての問題解決の効果性が集団構成員のパーソナリティの等質性・異質性とどのようにかかわるかを明らかにするための実験室実験を行なった。被験者は男子大学生四名からなる集団で、互いに異なる情報を交換しながら、正解に到達することが求められた。本実験参加二週間前に被験者はパーソナリティ測定のため、ロターの内的・外的統制傾向尺度〔123〕〔174〕への記入を求められた。

内的統制型（I）は自分に起こることは自分の行動や態度の結果であると信じ、外的統制型（E）は運、不運、機会、有力な他者の結果であると信じる傾向にある[124]。これを測定するためロター[123][174]は次のような強制選択法によるテストを作成した（二九項目）。

2・a　人生における不幸な出来事の多くは不運による

b　不幸な出来事は主としてその人が犯した過ちから生ずる

9・a　将来起こるであろう事がらは、実はすでに決まっているのであり、ただわれわれに見えないだけである

b　将来についてもはっきりとした意思決定をすれば、運にまかせるなどということはあり得ない

（右の二項目はいずれも選択肢aが外的統制型、bが内的統制型）

さて、集団に課せられた課題は、柳原[173]から採られたエネルギー・インターナショナル社のブラジル支社総支配人を七人の候補者の中から決定するという問題であった（本実験のために筆者がやや変更）。各候補者の年齢、学歴、職歴、使用言語、国籍などのリストは被験者全員に与えられた。またこの支社総支配人が備えておくべき特性の条件については、互いに内容の異なる情報が別々の紙に印刷され、成員各自に手渡された。限られた時間にいかに効率よくコミュニケーションを行ない、正解に近づくかが、各集団間で競争された。

制限時間終了後、課題の内容の理解度を測定するために、一五項目からなる客観テストが与えられ

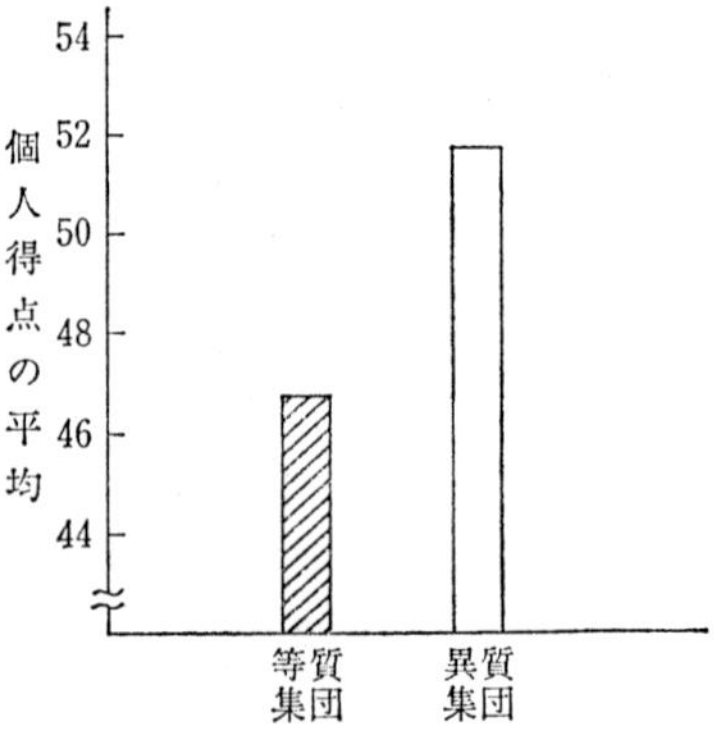

図6・8　集団成員のパーソナリティの等質・異質性と集団問題解決の効果性との関係
（白樫，1978〔149〕，Table 2 記載のデータを筆者図示）

た。被験者は個人ごとに解答した。

図6・8に示されるとおり、等質集団（成員四名のパーソナリティが相互に類似）よりも異質集団（少なくとも一名の成員のパーソナリティが他の成員と異なる）において、コミュニケーションが効果的に行なわれ、正解に近づく割合が増える（二群の平均値の差は五％レベルで有意）。筆者の考察によれば、集団の中にパーソナリティの異なる成員がいるため、一つの問題に対してそれぞれ固有な見解があらわれる可能性が大きくなり、これがコミュニケーションをより効果的なものとし、正解に近づく確率を増やすのではないか。

ただしここで注意しておきたいことがある。異質集団では確かに平均得点は高かったが、同時に同一集団内で四名の成員間の得点の開きがきわめて大きかったのである。すなわち異質集団では得点が高い者もいれば低い者もあり、両者の開きがきわめて大きかったのである。異質集団の場合、集団活動の過程から大きな収穫を得る者もあれば、それがきわめて少ない者もある。集団構成に当って留意すべき点のひとつであろう。

3 集団的浅慮

アメリカ合衆国の第三五代大統領ジョン・F・ケネディ（一九一七〜六三）は大統領に就任して間もない一九六一年四月、キューバ侵攻作戦を実行し、その結果は大失敗に終った[78][121]。その目的はキューバからの亡命者グループ、アメリカCIA、陸海空軍の協同作戦でキューバの社会主義政権を倒すことであった。当時のケネディ政権にはラスク国務長官、マクナマラ国防長官、R・ケネディ司法長官、シュレジンジャー補佐官、ダレスCIA長官など優秀なスタッフがそろっていた。しかしこの優秀で、結束力の固いグループが、「キューバは簡単につぶせる」という過信をもって、幻想のとりことなり、内部の少数意見を無視した。その結果、作戦は大失敗に終わり、ケネディ自身をして「なぜあんなばかな決定を下してしまったのだろう」と言わせることになった。

ジャニス[78]は当時の政府のこの政策決定の過程を分析し、一般に同じ価値観をもつ結束の固いグループが特殊な緊張状況下で意思決定を行なうとき、心理的圧迫によって誤った決定を下す場合が多いという結論を導いた。このような現象を彼は「集団的浅慮」（Groupthink）と名付けた。その一般的症状は次の通り。

(1) 問題の討議にあたり、初めから選択の範囲を限定する。

(2) 過半数の成員によって同意された意見は、状況がたとえ変化しても二度と見直されることがな

表6・2　集団意思決定過程の指針

(Hall, J., 1972〔65〕より)

1	自分自身の考えを強引に正当化することを避ける。
2	討議が行きづまっても，勝ち—負けを決めない。すべての成員が納得できる道を探す。
3	安易に対立を回避し，同調してはならない。客観的で論理的と思われる意見のみに対して同意してよい。
4	多数決とか平均をとるとか，取引きをする（あるところで同意してもらったから，別のところでは譲歩するなど）などの方法をとらない。
5	意見の相違があるのは当然で，むしろそこから創造的アイディアの可能性がある。

い。

(3) 一度拒否された意見は見直されない。

(4) 集団外部から知識や情報を得ようとしない。

(5) 多数意見に都合のよい意見だけに関心を示す。

(6) 決定後の実施段階で生起するアクシデントに十分な対処を配慮しようとしない。

われわれの職場集団において、これとよく似たことがあるのではないか。もし現実にあるとすれば、それを防止する手段はないものだろうか。アメリカの経営コンサルタント、ホール〔65〕は集団討議の訓練によって集団的浅慮を予防することができるという。彼はそれを表6・2に要約している。

この指針の有効性を参加者に体験させるため彼はNASA（アメリカ航空宇宙局）実習（あるいは「月面での遭難実習」）という、興味あるテクニークを開発している〔65〕〔173〕。それは「あなたがたが搭乗する宇宙船が月の明るい面に不時着し、多くの機械などが破損した。しかし次の一五の品目だけは完全に使える状態に保たれていた。母船まで約三二〇キロを歩かなければならない。その際最も重要と思うものに一番、次に重要だと思うものに二番……と一五番まで順番をつけてください。

マッチ（　）　宇宙食（　）　ナイロンのロープ一五メートル（　）、……太陽で作動するFM送受信機（　）」

という問題をまず個人で解答し、その後五〜六名の集団で各自の解答をもちよって、それをもとに集団討議を行なう。その際、先に示した指針（二二八ページ）を参照するよう要請する。

苦心したのち、集団解答がまとまったら、スタッフはNASAの専門家が作成した正解を示し、個人解答および集団解答の両者がその正解とどのくらいズレているかを測定する。そのズレの大きさから、次の表6・3にそって評価することもできる（これはあまり深刻にとらず、一種のゲームとして受けとってほしい）。

表6・3　NASA実習における評価基準

(Hall, J., 1972〔65〕より)

正解とのズレ*	評　価
0—25点	きわめて優秀。宇宙飛行士としての素質あり
26—32点	まあ優秀。宇宙飛行士にはなれないが緊急事態に直面しても十分生き残れるであろう
33—45点	平均的現代人
46—70点	将来，月旅行が可能になっても行かない方がいいだろう。生命があぶない
71—112点	人間の資格なし

（注）＊　正解とのズレの絶対値の合計。

しかしより重要なのは、集団討議以前の個人解答の得点（の平均）よりも、集団解答の方がより正解に近づくか否かということである。もし集団成員が真剣に、しかも前掲の「指針」に忠実に従って討議に参加したならば、集団解答はより正解に近付くはずである。ときには、集団討議以前の個人解答の最善のものよりも集団解答の方がより正解に近いことも稀ではない。多くの場合、集団解答は個人解答の平均よりも正解に近付く。

なぜこういうことが起こるのであろうか。それは正しい指針に沿って集団討議が行なわれるならば、集団にはその相互作用を通じて、成員ひとりひとりがもっているものをよりすぐれたものへ総合していける可能性があるからである。もし集団が特殊な状況におかれて、うまく機能しない場合には、先に述べた集団的浅慮に悩まされることになる（詳しくは文献〔65〕または〔173〕〔本書二二三ページ参照〕を参照のこと）。

アメリカ合衆国第三七代大統領R・M・ニクソン（一九一三〜）のウォーターゲート事件、一九六七年の中東六日戦争後のイスラエル内閣のアラブ諸国に対する準備のまずさ（一九七三年一〇月頃）、ナチ・ドイツのソ連に対する進攻（一九四一年）などは、いずれもその政策決定過程に問題があったのではないかと考えられている〔121〕。

われわれはこのような集団力学の原理をよく理解し、組織や集団にかかわる対人関係の問題を解決するよう努力しなければならない。

〈索　　引〉

事項索引

あ　行

意思決定　179〜187
異質性　224
エネルギー　34, 35
M　型　49〜52, 54, 56, 57, 61, 62, 64, 65, 67, 68
M機能　50, 51
LPC　4, 119, 121〜125, 137, 139, 140, 143〜145, 149〜151, 160, 163, 165, 192, 195, 198, 200, 201, 205, 208
——尺度に関する疑問　164
——の意味　150
高——　4, 5, 119, 122, 123, 125, 140, 143, 145, 150, 151, 154〜163, 192〜199, 200, 206
低——　4, 5, 119, 122, 123, 125, 140, 143, 145, 150, 151, 154〜160, 162, 163, 192〜195, 197〜199, 201, 205, 206
LBDX－XII(リーダー行動記述質問票)　45, 73, 74, 93, 175, 176
オクタント　130, 131

か　行

外的統制傾向　224, 225
学業成績　35, 47, 48
課題の構造　81〜83, 201, 203, 204
——化　127, 129, 130, 132, 133, 141, 142, 145, 157, 166, 169〜171, 174〜176, 179
課題の難易度　97, 98
葛藤解決　116〜118
活動性　34
キティ・ジェノビース事件　216
規範的モデル　180, 186
経　験　39, 41, 45, 189〜199, 203
権威主義的態度　91〜95, 98
構造づくり　72〜85, 102, 103, 154, 162, 168〜170, 172, 179
高統制　131, 139, 140, 142〜145, 198, 205, 206
個人空間の侵入　213
コミュニケーション　223〜226
——構造　20, 21, 66〜68, 71, 89, 91

さ　行

時間の要因　112, 114
自　信　33, 34
システム1　104, 105, 112
システム2　104, 105, 112, 115
システム3　104, 105, 115
システム4　104, 105, 110〜112, 115, 118
支配性　34
社会的影響過程　13, 14
社会的距離　151
社会的参加　35
社会的促進　216
社会的手抜き　218, 219, 221, 222
社会的抑制　216, 217
社交性　34

集団－課題状況の区分　125, 129
——に関する疑問　166
集団凝集性　37, 38, 80, 88, 89
集団的浅慮　227, 228, 230
集団の大きさ　25
状況統制力　203～206, 208
状況要因　85
条件即応モデル　137, 140, 144, 160, 187, 196, 198, 200, 201, 204, 205, 210
——に対する批判　164
——の妥当性　144, 146, 149, 150
条件適合理論　187
上司からのストレス　41～46
責任感　35
潜在的影響力　130, 133
ソシオメトリー　10, 22
組織開発　114, 115

た　行

対人関係の心理　213
対人的技能　34
大人物論　15
多元的スクリーン・モデル　39～41
多元的連鎖モデル　102
達成動機　60～66
地位の差　23
知　能　32, 33, 36, 37, 39, 41, 44, 47
中統制　131, 140, 142～144, 146, 198, 199, 206
通路－目標理論　169～179
Tグループ　224
低統制　131, 139, 140, 142～145, 198, 199, 205, 206
動機づけの階層構造　154, 158, 159, 164
等質性　224

な　行

内的統制傾向　224, 225
認知的複雑さ　154

は　行

配　慮　72, 74～81, 83～85, 102, 103, 151, 168, 171, 172, 179
パーソナリティ　15, 18, 27, 92, 94～96
PM型　51～54, 56, 57, 61, 62, 64, 66～70
pm型　51, 54, 56, 60～62, 64
PM測定尺度　54, 55
P　型　49～52, 54, 56, 60～62, 66～69
P機能　50, 51
フォロワー　31, 63, 64, 66
ブルーム＝イェットン・モデル　188
「分化の釣り合い」仮説　141, 144, 154
傍観者効果　215
ポジション　18～20

ら　行

ライフ・サイクル理論　62～65, 69, 71
リーダー　9, 10, 31
——に要求される能力・資質　31～36
リーダーシップ　8
——の定義　7～14
——の発生　14～28
——の発達　28～30
専制型——　86～88, 91, 97, 98, 180
民主型——　86～88, 91, 97, 98,

180
危機と——　25〜27
幼児期と——　28
児童期と——　29
青年期と——　29, 30
リーダーシップ訓練　196〜200, 203, 208〜210
リーダーシップ行動　11, 49, 72, 86, 89, 91, 168〜179, 186
リーダーシップ・スタイル　1, 208
リーダー／成員関係　81, 91, 92, 125, 127, 129, 130, 132, 133, 138, 140, 145, 146, 166, 201, 204, 205
リーダー地位力　83, 127, 129, 130, 132, 133, 141, 142, 144, 145, 166, 201, 203, 204
リーダーなし集団　15, 17, 18
リーダー・マッチ　200, 201〜211
——の妥当性　208, 210
——への批判　210

人名索引

ア　行

イェットン (Yetton, P. W.)　180, 184, 188
ウィリアムズ (Williams, K.)　219
ウィルソン (Wilson, T. R.)　155
エアー (Ayer, J. G.)　163
エバンス (Evans, M. G.)　168
オエザー (O'Eser, O. A.)　123
オブライエン (O'Brien, G. E.)　133

カ　行

カー (Kerr, S.)　79, 85
カッツ (Katz, D.)　165
カートライト (Cartwright, D.)　13, 159
川名好裕　222
ギブ (Gibb, C. A.)　9
クローリィ (Crowley, J. J.)　29
コールマン (Korman, A. K.)　187

サ　行

ザイアンス (Zajonc, R. B.)　216
サンプル (Sample, J. A.)　155
ジャーゴ (Jago, A. G.)　185, 186
シャートル (Shartle, C. L.)　72
ジャニス (Janis, I. L.)　227
シュリシェイム (Schriesheim, C. A.)　175, 177, 210
ショー (Shaw, M. E.)　127
ジョンソン (Johnson, T. W.)　178
白樫三四郎　13, 144, 145, 151, 155, 157〜164, 204, 220, 224
スティンソン (Stinson, J. E.)　178
ストッディル (Stogdill, R. M.)　9, 31, 45, 72, 119
ストルーブ (Strube, M. J.)　167
関文恭　66

タ　行

ダウニイ (Douney, H. K.)　178
ダーリイ (Darley, J. M.)　216
チェマーズ (Chemers, M. M.)　191
デスラー (Dessler, G.)　169, 172, 179
土岐桂　86

トリップレッド (Triplett, N.)　216

ナ 行

中野繁喜　97
中村陽吉　215
ネベイカー (Nebeker, D. M.)　131

ハ 行

ハウス (House, R. J.)　169, 172
バーコビッツ (Berkowitz, L.)　137
ハーシイ (Hersey, P.)　62, 69, 71
バス (Bass, B. M.)　9, 31, 88
ハルピン (Halpin, A. W.)　72
バレンツィ (Valenzi, E. R.)　179
バロン (Barron, N. M.)　162
ビーチ (Beach, B.)　133
フィードラー (Fiedler, F. E.)　4, 5, 36, 81, 82, 85, 119〜122, 125, 127, 129〜131, 133, 137, 140, 144, 146, 147, 149〜151, 154, 157, 158, 160, 162〜167, 187, 189, 191, 192, 196, 198, 200, 201, 204, 206, 208, 210
フォア (Foa, U. G.)　141, 144
ブランチャード (Blanchard, K. H.)　62, 69, 71
ブルーム (Vroom, V. H.)　78, 79, 180, 181, 184〜186, 188
フレイシュマン (Fleishman, E. A.)　72, 85
ベールス (Bales, R. F.)　156
ヘンフィル (Hemphill, J. K.)　72
ホスキング (Hosking, D.)　167, 210
ホール (Hall, J.)　228
ホワイト (White, R.)　86
ボン (Bons, P. M.)　163

マ 行

マグレガー (McGregor, D.)　187
マックレランド (McClelland, D.)　60
マハー (Mahar, L.)　208
三隅二不二　49〜51, 54, 57, 66, 97, 105, 137
ミッチェル (Mitchell, T.)　179
モレノ (Moreno, J. L.)　10

ヤ 行

柳原光　223, 225
ユクル (Yukl, G.)　79, 102, 104

ラ 行

ライス (Rice, J. B.)　150
ライス (Rice, R. W.)　150, 160, 163, 164
ラタネ (Latané, B.)　216〜220
リカート (Likert, R.)　104, 105, 111, 112, 114, 115, 117, 118, 120, 181
リピット (Lippitt, R.)　86
リンゲルマン (Ringelmann, —)　217
ルービン (Rubin, J. Z.)　9
レヴィン (Lewin, K.)　86, 87, 181, 224
レーブン (Raven, B. H.)　9
ロター (Rotter, J. B.)　224, 225

ワ 行

ワイナー (Winer, B. J.)　72

引用文献

〔1〕 安香宏 1975 TAT 岡堂哲男編 心理検査学 垣内出版 pp. 135-164.

〔2〕 Ashour, A. S. 1973a The contingency model of leadership effectiveness: An evaluation. *Organizational Behavior and Human Performance*, 9, 339-355.

〔3〕 Ashour, A. S. 1973b Further discussion of Fiedler's contingency model of leadership effectiveness. *Organizational Behavior and Human Performance*, 9, 369-376.

〔4〕 Ayer, J. G. 1967 Effects of success and failure of interpersonal and task performance upon leader perception and behavior. Technical Report, No. 26, University of Illinois, Group Effectiveness Research Laboratory (Mimeo).

〔5〕 Bales, R. F. 1950 *Interaction process analysis: A method for the study of small groups.* New York: Addison-Wesley. (手塚郁恵訳 1971 グループ研究の方法 岩崎学術出版社)

〔6〕 Bardin, I. J. 1974 Some moderator influences on relationships between consideration, initiating structure, and organizational criteria. *Journal of Applied Psychology*, 59, 380-382.

〔7〕 Barnes, V., Potter, E. H., Ⅲ. & Fiedler, F. E. 1983 Effect of interpersonal stress on the prediction of academic performance. *Journal of Applied Psychology*, 68, 686-697.

〔8〕 Bass, B. M. 1960 *Leadership, psychology, and organizational behavior.* New York: Harper & Brothers.

〔9〕 Bass, B. M. 1981 *Stogdill's handbook of leadership: A survey of theory and research. (Revised and expanded.)* New York: Free Press.

〔10〕 Bavelas, A. 1950 Communication patterns in task oriented groups. *Journal of the Acoustical Society of America*, 22, 725-730. (中野繁喜・佐々木薫訳 1970 課題志向的集団における

コミュニケーションの型　カートライト／ザンダー(編)　三隅二不二・佐々木薫訳編　グループ・ダイナミックス　第2版　誠信書房　pp. 805-881.）

〔11〕 Bavelas, A., Hastorf, A. H., Gross, A. E. & Kite, W. R. 1965 Experiments on the alteration of group structure. *Journal of Experimental Social Rsychology*, 1, 55-70.

〔12〕 Beach, B. & Beach, L. R. 1978 A note on judgements of situational favorableness and probability of success. *Organizational Behavior and Human Performance*, 22, 69-74.

〔13〕 Bell, G. B. & French, R. L. 1950 Consistency of individual leadership position in small groups of varying membership. *Journal of Abnormal and Social Psychology*, 45, 764-767.

〔14〕 Blake, R. R. & Mouton, J. S. 1964 *The managerial grid.* Houston: Gulf Publishing.（上野一郎訳　1972　期待される管理者像　産業能率短期大学出版部）

〔15〕 Blake, R. R. & Mouton, J. S. 1968 *Corporate excellence through grid organization development.* Houston: Gulf Publishing.（上野一郎訳　1969　動態的組織づくり：マネジリアル・グリッド方式による　産業能率短期大学出版部）

〔16〕 Bons, P. M. & Fiedler, F. E. 1976 Changes in organizational leadership and the behavior of relationship- and task-motivated leader. *Administrative Science Quarterly*, 21, 453-473.

〔17〕 Bradford, L. P., Gibb, J. R. & Benne, K. D. 1964 *T-group theory and laboratory method: Innovation in re-education.* New York: John Wiley & Sons.（三隅二不二監訳　1971　感受性訓練：Tグループの理論と方法　日本生産性本部）

〔18〕 Carter, L. F., Haythorn, W., Shriver, B. & Lanzetta J. T. 1951 The behavior of leaders and other group members. *Journal of Abnormal and Social Psychology*, 46, 589-595.（原岡一馬訳　1970　リーダー行動と他の集団成員の行動　カートライト／ザンダー(編)　三隅二不二・佐々木薫訳編　グループ・ダイナミックス　第2版　誠信書房　pp. 609-619.）

〔19〕 Cartwright, D. 1969 九州大学教育学部における講義（未公

刊)。

〔20〕 Chemers, M. M., Rice, R. W., Sundstrom, E. & Butler, W. 1975 Leader esteem for the Least Preferred Co-worker score, training, and effectiveness: An experimental examination. *Journal of Personality and Social Psychology*, 31, 401–409.

〔21〕 Coch, L. & French, J. R. P., Jr. 1948 Overcoming resistance to change. *Human Relations*, 1, 512–532. (新村豊・佐佐木薫訳　1969　変化に対する抵抗の克服　カートライト／ザンダー(編)　三隅二不二・佐々木薫訳編　*グループ・ダイナミックス*　第2版　誠信書房　pp. 383–407.)

〔22〕 Cummins, R. C. 1972 Leader-member relations as a moderator of the effects of leader behavior and attitude. *Personnel Psychology*, 25, 655–660.

〔23〕 Darley, J. M. & Latané, B. 1968 Bystander intervention in emergencies: Diffusion of responsibility. *Journal of Personality and Social Psychology*, 8, 377–383.

〔24〕 Dessler, G. & Valenzi, E. R. 1977 Initiation of structure and subordinate satisfaction: A path analysis test of path-goal theory. *Academy of Management Journal*, 20, 251–259.

〔25〕 Downey, H. K., Sheridan, J. E. & Slocum, J. W., Jr. 1975 Analysis of relationships among leader behavior, subordinate job performance and satisfaction: A path-goal approach. *Academy of Management Journal*, 18, 253–262.

〔26〕 Downey, H. K., Sheridan, J. E. & Slocum, J. W., Jr. 1976 The path-goal theory of leadership: A longitudinal analysis. *Organizational Behavior and Human Performance*, 16, 156–176.

〔27〕 Evans, M. G. 1970 The effects of supervisory behavior on the path-goal relationship. *Organizational Behavior and Human Performance*, 5, 277–298.

〔28〕 Evans, M. G. 1974 Extensions of a path-goal theory of motivation. *Journal of Applied Psychology*, 59, 172–178.

〔29〕 Fiedler, F. E. 1950 A comparison of therapeutic relationships in psychoanalytic, nondirective and Adlerian therapy.

Journal of Consulting Psychology, 14, 436–445. (伊東博訳　1960 精神分析, 非指示的方法, アドラー療法における治療関係の比較　伊東博訳編　カウンセリングの基礎　誠信書房　pp. 239–261.)

〔30〕 Fiedler, F. E. 1951 A method for objective quantification of certain counter-transference attitudes. *Journal of Clinical Psychology*, 7, 101–107.

〔31〕 Fiedler, F. E. 1957 A note on leadership theory: The effect of social barriers between leaders and followers. *Sociometry*, 20, 87–93.

〔32〕 Fiedler, F. E. 1964 A contingency model of leadership effectiveness. in Berkowitz, L. (ed.) *Advances in experimental social psychology*, vol. 1. New York: Academic Press. pp. 149–190.

〔33〕 Fiedler, F. E. 1967 *A theory of leadership effectiveness.* New York: McGraw-Hill. (山田雄一監訳　1970　新しい管理者像の探究　産業能率短期大学出版部)

〔34〕 Fiedler, F. E. 1970 Leader experience and leader performance: Another hypothesis shot to hell. *Organizational Behavior and Human Performance*, 5, 1–14.

〔35〕 Fiedler, F. E. 1971 *Leadership.* New York: General Learning Press.

〔36〕 Fiedler, F. E. 1972a The effects of leadership training and experience: A contingency model interpretation. *Administrative Science Quarterly*, 17, 453–470.

〔37〕 Fiedler, F. E. 1972b Personality, motivational systems, and the behavior of high- and low-LPC persons. *Human Relations*, 25, 391–412.

〔38〕 Fiedler, F. E. 1972c Predicting the effects of leadership training and experience from the contingency model. *Journal of Applied Psychology*, 56, 114–119.

〔39〕 Fiedler, F. E. 1973a Predicting the effects of leadership training and experience from the contingency model: A clarification. *Journal of Applied Psychology*, 57, 110–113.

〔40〕 Fiedler, F. E. 1973b The contingency model: A reply

to Ashour. *Organizationa Behalvior and Human Performance*, 9, 356-368.

〔41〕 Fiedler, F. E. 1973c Personality and situational determinants of leader behavior. in Fleishman, E. A. & Hunt, J. G. (eds.) *Current development in the study of leadership*. Southern Illinois University Press. pp. 41-60.

〔42〕 Fiedler, F. E. 1977 A rejoinder to Shreisheim and Kerr's premature obituary of the contingency model. in Hunt, J. G. & Larson, L. L. (eds.) *Leadership: The cutting edge*. Southern Illinois University Press. pp. 45-56.

〔43〕 Fiedler, F. E. 1978 The contingency model and the dynamics of the leadership process. in Berkowitz, L. (ed.) *Advances in experimental social psychology*, vol. 11, New York: Academic Press. pp. 59-112.

〔44〕 Fiedler, F. E. & Barron, N. M. 1967 The effect of leadership style and leader behavior on group creativity under stress. Technical Report, No. 25, University of Illinois, Group Effectiveness Research Laboratory (Mimeo).

〔45〕 Fiedler, F. E. & Chemers, M. M. 1974 *Leadership and effective management*. Glenview, Illinois: Scott, Foresman & Co.

〔46〕 Fiedler, F. E., Chemers, M. M. & Mahar, L. 1977 *Improving leadership effectiveness: The leader match concept*. New York: John Wiley & Sons. (吉田哲子訳 1978 リーダー・マッチ理論によるリーダーシップ教科書 プレジデント社)

〔47〕 Fiedler, F. E. & Leister, A. F. 1977 Leader intelligence and task performance: A test of a multiple screen model. *Organizational Behavior and Human Performance*, 20, 1-14.

〔48〕 Fiedler, F. E. & Mahar, L. 1979 The effectiveness of contingency model training: A review of the validation of leader match. *Personnel Psychology*, 32, 45-62.

〔49〕 Fiedler, F. E. & Meuwese, W. A. T. 1963 Leaders' contribution to task performance in cohesive and uncohesive group. *Journal of Abnormal and Social Psychology*, 67, 83-87. (白樫

三四郎訳　1970　課題遂行に対するリーダーの貢献と集団凝集性　田中靖政編訳　現代アメリカ社会心理学　日本評論社　pp. 119-128.）

〔50〕 Fiedler, F. E., Potter, E. H., Ⅲ., Zais, M. & Knowlton, W. A., Jr. 1979 Organizational stress and the use and misuse of managerial intelligence and experience. *Journal of Applied Psychology*, 64, 635-647.

〔51〕 Fisher, J. D. & Byrne, D. 1975 Too close for comfort: Sex differences in response to invasions of personal space. *Journal of Personality and Social Psychology*, 32, 15-21.

〔52〕 Fleishman, E. A. 1973 Twenty years of consideration and structure. in Fleishman, E. A. & Hunt, J. G. (eds.) *Current development in the study of leadership*. Southern Illinois University Press. pp. 1-37.

〔53〕 Fleishman, E. A. & Harris, E. F. 1962 Patterns of leadership behavior related to employee grievances and turnover. *Personnel Psychology*, 15, 43-56.

〔54〕 Fleishman, E. A., Harris, E. F. & Burtt, H. E. 1955 *Leadership and supervision in industry: An evaluation of supervisory training program*. Research Monograph, No. 33, Bureau of Educational Research, Ohio State University.

〔55〕 Fleishman, E. A. & Simons, J. 1970 Relationship between leadership patterns and effectiveness ratings among Israeli foremen. *Personnel Psychology*, 23, 169-172.

〔56〕 Foa, U. G. 1957 Relation of worker expectation to satisfaction with supervisor. *Personnel Psychology*, 10, 161-168.

〔57〕 Foa, U. G., Mitchell, T. R. & Fiedler, F. E. 1971 Differentiation matching. *Behavioral Science*, 16, 130-142.

〔58〕 Fox, W. M., Hill, W. A. & Guertin, W. H. 1973 Dimensional analysis of the least preferred coworker scales. *Journal of Applied Psychology*, 57, 192-194.

〔59〕 藤沢茽・浜田哲郎　1961　Fスケールによる人格の研究Ⅰ　教育・社会心理学研究，2，35-46.

〔60〕 藤田正　1975　PM感受性訓練：組織変革のためのトレーニン

グ　集団力学研究所編　組織変革とPM理論　ダイヤモンド社　pp. 72-98.

〔61〕 Gabrenya, W. Jr., Latané, B. & Wang, Y. 1981 Social loafing among Chinease overseas and U. S. students. Read at the International Association for Cross-Cultural Psychology and International Council of Psychologists, National Taiwan University, Taipei, Taiwan, Public of China (Mimeo).

〔62〕 Gibb, C. A. 1964 Leadership. in Lidzey, G. & Aronson, E. (eds.) *The handbook of social psychology.* (*2nd ed.*) vol. 4. Reading, Mass: Addison-Wesley. pp. 205-282.

〔63〕 Graen, G., Dansereau, Jr. & Minami, T. 1972 Dysfunctional leadership styles. *Organizational Behavior and Human Performance*, 7, 216-236.

〔64〕 Grusky, O. 1963 The effects of formal structure on managerial recruitment: A study of base ball organization. *Sociometry*, 26, 345-353.

〔65〕 Hall, J. 1972 独断か？ 相談か：集団意思決定便覧　ビジネス能力の創造（人間の行動シリーズ2）　ダイヤモンド－タイム社 pp. 129-119.

〔66〕 Halpin, A. W. 1957 The leader behavior and effectiveness of aircraft commanders. in Stogdill, R. M. & Coons, A. E. (eds.) *Leader behavior: Its description and measurement.* Research Monograph, No. 88, Bureau of Business Research, Ohio State University, pp. 52-64.

〔67〕 Halpin. A. W. & Winer, B. J. 1957 A factorial study of the leader behavior description. in Stogdill, R. M. & Coons, A. E. (eds.) *Leader behavior: Its description and measurement.* Research Monograph, No. 88, Bureau of Business Research, Ohio State University, pp. 39-51.

〔68〕 Hamblin, R. L. 1958 Leadership and crisis. *Sociometry*, 21, 322-335.（安藤延男訳　1970　リーダーシップと危機　カートライト／ザンダー（編）　三隅二不二・佐々木薫訳編　グループ・ダイナミックス　第2版　誠信書房　pp. 681-697.）

〔69〕 Hemphill, J. K. 1957 Leader behavior associated with

the administrative reputations of college departments. in Stogdill, R. M. & Coons, A. E. (eds.) *Leader behavior: Its description and measurement.* Research Monograph, No. 88, Bureau of Business Research, Ohio State University, pp. 74–85.

〔70〕 Hersey, P. & Blanchard, K. H. 1972 *Management of organizational behavior: Utilizing human resources.* (*2nd ed.*) Englewood Cliffs, N. J.: Prentice Hall. (松井賚夫監訳 1974 管理者のための行動科学入門 新版 日本生産性本部)

〔71〕 Hosking, D. 1981 A critical evaluation of Fiedler's contingency hypothesis. in Stephenson, G. H. & Davis, J. H. (eds.) *Progress in applied social psychology*, vol. 1, New York: John Wiley & Sons. pp. 103–154.

〔72〕 Hosking, D. & Schriesheim, C. 1978 Book review of Fiedler, Chemers & Mahar's *Improving leadership effectiveness: The leader match concept. Administrative Science Quarterly*, 23, 496–505.

〔73〕 House, R. J. 1971 A path-goal theory of leader effectiveness. *Administrative Science Quarterly*, 16, 321–338.

〔74〕 House, R. J. & Dessler, G. 1974 The path-goal theory of leadership: Some post hoc and a priori tests. in Hunt, J. G. & Larson, L. L. (eds.) *Contingency approaches to leadership.* Southern Illinois University Press. pp. 29–62.

〔75〕 House, R. J., Filley, A. C. & Kerr, S. 1971 Relation of leader consideration and initiating structure to R and D subordinates' satisfaction. *Administrative Science Quarterly*, 16, 19–30.

〔76〕 Hurwitz, J. I., Zander, A. & Hymovitch B. 1960 Some effects of power on the relations among group members. in Cartwright, D. & Zander, A. (eds.) *Group dynamics: Theory and research.* (*2nd ed.*) New York: Row Peterson. pp. 800–809. (斎藤二郎・佐々木薫訳 1970 集団成員間の関係に及ぼす勢力の効果 カートライト／ザンダー(編) 三隅二不二・佐々木薫訳編 グループ・ダイナミックス 第2版 誠信書房 pp. 959–970.)

〔77〕 Jago, A. G. & Vroom, V. H. 1975 Perceptions of leader-

ship style: Supervisor and Subordinate description of decision-making behavior. in Hunt, J. G. & Larson, L. L. (eds.) *Leadership frontiers.* Kent State University Press. pp. 103-120.

〔78〕 Janis, I. L. 1972 グループ決定の落し穴："集団性脳炎" ビジネス能力の創造（人間の行動シリーズ 2） ダイヤモンド-タイム社 pp. 95-103.

〔79〕 Johns, G. 1978 Task moderators of the relationship between leadership style and subordinate responses. *Academy of Management Journal,* 21, 319-325.

〔80〕 狩野素朗 1970 集団効率と成員満足感におよぼす構造特性とリーダーシップ特性との交互作用 教育・社会心理学研究, 9, 127-144.

〔81〕 川名好裕, Williams, K. & Latané, B. 1982 社会的怠惰効果：日本人中学生での場合 日本心理学会第46回大会予稿集 p. 428.

〔82〕 Kelly, J. 1980 *Organizational behavior: Its data, first principles, and applications.* (3*rd ed.*) Homewood, Illinois: Richard D. Irwin.

〔83〕 Kerr, S. & Schreisheim, C. A., Murphy, C. J. & Stogdill, R. M. 1974 Toward a contingency theory of leadership based upon the consideration and initiating structure literature. *Organizational Behavior and Human Performance,* 12, 62-82.

〔84〕 Kirscht, J., Lodahl. T. & Haire, M. 1959 Some factors in the selection of leaders by members of small group. *Journal of Abnormal and Social Psychology,* 58, 406-408.（白樫三四郎訳 1970 小集団の成員によるリーダー選出に関する二，三の要因 カートライト／ザンダー（編） 三隅二不二・佐々木薫訳編 グループ・ダイナミックス 第2版 誠信書房 pp. 621-627.）

〔85〕 Korman, A. K. 1966 "Consideration," "Initiating structure," and organizational criteria: A review. *Personnel Psychology,* 19, 349-361.

〔86〕 Korman, A. K. 1973 On the development of contingency theories of leadership: Some methodological considerations and a possible alternate. *Journal of Applied Psychology,* 58,

384-387.

〔87〕 Latané, B. & Darley, J. M. 1970 *The unresponsive bystander: Why doesn't he help?* New York: Appleton-Century-Crofts.（竹村研一・杉崎和子訳　1974　冷淡な傍観者：思いやりの社会心理学　ブレーン出版）

〔88〕 Latané, B., Williams, K. & Harkins, S. 1979 Many hands make light the work: The causes and consequences of social loafing. *Journal of Personality and Social Psychology*, 37, 822-832.

〔89〕 Lewin, K. 1939 Experiments in social space. *Harvard Educational Review*, 9, 21-32.（末永俊郎訳　1954　社会的空間における実験　レヴィン，K.　末永俊郎訳　社会的葛藤の解決：グループ・ダイナミックス論文集　創元社　pp. 94-110.）

〔90〕 Likert, R. 1961 *New patterns of management.* New York: McGraw-Hill.（三隅二不二訳　1964　経営の行動科学：新しいマネジメントの探求　ダイヤモンド社）

〔91〕 Likert, R. 1967 *The human organization: Its management and value.* New York: McGraw-Hill.（三隅二不二訳　1968　組織の行動科学：ヒューマン・オーガニゼーションの管理と価値　ダイヤモンド社）

〔92〕 Likert, R. & Likert, J. G. 1976 *New ways of managing conflict.* New York: McGraw-Hill.

〔93〕 McClelland, D. 1961 *The achieving society.* Princeton, N. J.: Van Nostrand.（林保監訳　1971　達成動機：企業と経済発展におよぼす影響　産業能率短期大学出版部）

〔94〕 McFilen, J. M. & New, J. R. 1979 Situational determinants of supervisor attributions and behavior. *Academy of Management Journal*, 22, 793-809.

〔95〕 McGrath, J. E. & Kravitz, D. A. 1982 Group research. *Annual Review of Psychology*, 33, 195-230.

〔96〕 McGregor, D. 1960 *The human side of enterprise.* New York: McGraw-Hill.（高橋達男訳　1966　企業の人間的側面　産業能率短期大学出版部）

〔97〕 McMahon, J. T. 1972 The contingency theory: Logic

and method revisited. *Personnel Psychology*, 25, 697-711.

〔98〕 Middlemist, R. D., Knowles, E. S. & Matter, C. F. 1976 Personal space invasions in the lavatory: Suggestive evidence for arousal. *Journal of Personality and Social Psychology*, 33, 541-546.

〔99〕 三隅二不二　1978　リーダーシップ行動の科学　有斐閣

〔100〕 三隅二不二・中野繁喜　1960　学級雰囲気に関するグループ・ダイナミックスの研究（第3報告）　教育・社会心理学研究，1，119-135.

〔101〕 三隅二不二・関文恭　1968　PM式監督条件効果の動機論的分析：達成動機との関連において　教育・社会心理学研究，8，25-33.

〔102〕 Misumi, J. & Seki, F. 1971 Effects of achievement motivation on the effectiveness of leadership patterns. *Administrative Science Quarterly*, 16, 51-59.

〔103〕 三隅二不二・白樫三四郎　1963　組織体におけるリーダーシップ構造—機能に関する実験的研究　教育・社会心理学研究，4，115-127.

〔104〕 Misumi, J. & Shirakashi, S. 1966 An experimental study of the effects of supervisory behavior on productivity and morale in a hierarchical organization. *Human Relations*, 19, 297-307.

〔105〕 三隅二不二・白樫三四郎・武田忠輔・篠原弘章・関文恭　1970　組織におけるリーダーシップの研究　年報社会心理学，10，63-90.

〔106〕 Mitchell, T. 1979 Organizational behavior. *Annual Review of Psychology*, 30, 243-281.

〔107〕 中村陽吉　1983　対人場面の心理　東京大学出版会

〔108〕 Nebeker, D. M. 1975 Situational favorability and perceived environmental uncertainty: An integrative approach. *Administrative Science Quarterly*, 20, 281-294.

〔109〕 O'Brien, G. E. 1969 Group structure and the measurement of potential leader influence. *Australian Journal of Psychology*, 21, 277-289.

〔110〕 O'Brien, G. E., Biglan, A. & Penna, J. 1972 Measure-

ment of the distribution of potential influence and participation in groups and organizations. *Journal of Applied Psychology*, 56, 11-18.

〔111〕 O'Eser, O. A. & Harary, F. 1962 A mathematical model for structural role theory（Ⅰ）. *Human Relations*, 15, 89-109.

〔112〕 O'Eser, O. A. & Harary, F. 1964 A mathematical model for structural role theory（Ⅱ）. *Human Relations*, 17, 3-17.

〔113〕 O'Eser, O. A. & O'Brien, G. E. 1967 A mathematical model for structural role theory（Ⅲ）. *Human Relations*, 20, 83-97.

〔114〕 大西誠一郎　リーダーシップの年齢的発達　児童心理，10, 617-622.

〔115〕 O'Reilly, C. A., Ⅲ. & Rondy, L. R. 1979 Organizational communication. in Kerr, S. (ed.) *Organizational behavior*. Columbus, Ohio: Grid Publishing. pp. 119-150.

〔116〕 O'Reilly, C. A., Ⅲ. & Roberts, K. H. 1978 Supervisor influence and subordinate mobility aspirations as moderators of consideration and initiating structure. *Journal of Applied Psychology*, 63, 96-102.

〔117〕 Parten, M. B. 1933 Leadership among preschool children. *Journal of Abnormal and Social Psychology*, 27, 430-440.

〔118〕 Patchen, M. 1962 Supervisory methods and group performance norms. *Administrative Science Quarterly*, 7, 275-294.

〔119〕 Potter, E. H., Ⅲ. & Fiedler, F. E. 1981 The utilization of staff member intelligence and experience under high and low stress. *Academy of Management Journal*, 24, 361-376.

〔120〕 Raven, B. H. & Rubin, J. Z. 1976 *Social psychology: People in groups*. New York: John Wiley & Sons.

〔121〕 Raven, B. H. & Rubin, J. Z. 1983 *Social psychology*. (*2nd ed.*) New York: John Wiley & Sons.

〔122〕 Rice, R. W. 1978 Construct validity of the Least Preferred Coworker score. *Psychological Bulletin*, 83, 1199-1237.

〔123〕 Rotter, J. B. 1966 Generalized expectancies for internal vs. external control of reinforcement. *Psychological Mono-*

graphs, 80 (*1*).

〔124〕 Rotter, J. B. & Hochreich, D. J. 1975 *Personality*. Glenview, Illinois: Scott, Forseman & Co. (詫摩武俊ほか訳 1980 パーソナリティの心理学 新曜社)

〔125〕 Sample, J. A. & Wilson, T. R. 1965 Leader behavior, group productivity, and rating of least preferred coworker. *Journal of Personality and Social Psychology*, 1, 266-270.

〔126〕 Schriesheim, J. F. 1980 The social context of leader-subordinate relations: An investigation of the effects of group cohesiveness. *Journal of Applied Psychology*, 65, 183-194.

〔127〕 Schriesheim, C. A. & Kerr, S. 1977a Theories and measurement of leadership: A critical appraisal of current and future directions. in Hunt, J. G. & Larson, L. L. (eds.) *Leadership: The cutting edge*. Southern Illinois University Press. pp. 9-45.

〔128〕 Schriesheim, C. A. & Kerr, S. 1977b R. I. P. LPC: A response to Fiedler. in Hunt, J. G. & Larson, L. L. (eds.) *Leadership: The cutting edge*. Southern Illinois University Press. pp. 51-56.

〔129〕 Schriesheim, C. A. & Stogdill, R. M. 1975 Differences in factor structure across three versions of the Ohio State Leadership scales. *Personnel Psychology*, 28, 189-206.

〔130〕 Schriesheim, C. A. & Von Glinow, M. A. 1977 The path-goal theory of leadership: A theoretical and empirical analysis. *Academy of Management Journal*, 20, 398-405.

〔131〕 Shaw, M. E. 1955 A comparison of two types of leadership in various communication nets. *Journal of Abnormal and Social Psychology*, 50, 127-134.

〔132〕 Shaw, M. E. 1959 Some effects of individually prominent behavior upon group effectiveness and member satisfaction. *Journal of Abnormal and Social Psychology*, 59, 382-386.

〔133〕 Shaw, M. E. 1963 Scaling group tasks: A method for dimensional analysis. Technical Report, No. 1, University of Florida (Mimeo).

〔134〕 Sheridan, J. E., Downey, H. K. & Slocum, J. W., Jr. 1975 Testing causal relationships of House's path-goal theory of leadership effectiveness. in Hunt, J. G. & Larson, L. L. (eds.) *Leadership frontiers.* Kent State University Press. pp. 61–80.

〔135〕 Sheridan, J. E. & Vredenburgh, D. J. 1979 Structural model of leadership influence in a hospital organization. *Academy of Management Journal*, 22, 6–21.

〔136〕 Shiflett, S. C. 1973 The contingency model of leadership effectiveness: Some implications of its statistical and methodological properties. *Behavioral Sciences*, 18, 429–440.

〔137〕 Shiflett, S. C. 1974 Stereotyping and esteem for one's least preferred co-worker. *Journal of Social Psychology*, 93, 55–65.

〔138〕 白樫三四郎　1963　リーダーの対人認知と集団生産性　教育・社会心理学研究，4，92–103.

〔139〕 白樫三四郎　1966　リーダーの対人認知と集団成員からみたリーダー行動との関係　教育・社会心理学研究，6，49–58.

〔140〕 白樫三四郎　1968　小集団のリーダーシップ効果性に関する実験的研究：Contingency model の検討　教育・社会心理学研究，8，123–141.

〔141〕 白樫三四郎　1969　小集団のリーダーシップ効果性に関する実験的研究(2)：Coacting group における contingency model の検討　教育・社会心理学研究，8，249–267.

〔142〕 白樫三四郎　1972　フィードラーのリーダーシップ効果性理論の展望　西南学院大学商学論集，19(*3*)，183–230.

〔143〕 白樫三四郎　1975a　リーダーシップ２要因（配慮，構造づくり）理論：文献展望　西南学院大学商学論集，21(*4*)，91–117.

〔144〕 白樫三四郎　1975b　フィードラーのリーダーシップ効果性理論の展望（Ⅱ-1）　西南学院大学商学論集，22(*2*)，121–150.

〔145〕 白樫三四郎　1975c　フィードラーのリーダーシップ効果性理論の展望（Ⅱ-2）　西南学院大学商学論集，22(*3*)，83–113.

〔146〕 白樫三四郎　1976　リーダーシップ論におけるコンティンジェンシー理論　組織科学，10(*4*)，36–45.

〔147〕 白樫三四郎　1977　フィードラーのリーダーシップ効果性に

関する条件即応モデル：批判と評価　心理学評論，19，172-189.
〔148〕 白樫三四郎　1978a　リーダーシップ行動と集団状況　西南学院大学商学論集，25(*3*)，101-112.
〔149〕 白樫三四郎　1978b　集団問題解決に及ぼす集団成員の等質・異質性の効果　西南学院大学商学論集，24(*4*)，43-58.
〔150〕 Shirakashi, S. 1980 The interaction effects for behavior of least preferred coworker (LPC) score and group-task situations: A reanalysis. 西南学院大学商学論集，27(*2*)，27-39.
〔151〕 白樫三四郎　1981　リーダーシップのコンティンジェンシー論　組織科学，15(*3*)，24-32.
〔152〕 白樫三四郎　リーダーシップの発達　古畑和孝監修　集団行動の発達（発達社会心理学講座 2）学芸図書（印刷中）
〔153〕 白樫三四郎，Latané, B. 1982 社会的怠慢に関する実験的研究　日本心理学会第46回大会予稿集　p. 428.
〔154〕 Stinson, J. E. & Johnson, T. W. 1975 The path-goal theory of leadership: A potential test and suggested refinement. *Academy of Management Journal*, 18, 242-252.
〔155〕 Stogdill, R. M. 1948 Personal factors associated with leadership: A survey of the literature. *Journal of Psychology*, 25, 35-71. also in Gibb, C. A. (ed.) 1969 *Leadership: Selected readings.* Penguin Books. pp. 91-133.
〔156〕 Stogdill, R. M. 1974 *Handbook of leadership: A survey of theory and research.* New York: Free Press.
〔157〕 Stogdill, R. M. & Coons, A. E. (eds.) 1957 *Leader behavior: Its description and measurement.* Research Monograph, No. 88, Bureau of Business Research, Ohio State University.
〔158〕 Strube, M. J. & Garcia, J. E. 1981 A meta-analytic investigation of Fiedler's contingency model of leadership effectiveness. *Psychological Bulletin*, 90, 307-321.
〔159〕 Strube, M. J. & Garcia, J. E. 1983 On the proper interpretation of empirical findings: Strube and Garcia (1981) revisited. *Psychological Bulletin*, 93, 600-603.
〔160〕 田中祐次　1975　ソシオメトリック・テスト　岡堂哲男編　心

理検査学　垣内出版　pp. 394-417.

〔161〕 土岐桂　1935　学級における指導-従属構造　心理学研究，10，27-56.

〔162〕 Tosi, H. L. 1970 A reexamination of personality as a determinants of the effects of participation. *Personnel Psychology*, 23, 91-99.

〔163〕 Tosi, H. L. 1973 The effect of the interaction of leader behavior and subordinate authoritarianism. *Personnel Psychology*, 26, 339-350.

〔164〕 Vecchio, R. P. 1983 Assessing the validity of Fiedler's contingency model of leadership effectiveness: A closer look at Strube and Garcia. *Psychological Bulletin*, 93, 404-408.

〔165〕 Vroom, V. H. 1959 Some personality determinants of the effects of participation. *Journal of Abnormal and Social Psychology*, 59, 322-327.

〔166〕 Vroom, V. H. 1976 Leadership. in Dunnette, M. D. (ed.) *Handbook of industrial/organizational psychology*. Chicago: Rand McNally College Publishing Co. pp. 1527-1551.

〔167〕 Vroom, V. H. & Jago, A. G. 1978 On the validity of the Vroom-Yetton model. *Journal of Applied Psychology*, 63, 151-162.

〔168〕 Vroom, V. H. & Mann, F. C. 1960 Leader authoritarianism and emplyee attitudes. *Personnel Psychology*, 13, 125-140.

〔169〕 Vroom, V. H. & Yetton, P. W. 1973 *Leadership and decision-making*. University of Pittsburgh Press.

〔170〕 Weed, S. E., Mitchell, T. R. & Moffitt, W. 1976 Leadership style, subordinate personality, and task type as predictions of performance and satisfaction with supervision. *Journal of Applied Psychology*, 61, 58-66.

〔171〕 White, R. & Lippitt, R. 1960 Leader behavior and member reaction in three "social climate." in Cartwright, D. & Zander, A. (eds.) *Group dynamics: Research and theory.* (*2nd ed.*) Evanston, Illinois: Row, Peterson. pp. 527-553. (中野繁喜・佐々木薫訳　1970　三種の「社会的風土」におけるリーダー

の行動と成員の反応　カートライト／ザンダー(編)　三隅二不二・佐々木薫訳編　グループ・ダイナミックス　第2版　誠信書房　pp. 629–661.)

〔172〕 Williams, K., Harkins, S. & Latané, B. 1981 Identifiability as a deterrent to social loafing: Two cheering experiments. *Journal of Personality and Social Psychology*, **40**, 303–311.

〔173〕 柳原光　1976　人間のための組織開発シリーズ（Creative O. D.）1,　行動科学実践研究会

〔174〕 吉田道雄・白樫三四郎　1975　成功－失敗条件および成員の統制志向傾向が成員行動の認知におよぼす効果　実験社会心理学研究，**15**，45–55.

〔175〕 Yukl, G. 1970 Leader LPC score: Attitude dimensions and behavioral correlates. *Journal of Social Psychology*, **80**, 207–212.

〔176〕 Yukl, G. 1971 Toward a behavioral theory of leadership. *Organizational Behavior and Human Performance*, **6**, 414–440.

〔177〕 Zajonc, R. B. 1965 Social facilitation. *Science*, **149**, 269–274. also in Cartwright, D. & Zander, A. (eds.) 1968 *Group dynamics*. (*3rd ed.*) New York: Harper & Row. pp. 63–73.

参考文献

1) Cartwright, D. & Zander, A. 1960 Leadership and group performance: Introduction. in Cartwright, D. & Zander, A. (eds.) *Group dynamics: Research and theory.* (*2nd ed.*) Evanston, Illinois: Row Peterson. pp. 487-510. (白樫三四郎訳 1970 リーダーシップと集団の業績：序 カートライト／ザンダー(編) 三隅二不二・佐々木薫訳編 グループ・ダイナミックス 第2版 誠信書房 pp. 581-608.)

2) Cartwright, D. & Zander, A. 1968 Leadership and performance of group functions: Introduction. in Cartwright, D. & Zander, A. (eds.) *Group dynamics: Research and theory.* (*3rd ed.*) New Yoak: Harper & Row. pp. 301-317.

3) Fiedler, F. E. 1962 Leader attitude, group climate and group creativity. *Journal of Abnormal and Social Psychology*, 65, 308-318. (一部の翻訳・紹介 白樫三四郎訳 1964 催眠的操作によるリーダーの態度に関する研究 催眠研究, 8, 201-206.)

4) Fiedler, F. E. 1968 Personality and situational determinants of leadership effectiveness. in Cartwright, D. & Zander, A. (eds.) *Group dynamics: Research and theory.* (*3rd ed.*) New York: Harper & Row. pp. 362-380.

5) Hare, A. P. 1976 *Handbook of small group research.* (*2nd ed.*) New York: Free Press.

6) 島久洋 1981 集団の社会心理学 啓文社

7) 白樫三四郎 1977 問題解決と会議 年報社会心理学, 18, 33-49.

8) 白樫三四郎 1978a 集団の構造と機能 佐久間章・安藤延男編 人間行動の心理学的考察 アカデミア出版会 pp. 197-220.

9) 白樫三四郎 1978b リーダーシップ 山田雄一ほか 職場の人間行動：人を生かす職場の条件 有斐閣 pp. 113-140.

10) 白樫三四郎 1979 日本のグループ・ダイナミックス研究の系

譜と課題　横田澄司編　日本の社会心理学（築島謙三監修　人間探究の社会心理学 5）　朝倉書店　pp. 37-57.
11）白樫三四郎　1980　リーダーシップ　古畑和孝編　人間関係の社会心理学　サイエンス社　pp. 251-276.
12）白樫三四郎　1981　リーダーシップ　松浦健児・山田雄一編　経営人事心理学　朝倉書店　pp. 149-198.
13）白樫三四郎　1982a　職場集団のグループ・ダイナミックス　関本昌秀・横田澄司・正田亘監修　組織と人間行動（企業の行動 2）泉文堂　pp. 167-191.
14）白樫三四郎　1982b　攻撃と援助　浜田哲郎・園田五郎・白樫三四郎編　現代の心理学：人間の心理と行動　朝倉書店　pp. 181-192.
15）白樫三四郎　1982c　リーダーシップ　浜田哲郎・園田五郎・白樫三四郎編　現代の心理学：人間の心理と行動　朝倉書店　pp. 214-221.
16）白樫三四郎　1983　フィードラーのリーダーシップ訓練法とその批判　西南学院大学商学論集，29(*3*・*4*)，93-120.
17）白樫三四郎　1984a　社会心理学研究法　大橋正夫・古畑和孝・鈴木康平・白樫三四郎編　現代社会心理学：個人と集団・社会　朝倉書店　pp. 249-258.
18）白樫三四郎　1984b　リーダーシップ　大橋正夫・古畑和孝・鈴木康平・白樫三四郎編　現代社会心理学：個人と集団・社会　朝倉書店　pp. 151-163.
19）白樫三四郎　1984c　組織行動　大橋正夫・古畑和孝・鈴木康平・白樫三四郎編　現代社会心理学：個人と集団・社会　朝倉書店　pp. 165-178.
20）白樫三四郎　フィードラー理論　占部都美・海道進ほか編　経営学大辞典　中央経済社（印刷中）

◎ 著者紹介

白《しら》樫《かし》 三《さん》四《し》郎《ろう》

1936年生れ。九州大学教育学部卒，同大学院教育学研究科博士課程修了。現在，西南学院大学商学部教授，教育学博士。1985年より鳴戸教育大学教授に就任予定。

〈主著〉『企業と組織』（共編，『現代のエスプリ』124号），『職場の人間行動』（共著，有斐閣），『現代の心理学』（共編，朝倉書店），『現代社会心理学』（共編，朝倉書店），「リーダーシップ論におけるコンティンジェンシー理論」（『組織科学』）など

リーダーシップの心理学　〈有斐閣選書〉

昭和60年2月25日　初版第1刷発行

著者　白樫三四郎
発行者　江草忠敬
発行所　株式会社 有斐閣
東京都千代田区神田神保町2～17
電話東京（264）1311（大代表）
郵便番号〔101〕振替口座東京6-370番
京都支店〔606〕左京区田中門前町44

印刷　堀内印刷・製本　稲村製本

リーダーシップの心理学（オンデマンド版）

Digital Publishing

2001年6月30日　発行

著　者　　白樫　三四郎
発行者　　江草　忠敬
発行所　　株式会社有斐閣
〒101-0051　東京都千代田区神田神保町2-17
TEL03(3264)1315（編集）　03(3265)6811（営業）
URL http://www.yuhikaku.co.jp/

印刷・製本　　株式会社　デジタルパブリッシングサービス
〒162-0813　東京都新宿区東五軒町6-21
TEL03(5225)6061　FAX03(3266)9639

AA497

ISBN4-641-90091-4　Printed in Japan